相剋の森

熊谷達也

集英社文庫

相剋の森

1

肌でわかるほどに会場の空気が変わった。

ひとりの若い女の発言が原因だった。

マイクを通した女の声が、軽いハウリングを伴って響いた。

「今の時代、どうしてクマを食べる必要性があるのでしょうか」

ふだんは宴会場として使われる畳敷きの大広間には、総勢で百名ほどの人間が、胡坐《あぐら》をかいて座っていた。前面の簡素なステージには、先ほどまでの役目を終えたオーバーヘッドプロジェクターが、所在なげに残されている。

ステージの奥、スクリーンの上方には『第十二回マタギの集いＩＮ阿仁《あに》』と記された看板が、誇らしげに掲げられていた。

この場を埋めている人間のほとんどが年配の男、しかも一見しただけで戸外での仕事を生業《なりわい》としている男たちだとわかるなかで、司会者から渡されたワイヤレスマイクを手に心もち顎《あご》をあげ、挑むような視線を周囲に投じている女の姿と声はひどく目立った。

会場のなかほどに腰を落ち着けていた滝沢昭典《たきざわあきのり》は、後ろに少しだけ首をねじり、女の顔を見やった。

やはりそうだ。昨夜、この同じ会場で催された懇親会で、妙に親しげに話しかけてきた女だ。

酒宴の席ではさほど気にならなかったが、こうしてあらたまった場で見ると、拭《ぬぐ》いようのない違和感が、女から放射されている。

いったいなにがそう感じさせるのだろうと思いをめぐらせた滝沢は、ほどなく答えらしきものに行きついた。

あちこちで飛び跳ねている茶色い髪に、体のラインが強調された水色のスーツという出《い》で立《た》ちもさることながら、薄く化粧を施された頬《ほお》から顎先にかけてのはっきりとした線、そしてなによりも、切れ長の二重まぶたのなかで自信ありげな光を湛《たた》えている瞳《ひとみ》が、言外に語っていた。

私は都会の女だと。

それはつまり、生きる目的も方法も、根本からあなたがたとは違っていると、暗にほのめかしているということだった。

滝沢の隣にいた山形県の朝日《あさひ》村から参加している年配の男が、女の耳にも届く声で、ぼそりと呟《つぶや》いた。

「なんだや、自然保護主義者が。どっから紛れ込んだんだ」

男が口にした、自然保護主義者という言葉には、明らかに揶揄《やゆ》する響きが混じっていた。会場のあちこちで、嘲《あざけ》りとしか取りようのない失笑が漏れる。

女が滝沢たちのほうを睨《にら》んだ。一瞬だけ視線が絡む。ほどよいアルコールで頬を染め、潤んだ瞳を輝かせて滝沢の話に興味深げに頷《うなず》いていた、昨夜の面影は微塵《みじん》もない。

思わず目をそらして手元のレジュメを見ているふりをする。

――なんで俺《おれ》がうろたえなくちゃならないんだ。

疑問を感じながらも、彼女の顔に視線を戻すことはできなかった。

気後《きおく》れした様子もなく、しっかりとした口調で女がつづける。

「はじめにお断りしておきますが、私は短絡的な自然保護を振りかざすつもりはありません。そういった運動が、たとえばイヌイットの生活を変え、彼らのアイデンティティーを失わせたことも承知しています」

滝沢の隣の男が再び舌打ちする。

「あれまあ、インテリの女子《おなご》がや、始末に負えねえな」

これもまた彼女には聞こえているはずだ。

「部外者がなにを勝手なことを、と言われるだろうことはわかっています。でも、ごく一般的な人間の、率直な疑問として考えていただければと思います――」

その後の論旨は、ある意味明快だった。

――貧しい時代には、猟をし、獲物の肉を食い、毛皮を利用することは、山で暮らす人々が生きるためには確かに必要なことだったと思う。しかし、飽食の時代といわれるようになった現代、どこにそんな必要があるのか。ツキノワグマは日本固有の貴重な哺乳類《ほにゅうるい》であり、地域によっては絶滅が危惧《きぐ》されている。人身事故や農作物の被害を防ぐためにも狩猟は必要だとあなたがたは主張されるが、だとしたら、有害鳥獣駆除の名目で殺してしまうのではなく、もっと他の手立てを考えるべきではないのか。クマを食べなくても今の時代は生きていけるのだから――。

滝沢の背中で苦りきった声がした。

「んだたってなあ、やっぱりクマはうめえ」

同意を示す頷きと、女に対する反駁《はんばく》の苦笑が再び広がる。

会場の隅々に伝播《でんぱ》した冷ややかな笑いの波が収まるのを待って女は口を開いた。

「今のお言葉は、はたしていかがなものでしょうか。ならば、私も言わせてもらいます。昨夜の懇親会で、何人かのマタギの方からいろいろなことをうかがいました。そのなかで、こんなことをおっしゃっていた方がいます。どうしたってクマを食うのはやめられない。あるいはこんなことも。クマを追い立てるときはやっぱり血が騒ぐ。正直、その言葉を耳にしたときには、幻滅を覚えました」

滝沢は顔をしかめた。その二つとも、他ならぬ自分が喋《しゃべ》ったことだったからである。

盗み見るようにして顔をあげると、そこには冷たい眼差《まなざ》しで滝沢を見つめる端整な顔があった。

こんな女に、なんでああもぺらぺらとよけいなことまで喋ってしまったのかと、己の迂闊《うかつ》さがいやになる。

酒宴の席でいい気分になっていたということはある。そこに、田舎ではめったにお目にかかれない垢抜《あかぬ》けた姉ちゃんがやってきて、にこにこしながら酌をされたものだから、すっかり舞いあがってしまった。

昭和四十年生まれの滝沢は、集まったマタギのなかでも若い部類に入る。女のほうはというと、見たところ、二十代の終わりか三十代のはじめぐらいに思える。自分に近い年齢のマタギを見つけて、話をしやすいと思ったのか、あるいは口を滑らせやすいと企《たくら》んだのか。いずれにしても、まんまと罠《わな》にかかってしまったわけだ。これだから都会の女はおっかねえ……。

滝沢は、昨夜の記憶をたどりながら臍《ほぞ》をかんだ。

きっかけとなったのは、毎春に村の猟師組で行う巻き狩りに話が及んだときだった。

ひと口にクマ猟といっても、さまざまな形態がある。危険は伴うものの単独でも可能なのは、冬ごもり中のクマを狙《ねら》う『穴グマ猟』だ。滝沢も若いころに幾度か経験していたが、さまざまな理由があって、現在はほとんど行われていない。冬山に毎日のように入っていたのでは日常の仕事に支障が出るということもあるが、クマの保護という面もあった。獲りつくしてしまったのでは、猟そのものが成り立たなくなってしまうからである。だから、決してクマのことを考えていないわけではないのだ。それも説明したはずなのだが、その部分は聞き流されてしまったらしかった。

　もうひとつは『出グマ猟』あるいは『春グマ猟』と言われるものである。

　雪解けが近づき、山々にかすかな春の息吹が感じられるようになってきたころ、冬ごもりをしていたクマたちが、越冬穴からぼちぼちと出はじめる。この時期のクマは肉も美味《うま》く、良質の毛皮がとれるうえに、長い絶食によって胆《い》にたっぷりと胆汁を溜《た》めこんでいる。これを狙うわけである。

　新潟県の北端、山形県との県境に位置する岩船《いわふね》郡山北町《さんぽくまち》の熊田《くまだ》という集落が、滝沢が生まれ育ち、今なお住んでいる村だった。町役場は日本海に面した国道七号線の近くにあるが、そこから朝日連峰の懐をめざしておよそ二十キロ、車でも三十分近くはかかる山襞《やまひだ》に抱かれた、戸数がわずか二十戸あまりの小さな集落である。しばらく前までは陸の孤島と呼ばれていた、絵に描いたような僻地《へきち》だ。

　熊田の集落の男たちは、滝沢が知っている限りでも曾祖父《そうそふ》の代、いや、それ以前から、巻き狩りによって出グマを獲ってきた。

　巻き狩りの方法となるとこれまた何種類もあって複雑だが、山の斜面に勢子《せこ》が追い上げたクマを、尾根の下で待ち構えていた射手《いて》が迎え撃つ方法が主であり、熊田の村では、近隣の集落からの応援を得て、いつも二十名前後の人員を使って行われる。これだけ大規模な巻き狩りを今なお行っているマタギ村は少ない。数ある狩りのなかでも、もっとも洗練された狩猟方法だと、滝沢は思っていた。

猟の組織においては、地域によっては『シカリ』とも呼ばれる、全体を指揮する頭領が果たす役割は大きい。頭領の技量しだいで猟が決まるといっても過言ではない。

この春、滝沢は、三十代後半という若さにもかかわらず頭領を務め、首尾よく二頭の出グマを仕留めていた。綺麗《きれい》な女を前にして、自然にそのときの自慢話が口をついて出たとしても責められることではないだろう。

酔っていたため細かい記憶は定かではないものの、こんな美味いものはないぞと言いながら、旅館の料理とは別に発泡スチロールのどんぶりで配膳《はいぜん》されたクマ汁を、女にしつこく勧めたのは確かだ。血が騒ぐ、という言い方をしたかどうかはあやふやだが、近いことは喋った気もする。

だが滝沢は、心の底では、間違ったことを口にしたとは思っていなかった。あくまでも、事実をありのまま述べただけだ。それをこんなふうにあげ足とりの材料にされてしまうとは……。

それにしても、と滝沢は心のうちでため息を吐きだした。

そもそもこの集会は、北は青森から南は長野までの、いわゆるマタギ村から集まった猟師たちによる親睦会《しんぼくかい》なのだ。あんな発言をすれば、せっかく和《なご》やかに進んでいた場の雰囲気が白けきってしまうのは目に見えている。

発言中の女が一般からの参加者に違いないとしても、それくらいのことはわかるだろうに、いったいなにが目的だというのか……。

滝沢が首をひねっている間にも、女の話はつづいた。

「最後に、お叱《しか》りを受けるのを覚悟で、あえて言わせていただきます。伝統的な狩猟文化を守るという先ほどからのご主張は、正直なところ都合のよい言い訳に思えてなりません。マタギのみなさんは、クマは獲るものではなく授かるものだという言い方をされますが、結局は人間の欲望やエゴをカムフラージュしているにすぎないのではないでしょうか。二十一世紀というこの時代、それはもう許されないことだと私は思います」

言葉を切った女は、ひと通り周囲を見回したあと、軽く肩をすくめてから司会者にマイクを返した。

気づいてみると、あちこちで漏れていた失笑や揶揄の呟きはすっかり立ち消えとなり、居心地の悪い沈黙が会場を支配していた。

こもった咳払《せきばら》いだけが虚《うつ》ろに響くなか、論戦を挑もうとする者は出てこない。

なにかを言わなければ。そうは思うのだが、滝沢にしても気が焦るばかりで、生意気な女の鼻っ柱をへこましてやれるだけの言葉も、理屈も、なにひとつ浮かんでこなかった。

しばらくして、困惑をあらわにした司会者の声が、スピーカーから流れた。

「えー、まあ、この会は決して外に閉ざされたものではありませんから、まあ、なんといいますか、今のようなご意見も貴重なものとして承っておくのが大切かと――で、そろそろ時間も終わりに近づいてまいりましたので、最後に実行委員長より閉会のお言葉をいただきまして――」

つづく行事が機械的に進んでいく間、くすぶる憤りとやるせなさが滝沢の心を重く沈ませた。しょせんこれが、俺たちに対する世間一般の見方なのだと、あらためて嘆息するしかなかった。

2

会場をあとにする人波に揉《も》まれながら、美佐子《みさこ》は、周囲の男たちが自分に向けてくる敵意をはっきりと感じていた。

——そんなに気に入らないのなら、どうして正面から反論しないのよ。

ふいに呼び止められ、あるいは腕でもつかまれて、さっきの発言はなんだったのだ、と詰め寄られるほうがまだいい。

ところがこの人たちときたら、まるで蛇でも見るような視線を投げつけてくるだけで、誰ひとりとして、まともに目を合わせようとしない。

しかも、たまさか目が合っても、相手が存在していることに気づいていないふりを装い、そのくせ落とされた視線は、美佐子の胸の膨らみから腰のくびれへと這《は》い回っている。

——これだから田舎の人間はきらいなんだ。

ふだんは忘れているが、時おりなにかのきっかけで噴き出してくる嫌悪感を無理やり呑《の》みこもうとした。

だが、周囲の男たちから発散されている獣じみた匂《にお》いが、生理的な嫌悪を怒りへと暗転させた。

美佐子がどうしても我慢できないのは、彼らが一様に持っている、偏狭で排他的な精神性だった。

もちろん、田舎の人間がすべてそうだと決めつけているわけではない。けれども、いざとなると、先ほどのディスカッションでのように、きちんとした理論武装もできず、むっつりと口を閉ざして、端《はな》から異質なものを閉めだそうとする。そうしておいて、あとでさんざん悪口を並べたてるに違いないのである。すべてが仲間うちでのなあなあですまされるムラ社会の構造は、とうてい受け入れられるものではなかった。

人の流れが廊下を伝って玄関ロビーへと達する間、体の周囲に見えないバリアを張り巡らせていた美佐子は、まつわりついていた視線が疎《まば》らになったところで、ようやく人心地つくことができた。

反論は受けて立つ、という意気込みではいたものの、やはり緊張していたのは否《いな》めない。つい最前まで渦巻いていた憤りが収まってくるにつれ、どっと疲れが押し寄せてきた。

――なにも喧嘩《けんか》をふっかけるために来たわけじゃないのに。

空いているソファはないかと、周囲を見回しながら胸中で呟いた。

もともとは、ここにいるのは美佐子ではないはずだった。取材に行くことになっていたライターが急病で動けなくなり、代役が見つからなかったために、急きょ編集長である美佐子が仙台《せんだい》から出向くことになったのである。

編集長とはいっても、地方都市のタウン誌に毛が生えた程度の雑誌のこと。人手不足はいかんともしがたく、自らが取材に飛び回ることは日常茶飯事だった。

ロビーの片隅に空いているソファを見つけ、自動販売機で買った食物繊維入り飲料を手に腰をおろした。

瓶のキャップをはずしてひと口すすりながら考える。

仙台から片道五時間近くかけて車を飛ばし、宿泊費込みのけっこうな額の参加費を払ったからには、少しはまともなルポに仕上げる必要がある。取材がどんな結果になろうと、それなりに体裁が整った記事を書くだけの自信はあったが、なにかすっきりしないものが残っていた。

マタギと呼ばれる人々について、最初から悪感情を持っていたわけではない。むしろ、緑の森を守りながら、自然を愛して山の暮らしを営んでいる素朴な人々という、漠然とではあるが好意的なイメージを持って、秋田県阿仁町の打当《うっとう》というマタギの里を訪ねた。

だが、この二日間で見聞きしたことを振り返ってみると、正直なところ期待はずれだったと言わざるを得ない。

なんのことはない、おしなべて彼らは、独りよがりで外の世界には少しも心を開こうとしない、典型的な田舎の親父《おやじ》たちでしかなかった。これは、美佐子が最も嫌いな部類の人種でもある。

会場となった温泉宿に集まってきた彼らの顔つきを見た最初の瞬間から、それを感じはしたが、自分の好悪でものを書いてしまうほどばかではなかったし、東京でライター稼業をしていた間に、取材のイロハは身につけていた。

一見単純そうに見える彼らの内側に、深く秘められたなにかがあるのではないか。そう期待して、昨夜の懇親会では、徳利を手に酒をついで回った。ところが、酔うほどに彼らの口から出てくるのは、最近の野生動物保護の風潮に対する愚痴めいた言葉と、猟の自慢話だけ。なかでも最悪だったのは、新潟のどこだかから来た、滝沢という男だった。

美佐子が、広い宴会場のなかで滝沢に目を留めたのには、それなりの理由があった。

ほとんどの参加者が五十代以上という場にあって、自分とさほど変わらないであろう年齢の滝沢が、話をしやすそうな相手だと単純に思ったことがひとつ。それ以上に、若いマタギがいるという事実そのものに興味をそそられた。

参加者を見れば、マタギの世界にも高齢化の波が押し寄せていることはすぐにわかった。それにもかかわらず彼の年齢でマタギであるということは、それを自らの意思で選んだに違いなく、そこには興味深い動機があるはずだと、美佐子は考えた。

最初の印象はむしろよかった。

クマのぬいぐるみを思わせるようなむっくりした体つきに、どちらかといえば色白の童顔は、マタギというよりも、田舎のどこにでもいそうな好青年といった風情だ。勧めた日本酒をコップに受け、顔を赤らめて遠慮がちに傾けるしぐさが妙に可愛《かわい》らしかった。

自分と同じかもっと若いと思っていた滝沢が、四つほど年上というのは意外だったものの、それでも周囲の多くの男たちと比べれば息子のような年齢だ。必要以上にお世辞を並べなくても、すぐに打ち解けた雰囲気を作ることができた。

やがて話がクマ狩りに及んだとき、滝沢の匂《にお》いが変わった。それまでは存在していなかった獣の匂いが、彼が着ている浴衣の胸元からむんと立ち昇った。

「クマ狩りってそんなに面白いものなんですか」

美佐子は訊《き》いた。

「そりゃ面白《おもしれ》えさ」というのが滝沢の答えだった。

「血湧《わ》き肉躍るとか、そんな感じ？」

「んだあ」

「どうしてもやめられない？」

「やめらんねえな」

酔いで充血した滝沢の目を、美佐子は真正面から見つめた。

凶暴な光を宿した瞳が絡みついてきた。

反射的に首筋がこわばった。

すぐに視線が外れた。滝沢は照れ笑いを浮かべながら目を伏せた。

一瞬だけ垣間《かいま》見《み》せた今の光こそが、この男の本質なのだと確信した。

結局この男も他の親父たちと変わらない。

彼の年齢であれば、現代におけるマタギのあり方について、年配者とは違った見方をしているのではないかと期待したが、どうやら見込み違いだったようだ。

ちらりと見せた本性を覆い隠し、人なつこそうな笑顔を向けてくる滝沢を見やりながら、美佐子は深い幻滅を覚えていた……。

「いいですか、ここ」

ふいの男の声にもの思いが断ち切られた。

ソファの前にたたずんだ男が、美佐子の右隣を指さして微笑《ほほえ》んでいた。

「どうぞ」

会釈を返すと、どうもと言って男が腰をおろした。ジーンズの上下を身につけた引き締まった体つきと、濃い髭面《ひげづら》。歳《とし》は三十代の後半といったところか。うざったい髭がなければ、好みの顔といってよいかもしれない。

「先ほどのディスカッション、ずいぶんとはっきり、ご意見を述べられてましたね」

その言葉に、来た、と美佐子は身構えた。

やはり、文句のひとつやふたつを聞かずには帰れないらしい。

「思ったことを正直に言わせていただいただけです。問題提起としては、それほど的外れだったとは思いませんけど」

男がかすかに笑った。

「僕もマタギに見えますか？」

訊かれて美佐子は、あらためて男の顔を見た。

「さあ——少なくともデスクワークをしていらっしゃるようには見えませんが——」

「今の時代、ふだんはパソコンに向かって仕事をしているマタギもいますよ。でも、マタギにはこんな髭は、ふつうはない」

「どういうことですか」

髭面が真顔になった。

「凍っちゃうんですよ、冬山では。とくに湿気が多い雪が降る地方では邪魔でしょうがない。そんなことに気をとられるような無駄は、マタギは最初からしません」

言われてみれば、昨日も今日も、髭をたくわえたマタギには会っていない。

なるほど、と頷いていると、男の目がいたずらっぽく笑った。

「信じました？　冗談ですよ」

なによ、この人？　そう思いながら尋ねてみる。

「昨夜の懇親会ではお見かけしなかったように思いますが」

「到着が遅くなってしまいましてね、参加したのは二次会から。二次会の席にはあなたはいなかったな」

確認するように男が言った。

遅れて到着して二次会からの参加ということは、いったい何者なんだろう。

美佐子の疑問を察したように、これは失礼しましたと言ってから、男が名刺を差しだしてきた。

吉本憲司《よしもとけんじ》という名前の上にフリーカメラマンとだけある肩書きを見て、納得がいった。

慌ててハンドバッグをかき回し、自分の名刺を取りだした。

少しためらってから吉本に渡す。

相手に名刺を差しだすとき、ためらいがかすめるのはいつものことだった。

佐藤美佐子という平凡な名前が好きではないのである。

どこにでも転がっているありきたりの苗字《みょうじ》に、もっさりした字面《じづら》の名まえ。同じ美佐子でも、美紗子とか未砂子とか、もう少し洒落《しゃれ》た文字を使えなかったのかと親を恨みたくなる。

それなのに、四つ下の妹は、由梨絵《ゆりえ》などというモダンな名前をちゃっかりつけてもらっている。

「どんな写真を撮ってらっしゃるんですか」

美佐子が訊くと、吉本はてらうでもなく、ごく自然に答えた。

「動物写真です。おもにヒグマとかカモシカ。最近はツキノワグマも」

そういうことか、と美佐子は再び納得した。マタギたちとも、その関係でつきあいがあるのだろう。

「さっきの話に戻りますが、あれだけはっきりおっしゃるのには、なにか特別な理由がおありなんですか」

尋ねられた美佐子は、いいえべつに、と首を振った。彼らに対して単純に疑問を感じただけだと、重ねて説明をする。

黙って耳を傾けていた吉本は、美佐子が喋り終わるのを待って、ぽつりと言った。

「山は半分殺してちょうどいい」

「どういうことです？　意味がわかりませんが」

「でしょうね、あなたにはわからないかもしれない。しかし、彼らはそう言っています」

吉本の遠くを見るような目を見ながら首を傾《かし》げてみせた。だが、動物カメラマンは穏やかな笑みを返してくるだけで、それ以上の説明をしようとはしなかった。

山は半分殺してちょうどいいとはどういうことか。

自分の心の襞《ひだ》になにかが打ち込まれる音が聞こえたように、美佐子には思えた。

3

吉本憲司の残した言葉が、ある種の呪詛《じゅそ》が込められているかのように、美佐子にまつわりついていた。

――山は半分殺してちょうどいい。

六月上旬にマタギの里、阿仁の打当《うっとう》を訪ねてから、すでに一月《ひとつき》近くが経過していた。それなのに、この言葉は薄れるどころか、日増しに鮮明になっており、今では、頭の片隅にちょうどよい場所を見つけた、とでもいわんばかりに居座っている。

結局、記事にはしなかった。

はじめは載せようと思った。マタギたちから見聞きしたことを、まずは脚色なしで紹介する。懇親会やディスカッションの様子と、阿仁町のクマ牧場を撮影してきた写真を交えての一ページ半をそれにあてる。写真の掲載については、主催者から事前に承諾をもらっているので問題はない。

そして、見開き二ページのうち、最後の半ページを使って、でもしかし、と疑問を投げかける構成だ。

実際、ゲラの段階にまでなったのだが、どたん場になって差し替えた。印刷所をかなり慌てさせ、迷惑をかけてしまったけれど、編集長は美佐子である。しかも自分の記事にダメを出し、そのかわり、ストックしてあった新人ライターのものに替えたのだから、内部的には感謝されこそすれ、大きな問題になることもなく、発売日に間に合わせることができた。

なぜ、最後の段階になってためらいが勝ったのかわかっていた。

山は半分殺してちょうどいい、という言葉の意味が、どうしても理解できなかったのである。

自分自身で消化し切れていないと感じる記事は絶対に書くな、あるいは載せるなとは、編集スタッフやライターたちに、美佐子自身が常々言っていることだ。それを徹底してきたからこそ、徐々にではあるが、発行部数を伸ばしてくることができたと思っている。大切な基本方針を自らが反故《ほご》にするわけにはいかない。

――いけない、こんなことでぼうっとしてる場合じゃなかった。

髪をかきあげ、自分以外には無人になった編集室の壁に目を向ける。

時計の針が午後の九時をさしていた。

あと一時間だけゲラのチェックをしてから帰ろう。そう決めたとき、デスクに放り出していた携帯電話から着信のメロディが流れた。

「いまどこだい」という聞き慣れた声が響いた。

美佐子が答える前に重ねて訊いてくる。

「まだ編集室？」

「ええ、ゲラのチェックをしてるとこ」

「飲んでるんだけどさあ――」と店の名前を告げ「――来れないかな」と誘ってきた。

「ひとりなの？」

「そう」

「いいけど――でも、あと一時間くらいかかるな。それでもいいなら」

ゲラをめくりながら美佐子が言うと、相手は電波の向こうで苦笑した。

「いつものことだから慣れてるさ。じゃあ、飲みながら待ってる」

通話を切って携帯電話を机の上に戻す。

口許《くちもと》が自然にほころんだ。

電話の相手は、高城康祐《たかぎこうすけ》。美佐子が編集長を務める『みらい』の発行人であるが、大学のサークルで知り合ったのが最初だから、かれこれ十年以上のつきあいになる。

互いの関係を表す言葉となると、けっこう難しい。

仕事の相棒、友人、そして恋人。いずれも当てはまってしまうだけに、かえって曖昧模糊《あいまいもこ》としてしまうのかもしれない。

こういうのをくされ縁というんだ、と互いに言いはするが、学生のころから深いつきあいをしていたわけではなかった。

大学を卒業後、美佐子は御茶ノ水《おちゃのみず》にオフィスがある編集プロダクションに勤めはじめたが、高城は故郷に戻った。実家が仙台で老舗《しにせ》の呉服屋を営んでいたのである。

美佐子にしても、彼が呉服屋の跡とり息子だったということを、そのときになって初めて知ったくらいで、就職後は年賀状のやりとり程度で五年ほどがすぎた。

雑誌編集の仕事のかたわら、本来の目標だったライターとしての仕事も少しずつ増えはじめ、そろそろフリーのライターとして独立できないだろうかと思案していたところに、突然高城から電話があった。

——親父が心臓発作であっけなく逝《い》っちまった。これを機に店を畳んだ金を元手にして、タウン誌を創刊することにした。ついては編集長として仙台に来てはくれまいか——。

はじめは冗談だと思った。高城が本気だとわかっても断った。観光でさえ行ったことがない田舎の地方都市で仕事をする気など、さらさらなかったからである。

美佐子が断りの電話を入れた二日後、高城は新幹線で東京にやってきた。

——大学のミステリーサークルにいたときから、編集もできる書き手としての、おまえの才能には一目置いていた。俺《おれ》が求めている編集長として、他に適任者はいない。なあ、二人であの街に革命を起こそうぜ——。

革命などという前時代的な言葉を振り回して熱っぽく語る高城が、妙に可笑《おか》しく、可愛らしくもあった。

さらに高城はつづけた。

——単なるタウン誌にとどまらず、ゆくゆくは、全国を相手に情報発信ができるまでに育てたい。仙台発の新しいメディアブランドを創るのが俺の夢なんだ——。

少し心が揺れた。

まったくのゼロからものを立ちあげていくことへの興味もあった。高城が提示した条件も悪いものではなかった。

しかし、美佐子は再度断った。

あまりにもリスクが大きいと判断したからだ。高城の熱意に負けて仙台に行ったとして、バブル経済が弾《はじ》けて景気が落ち込みはじめている状況では、そうそう簡単にはいかないだろうと思った。そしてなによりも、ライターとしての地盤が少しずつできつつあるときに、東京を離れるという危険は冒せなかった。

その自分が今、仙台駅前の雑居ビルの一室で、原稿やゲラに埋もれている。

こうなった直接の原因は、一年後に、再び高城が東京にやってきたことによる。

自らが発行人兼編集長となって創刊した、一年間分の『みらい』をレストランのテーブルの上に広げ、「なんとかスタートは切ったが、俺が編集長ではここまでが限界だ、あとはおまえに任せたい」とくどかれた。

悪くない雑誌だと、表紙を見た瞬間に思った。地方で、低予算のなかで作ったものには思えなかった。高城のセンスのよさと、大人が読める情報誌、という基本コンセプトをしっかり貫いていることにより、高いクオリティーを保っていると判断できた。

それだけに、美佐子の目にはあちこちの粗《あら》が目立った。私ならここをこうして、私がいればこんなふうにはせずに……。

気づいてみると、編集者の目で真剣に、高城の雑誌をめくっていた。

しばらくして目をあげると、決まりだな、と無言で笑っている高城の顔があった。

4

仕事が一段落し、帰り支度を終えて編集室のドアを開けると、日中の熱気の余韻をはらんだ大気が、どっと流れこんできた。

このところの仙台は、梅雨のまとまった雨と夏の強い陽射《ひざ》しとが、交互にやってきていた。

関東圏では、気象庁は否定しているものの、すでに梅雨が明けたような猛暑で、熱中症患者まで出ているという。

東京の蒸し暑さと比べれば、夏の仙台は避暑地のようなものだが、ビルが林立する街なかは、さすがに夜になっても熱がとれない。

施錠を確認してからエレベーターを使って一階まで降り、人通りが疎《まば》らになってきたアーケード街を歩いていく。

ほどなく、現在は『サンモール一番町』や『ぶらんどーむ一番町』というモダンな名がついてはいるが、単に『東一番丁』と呼ばれて、昔から市民に親しまれてきた商店街の通りにぶつかった。シャッターが閉じた藤崎デパートの建物を横目に、高城が待っているバーを目ざして北へと向かう。

広瀬《ひろせ》通りの交差点で、信号が青に変わるのを待ちながら、仙台に来てからの四年の間でも、夜の街の様子はかなり変わったと、美佐子は思った。

東北で最大の歓楽街といわれる国分町《こくぶんちょう》通りの猥雑《わいざつ》さは相変わらずだった。変わったのは、稲荷《いなり》小路という飲食街を一本挟んだ、東一番丁通りの様相だ。

シャッターが下ろされた商店街のいたるところで、特になにするでもなくたむろしている若者の数が、年毎《ごと》に増えているように思えるのである。場所によっては、溢《あふ》れかえっている、という表現がふさわしいくらいだ。

昔から仙台に住んでいる人間も、深夜ともなれば、以前はもっと閑散としていたはずだと口をそろえて言う。かといって、仙台が特別好景気というわけではない。

世の中の景気動向とはまったく関係のない世界を、今の若者は生きているように思えてならない。自分とは一回りほどの年の差しかないだろうに、彼らの世界が見えなくなりつつある。

雑誌の編集者として、私は致命的な問題に直面しているのではないか。

最近になってよぎりはじめ、その度に、いやそんなことは、と意識の外に追いやっている不安を抱きつつ、美佐子は酔っ払いたちと並んで、青になった交差点を渡った。

広瀬通りから国分町へ入って数軒めのビル、その五階にあるショットバーのカウンターで、スーツ姿の高城がスコッチを嘗《な》めていた。

緩いS字を描くカウンターを中心に据えた気どりのない空間が、オーナーのセンスのよさを窺《うかが》わせる。

フードメニューが充実していることもあり、女性客にも人気がある店で、美佐子がドアを開けたとき、カウンターでは高城のほかに女性どうしの客が二組、カクテルグラスを前に談笑していた。

高城の左隣、空いている椅子《いす》を引いて腰を落ちつけ、アレキサンダーをオーダーする。

映画『酒とバラの日々』で、夫役のジャック・レモンが勧めたのがきっかけとなり、酒の飲めない妻がアルコール中毒になってしまう甘口のカクテルである。もともとは、エドワード七世とデンマークの王女アレキサンドラの結婚を記念して作られたものだったはずだ。生クリームとクレーム・ド・カカオが十分にシェイクされ、舌の上で滑らかに広がる甘味と、鼻腔《びこう》をくすぐるブランデーの上品な香りが、美佐子は好きだった。

二人でグラスを軽く合わせる。

当たり障りのない雑談を交わしたあとで、ウィスキーのショットグラスを置いた高城が、煙草《タバコ》に火を点《つ》けてから「ところで美佐子」と口にした。

高城に顔を向け「なに？」と目で尋ねた。心臓の鼓動が一拍上がったのが自分でもわかる。

彼が「美佐ちゃん」ではなく「美佐子」と呼ぶのは、なにかあらたまった話があるときに限られていた。

「うちの雑誌も今年で五年になるからね、このへんで誌面をリニューアルしようかと思っているんだ」

期待を裏切られた失望が、かすかに胸のなかで疼《うず》いた。

頭を仕事モードに切り替えて、美佐子は頷いた。

「確かに、そろそろ時期かなと、私も思っていた。で、具体的なプランはあるの」

ああ、と答えた高城が、少しためらいを見せてから言った。

「ファッションとグッズの紹介も柱に加え、もう少し購読者を下の年齢層にまで広げようと思う」

聞き間違いかと思った。

「大人の情報誌という基本コンセプトを崩そうというの？」

美佐子は訊き返した。声に棘《とげ》が含まれているのが自分でもわかる。

「おい、そんなに怖い顔しないでくれよ。今のままでは、どうしたってこれ以上の部数は無理だ。ということは、いつまでたっても地方のタウン誌から脱却できない。やっぱり若い読者を味方につけなければ、戦いにならん。そのための戦略ということで、なにもコンセプトをがらりと変えるわけじゃないさ」

「だめ、絶対にだめ。そんなことをしたら、かえって墓穴を掘ることになってしまう」

美佐子が頑《かたく》なになるのには、それなりの理由と信念があった。

人に語る際には、タウン誌に毛が生えた程度の、と自嘲的《じちょうてき》に喋りはするが、自分が編集長となってからの四年間で、『みらい』は着実に成長したという自負があった。

それもこれも、生真面目《きまじめ》に最初のコンセプトを守り抜いてきたからである。

もっとも腐心したのは質の高いライターの確保だった。確保というよりは、育てあげた、といったほうが正確だ。

仙台で仕事をはじめたとき、美佐子は地元ライターのレベルの低さに唖然《あぜん》とした。毒にも薬にもならない企業系の広告文だけで十分に食っていけるという環境が、仙台のライターたちを甘やかしていた。

逆の見方をすれば、不況だと嘆きはするが、どん底まで冷えこんではいないパワーを、仙台という経済圏は持っている、ということでもある。だが、それに安住していたのでは、ほんとうに優れた書き手は育たない。

はじめに美佐子が行ったのは、それまでの契約ライターをすべて馘《くび》にする、という英断だった。そのうえで、あらためて以前の半分にも満たない原稿料を提示した。

ほとんどのライターが、なに様のつもりだばかにするな、と手を引いたが、見込みありと考えていたライターが一握り残り、一番苦しい時期の『みらい』を支える同志となった。次に美佐子は、新たな書き手の発掘に着手した。『みらい』の誌面を使い、公募エッセイでコンクールを行ったのである。

読みたい者より、書きたい者のほうが多いとされる昨今の時勢、この企画はうまくいき、数は少ないが、意欲ある新たな才能を見いだすことに成功した。

ものづくりは人づくり、という言葉がある。一見華やかに流行を追いかけ、新たなトレンドを生みだしているように見える雑誌の世界でも、例外ではない。

ひと時の売れ行きだけを求めるのであれば、こんな地道な努力は必要ない。しかし、その先、五年後に待っているのは、読者に飽きられたことによる部数の落ちこみ、そして廃刊の運命だ。

明確なコンセプトを支えるための、質のよい書き手による付加価値の高い記事。出版不況が叫ばれる時代、遠回りのようでも、それだけが生き残りの戦略だと、美佐子は固く信じている。実際に、わずかずつでも実売部数は伸びてきているし、仙台の若手ライターの間では、自分の記事が『みらい』に掲載されることが、一種のステータスになりつつある。

だからこそ、ここで安易に流行に迎合するようなことをしてはならない。それくらい高城だってわかっているだろうに……。

「実は――」と高城が残っていたスコッチを喉《のど》に流しこんだ。

「――今日、新しいスポンサーを見つけてきた」

「そう？　よかったじゃない」

編集の実務を美佐子に任せてからの高城は、広告を取る営業活動と経理に専念していた。もともとが商人の倅《せがれ》だけに、どちらかというと営業や金勘定が肌に合っているらしく、二人は『みらい』の両輪として、ちょうどよく補いあっていた。

「で、なに屋さん？」

話がどうつながっていくのだろうと首を傾げながら尋ねると、高城は、全国的に名が通った新興のアパレル会社の名をあげた。確か、数ヵ月前に、仙台にも支店が開設されたはずだ。

「――支店長とようやく晩飯を食うことができてね、彼が言うには――」

「ちょっと待って！」

美佐子は高城の話を遮《さえぎ》った。

隣で飲んでいた女性客が、こちらをちらりと盗み見る。

「それって、紐《ひも》付きになるってことでしょ。冗談じゃない、それだけはせずにきたからこそ、これだけ自由な誌面づくりができているのよ。なんだって今さら――」

声を落とし、高城の側に身を寄せて言った。

今度は高城が美佐子を遮った。

「まあ、待てって。紐付きになるなんて、俺はひと言も言ってないぞ」

「でも、実質的にはそうなるでしょ。広告だけならまだしも、必ず内容にまで口を出しはじめるに決まっている。それがあいつらのやり口なんだから。だめ、その話は蹴《け》って。あなたが言いにくいんだったら、明日にでも私が断ってくる」

ひと息にまくし立てた美佐子をじっと見つめながら、高城は整った顔には不似合いな、苦渋の色を浮かべた。

「これ以上の持ち出しは、もう無理なんだ。今まで黙っていて悪かったが――」

彼が口にした金額を聞いた美佐子は、思わずバーの天井を仰いでいた。

『みらい』の内情が、まだまだ自転車操業であることは把握していたし、窮地の際には、高城の持ち出しがあったことも知っていた。だが、それが八ケタ近い額にまで膨れ上がっているとは、想像もしていなかった。

「――というわけなんだ、すまん」

「なんで今まで黙っていたのよ」

「おまえには、よけいなことで気を取られずに、編集だけに打ちこんでもらいたかった」

「ばか――」としか言葉が出てこなかった。かわりに、涙がこみあげてくる。

高城の優しさが、かえってやりきれない思いを味わわせた。

エリック・クラプトンの新譜が穏やかにリズムを刻むなか、暗澹《あんたん》とした沈黙が、二人の間に落ちた。

「編集長、つづけられるか？」

やがて、思案顔で高城が訊いた。

これもまた、美佐子の気性をよく知ったうえでの問いだった。

背に腹は代えられない。曲がりなりにも『みらい』を存続させるためには、誌面のリニューアルを名目に、編集方針の転換が迫られるだろう。ただし、美佐子がもっとも嫌う方向へと。それにより、新たな読者がつく可能性はあるが、今までの『みらい』を愛してくれていた、ほんとうに必要としていた読者から、そっぽを向かれる恐れがある。

いや、確実にそうなる、と美佐子は思った。

同時に、手枷足枷《てかせあしかせ》をかけられた状況で、果たして自分は前向きに仕事をしていけるだろうかと不安がよぎった。

高城にもそれはわかっており、だからこそ、あえて美佐子に尋ねたに違いなかった。

「無理はしなくていいんだぞ」

高城の言葉に美佐子は眉《まゆ》を曇らせた。

「それは——私に辞めろっていうこと？」

「いや、自分を殺してまでうちの雑誌で仕事をする必要はないということだ。おまえにしても、いつかは東京に戻るつもりでいたはずだし——だとすれば、今がおまえにとっては、そのタイミングなんだと思う」

「ちょっと待って、私のことは別にして、それでやっていけるの？　またあなたが編集長を兼任するわけ？」

「それもやむなしだが、でも、ヨッちゃんで十分やれると思う。今まで美佐子が手取り足取り鍛えてくれたからね、彼女でも編集長は務まると思う」

ヨッちゃんこと橋本良枝《はしもとよしえ》は、創刊当初からの編集スタッフで、高城が卒業した高校の五年後輩に当たる。

色白でふっくらした顔立ちのため、一見しておっとりした印象を与えるが、なかなかどうして頭が切れる娘《こ》だ。事実、今では美佐子の右腕として編集室を切り回しており、確かに彼女であれば任せても大丈夫だとは思う。

だが、なにか腑《ふ》に落ちないものがある。

いったいなにがそう感じさせるのだろうと、中身が半分ほどになった背の高いカクテルグラスをもてあそびながら思いを凝らした。

ふいに心臓を鷲《わし》づかみにされる息苦しさを覚えた。

考えるほどに息が詰まりそうになり、動悸《どうき》が激しくなる。

ほのかにカカオ色が混じった乳白色の液体を見つめていた美佐子は、視線をグラスに固定したまま訊いた。

「寝たの——？　彼女と」

自分のものではないような凍りついた声が、グラスにぶつかり、跳ね返った。

高城の息づかいが凝固する。

カクテルグラスを注視しつづける美佐子の耳に、もっとも聞きたくなかった言葉が突き刺さった。

「すまん――」

「いつから」

「半年ばかり前からだ、でも――」

「もういい」

それだけ言って店を飛びだした。

ぎらつくネオンに、青い稲妻が重なった。

真夏の到来をつげる深夜の雷雨が美佐子に襲いかかってきた。

突然の雨に遭《あ》い、タクシーを拾おうと右往左往している酔客の群れの真《ま》っ只中《ただなか》を、ヒールを鳴らして歩きつづける。

――この雨って、ほんと、笑いだしたくなるようなタイミングだ。

髪から肩へと雨のしずくを滴《したた》らせつつ、唇を吊《つ》りあげて無理に笑おうとした。

喉の奥から、うっうっという、笑いとも呻《うめ》きともつかない声が漏れた。

傘をさして隣を歩いていた中年のサラリーマンが、薄気味悪そうな目つきをして、美佐子のそばから離れていく。降りかかる雨で化粧が流れ、きっとひどい顔になっているに違いない。

――ばかっ、まぬけっ、おたんこなすっ、こんこんちきの、くそったれっ！

あらんかぎりの罵詈雑言《ばりぞうごん》を吐き捨てようとするのだが、浮かんでくるのは、どれもこれも古めかしい言葉ばかりでいやになる。

噴きだす罵《のの》りが、高城に向けられているのか、自分に投げつけているのかさえも判然とせず、いっそう苛立《いらだ》ちがつのった。

高城があらたまった口調で「ところで美佐子」と話を切りだしたとき、「もしかしてプロポーズ？」と小娘みたいにドキドキしてしまった自分が、情けなくて仕方ない。

仕事以外のプライベートでも高城とつきあうようになってから、二人の間では結婚の話は一度も出たことがなかったし、美佐子自身も、ごく自然にこうなっているだけ、と軽く受け流していたはずだった。

——だけど、ちっくしょう、やっぱり私はあいつと結婚することを、心のどこかで望んでいたのかも……。

それが今夜は、いやというほど思い知らされた。

けやきに覆われた定禅寺《じょうぜんじ》通りの横断歩道を渡りきったところで、道路工事の鉄板を踏んだヒールが滑った。

膝《ひざ》から転び、投げだされたハンドバッグの中身が散乱した。

バッグから転がりでた携帯電話が、いつもの着メロを奏ではじめた。

鳴りつづける携帯電話を無視し、下水の臭《にお》いがあがってくる歩道に屈《かが》みこんで、昨日買ったばかりのシャネルのルージュを捜しまわる。

激しい驟雨《しゅうう》に打たれながら、美佐子は声を殺して泣きはじめた。

5

下刈りを施されたスギ林が、鬱蒼《うっそう》とした雑木林に接する境界を、滝沢昭典はひとり黙々と歩いていた。

じきに夏の盛りを迎えようとしているこの季節、杣道《そまみち》からも外れた山中となると、雑木林を歩くのには難儀《なんぎ》する。

オオバクロモジやユキツバキなどの低木が混じった林床には、たいていチシマザサがびっしりと繁茂し、さらには、高木に巻きつこうとするイワガラミやツタウルシといったつる性植物がところかまわず錯綜《さくそう》している。つまり、鉈《なた》で払いながらの、うんざりするほどの藪《やぶ》こぎが必要なのだ。

藪こぎをするのが、今日の滝沢の目的ではなかった。したがって、胸まで埋まってしまうような笹藪《ささやぶ》へは踏みこまず、比較的歩きやすいスギ林のなかや沢筋を選んで歩いていた。

早朝からほぼ丸一日を費やして滝沢が歩いたルートは、集落を流れる熊田川を遡《さかのぼ》り、二股《ふたまた》に分かれた沢にぶつかるまでの、およそ四キロの範囲だった。

奥山までは入らない。

そのかわり、滝沢の目は雑木林の縁の部分を舐めるように這っていた。

頻繁に立ちどまり、屈みこんでは地面を丹念に調べもしていた。

山菜や茸《きのこ》を採るでもなく、滝沢が汗だくになって歩き回っているのには理由があった。巨《おお》グマの痕跡《こんせき》を捜していたのである。

熊田の奥山には、とてつもなく巨大なクマが棲《す》みついていると昔から噂《うわさ》されており、猟師たちはそのクマを『ヌシ』と呼んできた。

秘境といわれる場所にはどこにでも転がっているような単なる噂話ではない、と滝沢は思っていた。春の巻き狩りのとき、幾度かそれらしき足跡は見ていたからだ。しかし、滝沢も、他の猟師たちも、実際にその姿を目撃してはいなかった。

人知れず、ずっと奥山に棲みついていた地グマなのか、ある時期、幾つもの峰を越えて他の山からやってきた渡りグマなのかは、わからない。

雪に残される足跡が丸ければ地グマで、楕円形《だえんけい》であれば渡りグマだという言い伝えもあるが、滝沢自身はあまり信用していなかった。

しかし、残された足跡の大きさと深さから、体重が二百キロ近くはある雄グマだろうと推測できた。これは平均体重が七、八十キロ、最大級でも百五十キロ内外のツキノワグマにあっては、とび抜けた巨体といえる。

三日ほど前、滝沢が仕事を終えて家に帰り、一風呂《ひとふろ》浴びようとパンツ一丁になったときだった。同じ集落で夫と二人暮らしをしているユキエ婆さんが、血相を変えて飛びこんできた。

首にタオルをかけて玄関先に出た滝沢の顔を見るなり、ユキエは「裏の畑さはぁ、ばかでっけえクマが出はった」と咳《せ》きこんだ。

だからといってどうということはないだろうと、最初、滝沢はまじめにとりあわなかった。このあたりではクマが出るのは当たりまえだが、村人が襲われたことは一度もなかったからである。

あわせて、最近になってユキエ婆さんに少々惚《ぼ》けがきはじめていることは周知の事実となっており、長男の嫁が頻繁に様子を見に来ていたし、近所の女たちも、暇を見てはユキエの家に立ち寄るようにしていた。火事をだされたら大変だというのが一番の理由だったが、この村では、昔からそうして皆で助けあってきた。

それを滝沢も知っていたので、どちらかといえば、実際にクマが出たわけではなく、なにかの見間違いか、畑でうつらうつらして夢でも見たのだろうと思った。

だが、ユキエは「早くきてけろ」と言ってきかない。

「——だとよ、親父。どうするよ」

居間を振り返って、すでに晩酌をはじめていた父の俊昭《としあき》に意見を求めると「行ってやれ——」そう顎をしゃくったあとでつけ加えた。「——年寄りの頼みは聞いてやるもんだ。それに、確か定吉《さだきち》さんは同窓会の旅行だったべ」

そうだった、と思いだした滝沢は、脱いだばかりのズボンとシャツを身につけ、サンダルをつっかけてユキエの家へと向かった。

狭い集落のことである。すぐに到着し、裏手に回って彼女が指さしたあたりにしゃがみこんでみると、あったのだ、確かにクマの足跡が。

地這いの胡瓜《きゅうり》畑からさほど離れていない、土が軟《やわ》らかい部分にそれはあった。爪《つめ》の形さえ判別できるほどくっきりと残っていた。

たちまち全身が総毛立ち、滝沢は薄暗くなりかけた周囲を見回した。

半信半疑だったので、まったくの手ぶらで、しかもサンダル履きで来てしまった。

——今襲われたらひとたまりもねえ。

久しぶりに感じた恐怖におののいた。

普通であれば、たとえ同じ場面で足跡を発見したとしても、これほどうろたえなかっただろう。

滝沢を驚かせたのは、足跡の巨大さだった。

通常、ツキノワグマの足のサイズは、前足と後足では形が違うものの、おおむね長さは十五センチほどだ。ところが、目にしたそれは、優に二十センチを超えていた。

尋常なクマではないと思った。同時に、幾度か春山で見ている足跡と同じ奴《やっ》、つまり『ヌシ』と呼ばれているクマに違いないと直感した。

山に入るときであれば、危険に対して無防備に生身をさらしてしまうような、こんな間抜けなことはしない。そもそもここは、奥山とは違って人間が棲む領域なのである。

足跡から畑の縁へ、その奥に佇《たたず》む林へと意識を集中させて目を凝らす。

林からつづく草むらから出てきた足跡は、いささかも乱れることなく数メートルばかり土の上を歩き、再び雑草のなかに消えていた。

木末《こぬれ》ひとつ下生えひとつ、かさりともいわない森のなかに、巨大な獣の気配はなかった。

やがて滝沢は、静かに息を吐きながら緊張を解いた。

半矢を受けた手負いのクマ、あるいは子連れの母グマでない限り、見通しが利かない場所でばったり出くわしさえしなければ、クマのほうから人間を襲うことは、ほぼ百パーセントない。

「な、おらの言ったとおりだべ」

片膝《かたひざ》立《だ》ちになっていた滝沢の耳の近くで、ユキエが満足そうに言った。

「そうだな、こりゃ確かにクマだ。しかも、かなりでけえ。で、そんときユキエさんはどのへんにいたの」

こっちだと手招きしながら胡瓜畑に入り、彼女はクマの足跡から十メートルほど離れたところを指さした。

滝沢はユキエの指が示した先を見た。

なるほど、遅蒔《おそま》きの胡瓜のつるが顔をだしている畝《うね》が、そこだけきれいに丸くへこんでいる。ユキエが腰を抜かして尻餅《しりもち》をついた跡に違いなかった。

声ひとつあげられないくらい恐ろしかったという。

怖い思いをした彼女には気の毒だが、それがかえって幸いしたと推測できた。おそらく巨グマは、人間の存在に気づいてはいたのだろうが、完全に無視して悠々と歩き去ったのだろう。

滝沢が気に入らないのは、実はそこだった。

人の気配がするところには近づかないのが、クマの基本的な習性である。たとえば、ゼンマイ採りやマイタケ採りで人が山中に踏み入る時期であっても、めったなことではクマに出くわすことはない。

もちろん、彼らの縄張りに入っていくのであるから、クマはいる。いるのは確かなのであるが、人の気配を察知したクマは、人間が気づく前にさっさと逃げてしまうのが普通なのだ。したがって、熊田のように奥山が豊かな地帯では、わざわざ危険を冒してまで人里に出没し、畑の作物を狙うなどということはしない。そこがサルとは違う。サルの場合は、まるで人間に追われるスリルを楽しんでいるかのように、好んで畑の作物や、しまいには田んぼの稲まで狙うのだから始末に負えない。

それとは異なり、非常に臆病なツキノワグマであるから、ユキエ婆さんが自宅の畑でクマに出くわすなどということは、本来あり得ないことなのだ。

ところがこのクマは、なぜか村までおりてきた。集落全体から漂っているはずの、人が生活する音や匂いを完全に無視している。

それればかりではない。

これだけ接近遭遇をすれば、いくら視力がよくないクマといえども、ユキエの姿を認めたはずだ。

それなのに、つけられた足跡からは、人間に出くわしたときの驚愕《きょうがく》も、困惑も、そして恐怖も、まったく読み取れなかった。

　まるで「婆さん、なにをそんなにうろたえているんだ」とでもいわんばかりに、悠然と目の前を横切って姿を消している。

　この人間を小馬鹿にしたような態度が、滝沢は気に食わなかったのである。

「ユキエさんよ。このクマのことは他の人には喋ったかの」

　滝沢が訊くと、ユキエは「うんにゃ」と首を振った。

「今年っからは、おめえさまが親方だろう。だば、まずはおめえさんに教えるのが礼儀っつうもんだ。んだから、他にはまだ喋ってねえ」

　畑の畝の間で立ちあがり、しばらく考えてから滝沢は言った。

「んだば、役場にはよ、俺が報告しておく。悪いけど、人には黙っててくれねえかの」

「おめさん、なにか企んでるろう」

「なんも、そんなことはねえ。いいがら、黙って任せてけろ」

　はは一んと、したり顔でユキエが頷く。

　どうやらこちらの考えていることは通じたらしい。

　二度、三度と頷きを繰り返したあとで、ユキエは内緒話をするように声を潜めて囁《ささや》いた。

「そのかわり、おめさん、いいんだど今夜」

「今夜？　なにが」

「うちの人、今夜は旅行で泊まりだろう。おらひとりだけえ、遠慮しねえで夜這いさ来《こ》ぉ。

おめえさん、ずいぶん溜《た》まってんだべぇ」

「ば、婆《ばぁ》――」

滝沢が絶句して顔を見やると、ユキエは皺《しわ》だらけの顔をいっそうくしゃくしゃにして笑った。

「冗談だあ、馬鹿たれ。なーに赤くなってるろう」

「あ、あのなあ、婆ちゃん――」

ユキエの笑いは止まらない。

「うひひ、若い衆をからかうのは面白いもんだの。んでも、その気になったらいつでもいいぞぉ。滑りは悪《わり》いども、婆《ばば》なら孕《はら》ませる心配しなくていいしのう」

――はあ、まったく……。

ため息をつきながらも、滝沢は大げさにしなを作って見せているユキエを前に、いつの間にか心の底から笑っていた。

この婆さん、ふだんは惚けがきているふりをして、その実、周りを煙《けむ》に巻いて楽しんでいるのではあるまいか。

それならそれでいいと思った。年寄りには年寄りなりの楽しみが必要だ。

巨グマに遭遇したばかりの恐怖はどこへやら、滝沢をからかってコロコロと少女のように笑い転げるユキエが、やけに愛らしく見えた。

そのときのやりとりを思いだして苦笑していた滝沢は、真顔に戻って周囲の森を見渡した。

三日前に出没した巨グマが残した痕跡は、今日歩いてみた限りでは発見できなかった。すぐ間近に潜んでいる可能性もないではないが、今ごろはひとつふたつ峰を越えた山奥のどこかで、のんびりと餌《えさ》を食《は》むか、うたた寝でもしているのだろう。

——頼むから、来年の春が来るまで、このままおとなしくしててくれよ。

見えない巨グマに向かって真剣に呼びかける。

滝沢のクマへの祈りと、三日前のユキエへの口止めは、実は同じところからきている。夏の有害駆除では、絶対に『ヌシ』を獲りたくなかったのだ。

一般にはあまり知られてないが、今の時代、狩猟という名目で獲られるクマの数はそれほど多くない。

事情はかなり複雑だ。

まず、二〇〇一年現在の狩猟法、正確には『鳥獣の保護及び狩猟の適正化に関する法律』といい、簡略して鳥獣保護法と呼ばれる法律では、北海道を除いて、狩猟が許されるのは、十一月十五日から二月十五日までの三ヵ月間と定められている。

ところがツキノワグマは、地域によっても差はあるが、毎年十二月から一月にかけて冬ごもりに入り、冬眠から出てくるのは四月から五月にかけての春先である。

したがって、猟期中に合法的に獲ることができるのは、十一月十五日から新雪が山を覆うまでの『秋グマ』か、冬ごもり中の『穴グマ』のいずれかということになる。

熊田でもそうだが、ほかの地域でも、秋グマを好んでは獲らない。

最大の理由はクマの胆にある。

昔から「クマの胆一匁《もんめ》（約三・七五グラム）は金一匁」といわれるように、腹病みをはじめ、何にでも効く万能薬として、干したクマの胆は珍重されてきた。

クマの胆とは要するに胆嚢《たんのう》のことであるが、盛んに採食している夏から秋にかけては、消化のために胆汁が使われてしまい、クマの胆そのものが見えないくらいに萎《しぼ》んでいる。

これが、冬ごもりあけのクマの場合、絶食によって胆汁が溜まり、大きなものでは乾燥後でさえ二十匁にもなる。一匁当たり、今でも五万円前後の値がつくとなれば、わざわざ秋グマを獲ろうとする者はいない。

冬ごもり中の穴グマは毛皮も良質で、クマの胆も次第に膨らんでくる。また、越冬穴さえ見つけてしまえば、クマに逃げられることも反撃されることもなく、たやすく仕留めることが可能だ。

だが、滝沢の村でもそうであるように、今では昔ほど行われなくなっている。秋田などでは『寒マタギ』とも呼ばれる厳冬期の猟は、危険極まりないからだ。

なにせ、一晩で一メートルも新雪が降り積もるような山中である。かんじきさえも役に立たないところで、表層雪崩《なだれ》に怯《おび》えながらクマ穴を探し回るなどというのは狂気の沙汰《さた》だ。それでも、クマを獲るしか生きる術《すべ》がない時代には、猟師たちは穴グマを獲った。それを考えると、人間とは実に逞《たくま》しい生き物だと感嘆するが、今は時代が変わった。

こういった諸事情により、現在の熊田では、四月中旬の巻き狩りしか行わなくなっている。

ところが、その季節に勝手にクマを獲ったのでは密猟になってしまう。

したがって、行政の許可をもらったうえでの有害鳥獣駆除――最近の法改正で有害鳥獣捕獲と名称が変わったが、猟師たちの感覚では、以前からの駆除という呼び方のほうがしっくりくる――が、春の巻き狩りを行う場合の名目になっている。

ここで滝沢は、一月ばかり前に阿仁で開催された『マタギの集い』で発言していた、生意気な女の顔と声を思いだして、いまいましげに舌打ちした。

――知ったふうな口ばかりききやがって。

あの女が言ったことは、ちょっと聞いただけでは、いちいち理屈に合っているようなことばかりだったので、よけいに腹が立った。

ことはそんなに単純ではないのだ。

有害駆除にしてもそうである。

夏に人里に出没し、作物や人に被害が及びそうだということになれば、質のよくない夏毛をまとい、クマの胆もどこにあるのかわからないようなクマでも、駆除をせざるを得ない。

それはまだ仕方がないとしても、夏グマを獲るのは面白くもなんともない。できれば願い下げにしたいというのが、正直なところだった。

というのも、夏にクマを獲るには、罠をかけるしかないからだ。ブッシュだらけの山中でクマを追うのは、不可能に近いのである。

夏グマに対して行われる有害駆除を思うと、クマは利口なんだか馬鹿なんだか、本当にわからなくなってしまう。あれほど巧妙に巻き狩りの手から逃れようとするクマが、なんであも簡単に罠にかかってしまうのか。

いずれにしても、人間が仕掛けた蜂蜜《はちみつ》に釣られた間抜けなクマを待っている運命は、ひとつしかない。

檻《おり》の外からの、狙いすました一発で終わりだ。

それが滝沢は嫌いだった。

残雪の山を駆け巡り、互いに知恵比べをしながら渡りあい、命をかけて仕留めてこそのクマ狩りではないのか。

あんな赤子の手をひねるようなやり方で獲ったのでは、面白くもなんともないとつくづく思う。

そこまで考えたとき、ええいちくしょうと、再び舌打ちした。

またぞろあの女の言葉を思いだしたのだ。

確かそう、「幻滅した」とまで言われたのではなかったか。なんでそこまで俺たちが言われなければならないのか、まったくもって理解に苦しむ。

どこから来たのか知りはしないが、こっちの苦労など考えもせずに、いけしゃあしゃあと好き勝手ばかり並べやがって、あのこまっしゃくれた得意げな顔を思いだすと、おめえこそクマに食われて死んじまえと言いたくなる。そうだ、あんな女は山のなかでばったりクマに遭《あ》って、死ぬほど怖い思いをすればいいんだ。そのとき、そばにいたって、俺はぜったい助けてなんかやらねえぞ。泣いて謝ったって許してやるものか……。

考えがあらぬ方向にいき、ひとりで腹を立てていることに気づいて、滝沢はげんなりした。気をとりなおし、森の空気を深々と吸いこむと、心の内がようやく清浄感で満たされた。

とにかく、ユキエ婆さんの前に姿を現したあと、巨グマが奥山に帰ったらしいことがわかっただけでも、休日に歩き回ったかいがあった。これならば役場には「三日前にクマが出たがもういなくなった」と報告するだけですみ、有害駆除ということにはならない。

――これでいい。来年の春、俺たちがおまえを巻きにかかるまで、誰にも見つからずに、奥山で息を潜めて待っていろ。

滝沢は深い緑の山々を見やり、もう一度『ヌシ』に向かって呼びかけた。

6

頭上でぎらつく太陽が、道行く人々に紫外線をくまなく照射していた。

同じく人の目には見えないが、波長の長い赤外線が、アスファルトをじりじりと焦がしている。

美佐子は、やや短めにカットしたばかりの髪をなびかせながら、巨大都市の雑踏を闊歩《かっぽ》していた。

ＪＲ中央線御茶ノ水駅で電車を降り、明大《めいだい》通りを抜けて、三省堂書店のビルが見える靖国《やすくに》通りへと向かう。

わーんというすべてがごった煮となった街の音、渋滞する車が吐き出す排気ガスまみれの空気、街を覆うドームと化している廃熱の塊、そして、ビジネスウェアに無関心という現代の甲冑《かっちゅう》で自らを武装し、赤と青のシグナルを頼りに、右へ左へと雪崩《なだれ》打《う》つ人々の群れ。そんななかでも、カラフルな装いの学生たちが醸《かも》し出す、若々しい活気があちこちに満ちている。

その真《ま》っ只中《ただなか》にいて、美佐子の心は震えていた。得《え》もいわれぬ解放感で。

――そう、この街こそが、私のいるべき場所なんだ。

東京という、コンクリートに覆われたメトロポリスは、生まれも育ちも、そればかりか言葉や肌の色が違う人間までをも簡単に腹に収め、そして受け入れてくれる。

わずか一週間前、夜の雷雨に打たれながら、地方都市の片隅で肩を震わしていた自分は、もういない。

ずぶ濡れになって泣いたあとの三日間、美佐子はキャリアを積んだ大人の女を演じ通した。まったく変わらぬ声と仕草で、電話をかけ、編集スタッフに檄《げき》を飛ばし、パソコンのキーを叩き、印刷所に車を走らせ、戦場と化していた編集室のデスクで校了の朝を迎えたとき、つまり、自らに与えた役割を演じ終えたとき、気持ちが高城から離れたことを知った。

翌日美佐子は、スタッフを集めて『みらい』を去る決意を口にした。

編集部員たちの驚きと困惑の顔、駅前の居酒屋で行われた送別会、帰りのタクシーに乗りこむ間際に贈られた花束。

いずれの場面でも、美佐子の目に涙はなかった。

心が嘘《うそ》のように乾いていた。

一昨日、新幹線のホームに高城がひとりで見送りに来た。

彼の表情は複雑だった。

まさかこれほど早く辞めるとは思っていなかったに違いない。あるいは、美佐子に対して消しがたい未練があったのか。

高城の顔を見ても心は揺れなかった。いったん気持ちが離れてしまうと、むしろ女のほうが引きずるものは少ないのかもしれない。

いつの時代にも男にしがみつきつづけようとする女性はいるのだろうが、私は違う、と美佐子は自分に言い聞かせていた。

言葉少ない別れの時間だった。

二階建ての『Ｍａｘやまびこ』がホームに滑りこみ、足下のスーツケースに手を伸ばしかけると、代わりにそれを持ちあげて高城が訊いた。

「やっぱり行くのか」

「うん」

間髪をいれずに美佐子は頷いていた。少しのためらいもなく答えたことに、自分でも驚いた。

そのとき、高城の目に一瞬よぎったのは何だったのだろう。あきらめの色だったのか、それとも安堵《あんど》のため息だったのか……。

規定の位置に停車した車両のドアが、圧搾空気の音とともに開いた。

頭上の拡声器が乗車案内を告げるなか、ようやく聞きとれるほどの声で、伏目がちに高城が言った。

「こんなことになってしまって、悪かった」

「気にしないで。私とあなたとの個人的なことで辞めると決めたわけじゃないから」

それがむしろ、高城には応《こた》えたようだった。

ああ、と頷いたあとで目をあげ、スーツケースを美佐子に手渡しながら、でも、とつけ加えた。

「おまえにはわからないかもしれないが、この街で生きていくには、ああするしかなかったんだ。どうあがいても、東京のようにはいかない。それだけはわかってくれ」

目を細め、高城の顔を見つめた。

「わかってる」

美佐子は答えた。しかし、心のうちでは、違う言葉をぶつけていた。

――だからだめなのよ、わかる？　そんなだから、いつまでたってもだめなの。

五年前、仙台に革命を起こそうと、熱く語っていた高城の面影はどこにもなかった。

仙台での四年間は自分にとって何だったのかという問いに対しての答えは、今はまだない。

アルバムに綴《つづ》る前の未整理のポジを、机の引き出しに無造作に放りこんでいるようなものだ。これから先の時間のなかで、時おり思いだしては一枚ずつ整理していくのか、入れっぱなしのまま忘れていくのかも、定かではない。

ひとつだけ、今の美佐子にもわかっていることがあった。

底知れぬエネルギーが渦巻いている東京という街は、その下で蠢《うごめ》くすべての者に、自らのエネルギーを惜しみなく与えてくれる存在だということ。

一昨日、東京駅で新幹線を降り、専用の改札口を抜けて在来線のコンコースに飛びこんだ瞬間、それがわかった。感傷などに浸ってる場合じゃないんだよと、思いっきり背中をどつかれたのである。この街から。

そんなことを思うと、うだる暑さにもかかわらず、自然に歩幅が大きくなる。

歩道のタイルを踏んでいた美佐子の靴先が、一棟のオフィスビルを向いて止まった。

ガラス張りの自動ドアをくぐり、エントランスの案内板に目を向けることもなく、ボタンを押してエレベーターを待つ。

五階で止まったエレベーターから降り、リノリウム張りの廊下を横切った美佐子は、『創心社』とロゴが描かれたドアの前で立ちどまり、空調が効いたビルの空気を肺に送った。

軽くノックしてからノブを回し、溜《た》めていた息を「おはようございます」という声に変えながら、オフィス内へと体を入れた。

午前十時という時刻は、出版社の編集部にあっては、まだまだ早朝である。紙の山に埋もれてはいるが閑散としたデスクが並んでいるフロアに、人影はまばらだ。美佐子の姿を認めた社員にしても、徹夜明けで油が切れ、充血した腫《は》れぼったい目をちらりと送ってくるだけで、わざわざ応対のために席を立とうとはしない。オフィスに射しこむ明るい陽射しとはちぐはぐな、澱《よど》んだ空気が満ちているなかに、ひとりだけエネルギッシュな波動を発散させて、早口で電話の相手にまくし立てている女性がいた。

あと一年で四十を迎えるという実年齢より五歳は若く見え、美佐子と並んでいると姉妹のようだと言われる彼女は、創心社が刊行している雑誌『ムーサ』の編集長、花房千秋《はなぶさちあき》である。編集スタッフのデスクが集められた島の、最も奥の席から美佐子を見やった千秋は、受話器を首に挟んで喋りつづけながら、右手に持った赤ペンで入り口のそばにある衝立《ついたて》の背後をさした。

軽く頷き、衝立の裏側に回りこんで、応接用のソファに腰を落ち着ける。吸殻が溢れている灰皿をテーブルの隅に遠ざけて待っていると、五分ほどしてから千秋が現れた。

「ごめん、待たせて。校了明けなもんだから、いつものことだけどこの通りでね――」と言ってから、煙草に火を点けてにっと笑う。

「もっと落ちこんでいるかと思ったけど、案外元気そうじゃない」

「落ちこんでいる暇なんかありませんから」

「強がり――？　でもないか、その顔は。で、うちの編集部に来てくれる決心がついたわけ？」

訊かれた美佐子は軽く頭を下げた。

「ありがたいお話ですけど、ただ、その前にどうしてもしておきたいことがあって」

すーっと細長い煙を吐きだしながら、千秋は値踏みするような目を向けてきた。

「なに、企んでるの？」

企む、という言葉に茶化した響きはない。

美佐子は、繰り返し練ってきた企画を、もう一度胸中で反芻《はんすう》した。

そもそも、いきなり『みらい』を辞めることができたのも、創心社での千秋の存在があったからだった。

大学卒業後、編集プロダクションに勤めはじめてすぐ、仕事で千秋とは知り合った。自分でも、私によく似た人だ、と思った。外見もさることながら、内に抱えているものに響きあうものがあると感じた。それは千秋も同様らしく、東京にいる間、なにかと世話になった。

もともとの創心社は、ノンフィクション系の出版物や啓蒙書《けいもうしょ》、あるいは学術書を中心に地道に商売をしてきた小さな出版社だったのだが、十年ばかり前、バブル景気が本格的にはじける直前に、業務拡張の一環として女性向けの雑誌の創刊に踏み切った。

そのおり、名が通った大手の出版社から引き抜かれ、新しい雑誌の創刊に向けた編集長として就任したのが花房千秋だった。

——あのまま前の会社にいれば、今ごろは専用のオフィスでもらって優雅に暮らせていたのにねえ。

五年前から変わらない千秋の口癖であるが、その実、今の状況を自身は楽しんでいるように見える。

創刊とほぼ同時にはじけ飛んだバブル景気後の不況を乗り切ったのは、ひとえに千秋の手腕によるものと、内外を問わず確固とした評価になっている。

折りに触れ、千秋は言う。

——ゆめゆめ読者をあなどっちゃあいけないよ。青白い顔して机にかじりついているあたしたちよりずっと利口なんだから。これからの時代、おためごかしは通用しないってことを忘れちゃあいけない。

下町育ちのべらんめえ口調で飛びだす彼女の言葉は、雑誌の上に具現化されている。既存の女性誌と同様、あるいはそれ以上にスキャンダルやゴシップを追いかけているが、違うのはその先だった。徹底的に取材に労力をかけ、裏をとり、かなり鋭い独自の分析を載せている。

それが受けたのである。そして気がついてみると、千秋の思惑通り、女性誌という体裁をとりながらも、政治や経済から国際問題まで広く扱うものとなっていた。今の創心社は、千秋の雑誌が稼ぎだす金で本来の出版業務が成り立っているとも囁かれている。千秋の仕事のスケールはまったく及ばないものの、美佐子が仙台でこなしてきた仕事は、千秋の仕事にってもよい。

重なるものがある。『みらい』を育てる過程で、常に千秋の仕事ぶりを手本にしてきたとい

――武者修行だと思って行ってみれば？　少しはまともなものを作れたら、あんたが東京に帰ったあと、うちで面倒を見てやるよ。といっても、あたしがまだこのクソ編集部にいればの話だけどね。

仙台に行くと最終的に決める直前の、千秋の言葉である。口約束であるし、そのまま真に受けたわけではなかった。だが、それが最後のひと押しとなったのは事実だった。

美佐子は『みらい』を毎号仙台から千秋宛《あて》に送りつづけた。そして、昨日の電話でアポイントをとったとき、自分の仕事が千秋の基準でも合格点に達していたことを知った。

安堵と嬉しさを味わうと同時に、美佐子のなかに、ひとつの計画が、野心とはいわないまでも、切望として膨れあがってきた。

『みらい』での四年間、編集長という立場であったから当然とはいえ、特別の場合を除き、自身がライターとして文章を書くことからは遠ざかっていた。

このまま編集業務に追われる前に、ひとつのテーマに照準を定めたライターとしての仕事に、思い切り身を投じてみたいという欲求が、抑えきれないものとして噴きだしてきたのである。

ただし、千秋の了解と協力が得られれば、の話だ。

意を固め、美佐子は切りだした。

「山は半分殺してちょうどいい」

千秋が「なにそれ？」と怪訝《けげん》な顔をする。

「いま、私のなかで、一番ひっかかっている言葉なんです。実は――」と、美佐子は順を追って経緯《いきさつ》を説明しはじめた。

最後に、わがままは承知のうえで、とつけ加える。

「しばらくの間、少しでいいですから、私にページをもらえないでしょうか。お願いします」

短くなった吸殻を灰皿の縁に押しつけながら千秋は呟いた。

「地味だなあ」

張りつめていたものが急速に萎《しぼ》んでいく。

「だめですか――やっぱり」

すると千秋は、ふふっと笑いを浮かべた。

「地味だから面白いってこともあるからね。確かにさ、あんたが言うように、自然保護や環境問題ってのは、これからのトレンドだ。都会に住んでる連中ほど田舎の生活に憧《あこが》れがあるしね。現代のマタギか、うん、悪くない。それって、女性のライターがあまり進出してない分野でもあるしね」

「じゃあ――」

「いいよ、好きにやってみな。ただ、毎回じゃなくていいからさ、ある程度、刺激的な内容はほしいね。あたしからの注文はそれだけだ」

「ありがとうございます」

深々と頭を下げた美佐子の肩を、千秋は親しげに叩いた。

「なあに、東京に帰ってきたあんたへの、あたしからのささやかなご祝儀だ。あんたがどれだけ書けるか見てみたいってこともあるしさ。で、カメラマンはどうする」

「心当たりがあることはあります」

「さっきの、吉本ってカメラマン？」

ええ、と美佐子は小さく頷いた。

7

フリーの立場にいるということは、なんの保障も安定もないかわり、無限の可能性が開けていることと同義である。

今の美佐子のなかでは、フリーランスになったことへの不安よりも解放感のほうが勝っていた。これが一時的な高揚で終わってしまうのか、新たな未来へのとば口となるのかは、自分しだいだ。

三十過ぎの独身女の生き方として、人の目にどう映るかはわかっている。その代表が、自分の母親だ。

東京に戻ることにしたと連絡をしたとき、電話の向こうの母の声が、最初は弾《はず》んだ。ここ一、二年、しきりに勧めていた見合い話に、ようやく乗り気になったのだと勘違いしたらしい。母の幸子《さちこ》は、長年幼稚園勤めをしたあと、今は民生委員をしていた。そのせいか地域ではけっこう顔が広いようで、世話好きの知り合いたちが、ひっきりなしに縁談を持ちこんでくるらしい。

ところが、見合いをする気などさらさらなく、しばらく実家に居座りながらフリーランスで仕事をしたいと聞くに及んで、あからさまなため息に変わった。

――今ならあんた、選《よ》り取《ど》り見どりなんだよ。なかにはお婿さんに入ってもいいって言ってくれてるところもあるっていうのに。あと二、三年もしてごらん。こんな話は、ぱたっと途絶えてしまうんだから。わかってんの？

顔をしかめ、耳から受話器を遠ざけて幸子の小言を聞き流したあとで、美佐子は、とにかく荷物をそっちに送る手配はすませたからと言って電話を切った。

ほんとうはどこかに手ごろなアパートでも借りられればと考えもしたのだが、背に腹は代えられない。いくばくかの貯金と仙台で使っていた車を売却した金、そして、高城が無理やり押しつけた、四年間の仕事への代償としてはやや過分な退職金が手持ちであるとはいえ、少しでも節約するには、母の小言のひとつやふたつは我慢するしかなかった。

スーツケースを抱えた美佐子が、久しぶりに自宅の玄関に入ったとき、電話で聞いた幸子のため息は、あきらめの表情へと変わっていた。一度言いだしたら梃子《てこ》でも動かない娘の性格を思いだしたのだろう。それは、あと一年で定年退職を迎える父の洋二《ようじ》にしても同様だった。歓迎はされないまでも、黙って受け入れてくれる家族がいることは、今の美佐子にはありがたいことだった。

花房千秋や娘のわがままを許してくれる両親に助けられて、という負い目はあるものの、本来のホームグラウンドに戻ってきたことにより、美佐子のテンションは持続していた。

つい数時間前までは。

創心社に千秋を訪ねた二日後、美佐子はあらためて編集部に出向いた。千秋の好意で、空いている机をひとつ貸してもらえることになったからである。普通ではありえない破格の待遇に、美佐子は素直に感謝した。いずれ編集部員として雇い入れる予定があるとはいえ、千秋の会社における力の大きさには感嘆するばかりだ。

スタッフたちとの顔合わせが終わるとすぐ、美佐子は電話をかけはじめた。

そこで最初の問題にぶつかった。

どうしても吉本憲司が捕まらないのだ。

阿仁でもらった名刺には、札幌《さっぽろ》の住所と電話番号、さらに携帯電話の番号とメールアドレスがあった。

札幌のほうは留守電が応答メッセージを伝えるだけ。携帯にかけてみても、やはり電波が届かないか電源が切られている云々《うんぬん》のメッセージのみ。撮影のために、どこかの山奥でテントでも張っているのだろうと推測するしかなかった。

今回、同行を依頼するカメラマンの第一候補として、初めから吉本を考えていた。千秋に頼めば、アウトドア系が得意なカメラマンをすぐにも手配してくれることはわかっていたが、なぜか彼以外にはいないと感じた。こういうときの自分の勘を、美佐子は信じることにしている。

もちろん、吉本が依頼を受けてくれれば、の話ではある。だが、話を聞けば必ず興味を示すはずだ。

フリーのカメラマン、しかも、動物写真が専門では、楽に食べていけるわけがない。自分が吉本の立場だったら、今回の仕事には諸手《もろて》をあげて飛びつくだろう。

何回か連絡を入れつづければ、いずれ吉本は捕まるはず。

そう考えた美佐子は、ノートパソコンから吉本向けに簡単な電子メールを送信し、次の仕事にとりかかった。

そこで、本当の頓挫《とんざ》がやってきた。

『マタギの集い』でもらってきた参加者名簿や、懇親会で交換した名刺を頼りに、取材の申し込みの電話をかけはじめたのだが、ことごとく失敗したのである。

もちろん、すべての相手が快く取材を受けてくれるわけではない。どうがんばっても取材そのものを拒否される場合だってある。しかし、微妙な問題にさらされている官公庁でもない限り、意を尽くして申し込めば、渋々でも承諾してくれる場合が多い。少なくとも、あたってみた先が全部だめということは、これまで一度もなかった。

原因はひとつしか考えられなかった。

『マタギの集い』での自分の発言だ。

あのときは、あとでこんなことになろうとは考えもせずに言いたいことを喋ってしまったが、彼らにとっては、よほど気に食わない発言だったのだろう。

美佐子の申し入れに対する断りの言葉や、人によっては明らかに腹を立てているとわかる強い拒絶の口調を聞くうちに、自分の名前がマタギたちのブラックリストに載ってしまったらしいと悟った。

それにしても、と思う。

ここまで強固に取材を撥《は》ねつける彼らの頑迷さはなんたることか。気に入った人間は、まるで旧知のあいだがらのように親しげに受け入れるくせに、いったん気に入らないとなると、村八分にするがごとく拒絶する蒙昧《もうまい》さ。そういう部分が、自分たちをますます孤立させることに、まったく気づいていない。

デスクの上に広げた名簿や名刺を前に、頬杖《ほおづえ》をついて美佐子は突破口を考えた。

たとえば、おおもとの主催者に連絡をとり、場合によっては足を運んで詫《わ》びを入れ、あらためて主催者を通して誰かを紹介してもらう。

一番現実的な方法なのだろうが、そこで拒否されたら、その後の一切の取材が不可能になってしまうというリスクがある。

となると、名簿のなかで、まだ電話をかけていない先をしらみつぶしに当たっていくか。

だが、ここまでかけた電話の感触では、同じ結果が待っている公算が大きい。

いっそのこと、どこか目ぼしい集落に狙いを定めて、アポなしで突撃してみるか。これは案外成功する確率が高い。わざわざ足を運んできてまで頭を下げている者を前にすれば、そうそう無下《むげ》にはできないのが心情である。相手が田舎の人間であればなおさらだ。

ただし、出かけたところでその先どうなるかわからないとあっては、どんなに太っ腹な出版社でも取材費など出してもらえるわけがなく、とりあえずは自腹を切る覚悟が必要だ。

「どうしたんですか。さっきからため息ばかりついちゃって」

美佐子と向かい合わせのデスクから、積みあげられた雑誌や書類の山を飛び越えて声がした。

顔をあげると、若い男性編集部員が、エントロピーの法則を証明しているバリケードの上に首を伸ばしてこちらを覗きこんでいた。

今どきの若い子にはめずらしく、髪も染めずパーマもかけていない。入社してまだ一、二年といったところだろうか。特別に美男子という造作ではないが、押しつけがましさのない顔の線には好感が持てる。確か、名まえは三上耕太《みかみこうた》とかいったはず。

「アポイント、うまくとれないんですか？」

どうやら、自分の仕事をしながらも、こっちの電話のやりとりは耳に入っていたようだ。

他の編集部員はすべて出払っている。

バリケード越しに美佐子は肩をすくめてみせた。

「うーん、まあね、恥ずかしい話だけど、さっきから空振りばっかりで。これじゃあライター失格よね。初歩の初歩でつまずいているんだから」

「取材先はどこなんですか」と言いながら、三上は自分の席を立って回りこんできた。

別に隠す必要もなかったので、美佐子は机の上に広げてある名簿を見せてやった。

「マタギ――ですか。へえ、おもしろそうだな」

手にした名簿をめくって眺めていた三上の視線が机の上に動き、しばらくさまよったあと、おや？　という表情になって一点で留まった。

「どうしたの」

美佐子が尋ねると、「これ――」と言って一枚の名刺を取りあげて訊き返してきた。

「知り合いなんですか？」

三上が手にしたのは、吉本の名刺だった。

「知り合いというほどのことではないけど――あなた、吉本さんを知ってるの？」

「ええ、写真集を持ってるんですよ、去年出版されたやつで、しかもサイン入り」

「そんなに有名な人なの？」

「いえ、ほとんど知られてないと思うな、一般には。僕、動物写真が好きなんで、この手の情報にはアンテナを張ってましてね。写真展と同時開催の小さな出版記念会でしたけど、そこでサインを入れてもらったんです」

「版元はどこ」

美佐子の問いに、えーと、と記憶を探る顔つきをしたあとで、三上は指を鳴らした。

「思いだしました。『フィールドアウト』っていうアウトドア系の雑誌を出してる出版社。佐藤さんご存知ですか」

「聞いたことはあるな、ありがとう——で、その写真集だけど、どんな感じ」

「僕は好きですね。被写体はおもに北海道のヒグマなんですけど、けっこうリアリティがあって——」とそこで三上は、しばらく前にカムチャツカでグリズリーに襲われて命を落とした有名なカメラマンの名まえをあげ「——彼の再来だと言う人もいます。でも、一方では亜流にすぎないと酷評する人もいて、今のところ評価は分かれているようですね。よかったら、お貸ししますよ、明日にでも持ってきましょうか」

「ほんと？　ぜひお願い」

「いいですよ、なにかのお役に立つなら僕も嬉しいですから」

三上と軽い雑談を交わしてから、美佐子は番号案内で『フィールドアウト』の編集部の電話番号を調べた。

写真集の版元であるとすれば、おそらく吉本は、仕事の多くを『フィールドアウト』に頼っているはずだ。今現在の、彼の所在を編集部がつかんでいる可能性は高い。

やはりどう考えても、当たって砕けろ式で直接マタギに会いに行くのは得策ではないように思われた。彼らと面識があるはずの吉本を利用し、突破口を開くほうが、結果的には近道だろう。それもこれも吉本しだいということになるが、簡単にはいかなくとも説得はできそうな気がする。

阿仁の里で「山は半分殺してちょうどいい」と語ったあとで「あなたにはわからないかもしれない」と意味ありげに微笑んでいた吉本を思いだしながら、美佐子は電話に手を伸ばした。

8

まさかこれほど早く仙台に戻ってくることになるとは思わなかった。

『フィールドアウト』の編集部に電話をかけてから一週間後、美佐子はビジネスマンや旅行者に前後を挟まれ、東北新幹線の改札を通過していた。

在来線の改札口がある二階のコンコースにおりたところで、知り合いに、特に『みらい』のスタッフにばったり顔を合わせやしまいかと、周囲に視線を走らせる。

出くわしたところでどうということはないはずであるが、なんとなく居心地が悪い思いをするに決まっている。それが高城や良枝だったりしたらなおさらだ。

してみると、自分で思っている以上に、あのような形で仙台を去ることになったことへのわだかまりが、心のどこかにあるのだろうか。

東京にいる間は意識の表層には浮かんでこなかった切なさが、この街に降り立ったとたん、じわじわと自分を侵食しはじめ、気づいてみると、歩幅までも狭まっている。

——ええい、なにをうじうじしてる、しっかりしろ！

気持ちを鼓舞し、意識して歩幅を広げて、陽射しのきつい表へと出る。

美佐子が仙台に舞い戻ったのは、吉本憲司に会うためだった。加賀美《かがみ》という名の『フィールドアウト』の編集長から、吉本の所在を聞き出せたのである。

電話をかけた時点では、やはり吉本は撮影のために山に入っているということだった。場所は北上《きたかみ》高地のどこからしい。そうなると、たとえ携帯電話の電波が届くエリアにいたとしても電源を切っているはずだから、容易には連絡が取れないとのこと。

どうしても会いたいのであれば、一週間後に仙台で写真展を開くことになっているはずだから、直接会場に行ってみるようにとアドバイスされた。

一昨日、写真展の準備のため仙台入りしていた吉本の携帯に、ようやく連絡がついた。

美佐子のことは吉本も覚えているようだった。細かい部分はあえて説明を省いた。まずは一度会って、その際に詳しい話をさせてもらえないだろうかと尋ねると「いいですよ、話を聞くぐらいは」と、あっさりオーケーがもらえた。

仙台駅からつづくアーケード街は、平日にもかかわらず色彩で溢れかえっていた。

——そうか、もう学校が夏休みなんだ。

十日前、美佐子が仙台を離れたときは、昼のこの時間帯、連れ立ってランチに向かうビジネスマンやＯＬたちが最も目についた。ワイシャツや制服姿の彼ら、彼女らの数は変わらないものの、その合間、というよりは通りの真ん中を占拠しているのは、若者たちの煩《うるさ》いくらいに明るいファッションだった。

幸い、途中で知った顔にでくわすことなく、地下鉄でふた駅の道のりを歩き、目的の場所に到着した。

仙台駅から地下鉄に乗ったほうが、楽だし早いことはわかっていた。だが、新幹線を降りたあと、一度は狭まった歩幅を意識して広げたのと同時に、自分が捨てた街がどんなふうに見えるか歩いてみたいという、少し意地悪な気持ちが湧き起こった。

見て、今の私は全然平気、ちっとも応えていないんだから——そんな虚勢にすぎないのかもしれないが、直接のかかわりがなくなった街なかを、ひとりの異邦人として突っ切るのは、なかなか気分がよいことだった。

けやき並木の歩道から、最近オープンしたばかりの『せんだいメディアテーク』を見あげる。市民ライブラリーや貸しギャラリー、さらにはスタジオまでがそろった、新世代の情報発信基地としての機能を持つ七階建てのモダンなビルだ。

五階と六階のフロアを占める貸しギャラリーのうち、五階にあるギャラリーのひとつが、吉本憲司の写真展に使われていた。

入場は無料。アルバイトらしい女の子がひとり、受付のテーブルを前に腰掛けているだけで、外から覗いた限りでは、吉本の姿は見当たらない。

彼女に尋ねると、昼食をとりに出かけたばかりなので、戻るまで一時間くらいはかかるだろうということだった。

入場者名簿に記入し、とりあえず写真を眺めながら帰りを待つことにした。

よけいな装飾のない、がらんとした室内に入った美佐子は、まずはがっかりした。百平米《へいべい》ほどのギャラリー内には、ひとりも客がいなかったのだ。

有名どころのカメラマンではないから仕方ないとはいえ、閑散としたフロアが寂しい。

創心社の三上から借りた写真集を見て、美佐子は吉本の作品がけっこう気に入っていた。事前に知っていれば、昨日発売になったはずの最後に手がけた『みらい』で、紹介記事を載せてあげられたのに、と少々悔しい思いもする。

気を取り直して、パネルに引き伸ばされた写真を一枚ずつ眺めはじめた。

端のほうから見はじめてすぐ、違和感を覚えた。

被写体の多くは、野生のツキノワグマだった。去年出版された写真集は北海道のヒグマがメインだったので、被写体の違いはあるものの、いったいどこまで接近して撮ったのだろうとため息が出るアングルや、森のなかに射し込む光の使い方に、大きな相違はない。動物カメラマンとしての腕の確かさはたいしたものだと思う。

だが、なんというのだろう。よく言えば、今まで以上に深みが出たとも表現できようが、否定的な捉え方をすれば、シャッターを押す際の迷いめいたものが、どことなく感じられる。去年までの写真にあった躍動感あふれる純粋さが薄れ、かわって深いところでの葛藤が、引き伸ばされたポジの上に焼き付けられている、とでも言えばよいのだろうか……。

さらにそれは、点数の少ない人物を被写体とした写真に、いっそう強く現れている。写っているのは、すべて猟銃を持ったハンターだった。おそらく、吉本が撮ったからには、彼らは単なるレジャーハンターではなく、阿仁の里に集まってきていたようなマタギたちなのだろう。

見ているうちに、どうしてか物悲しくなってきた。

実際にはそんなことはないのだろうが、写真にある男たちの目が、おしなべて悲しげに見えてしまうのだ。銃を構えて獲物を狙っている男、雪の上にしゃがんで休んでいる男、獲った獲物を前にして佇む男。いずれもその瞬間を狙ったかのように、たとえ微笑んではいても、ふと浮かべてしまった切なげな光を、吉本はフィルムの上に切り取っている。

いったい彼は、これらの写真で何が言いたいのだろう。

考えこんでしまった美佐子の背後で、「写真、気に入りましたか」という声がした。

声をかけてきたのは吉本ではなかった。

てっきり本人かと思って振り向いた先に、あの髭面はなかった。

どう見ても大学生くらいに思える、かなり目立つ出で立ちの若者が立っていた。

オレンジ色系の派手なバンダナを頭に巻き、レンズの面積が極端に狭いセルフレームの眼鏡——しかも淡いブルーのレンズがはめ込まれている——をかけて、左耳にリングタイプのピアスを通しているあたりは、いかにも今どきの若者ふう。洗いざらしのブルージーンズと黒いTシャツを身に着けていて、シャツの左胸には、クマの足形が白抜きでプリントされている。

見てくれがどうあれ、こんな場所に足を運ぶからには、それほど怪しい者ではないのだろうと考え、美佐子は軽く会釈しながら答えた。

「ええ、なかなかいい写真だと思います」

すると若者は、「そうかなあ」と口を尖らせてから、「ほんとにそう思いますか、僕はそうは思わないけどなあ」と、不満そうに呟いた。

――なに、こいつ？

美佐子は胸のなかだけで眉をひそめた。

社交辞令をはぶいていきなり思うところをぶつけるのがクールな人間だと勘違いしている、最近の若者のひとつの典型なのか、それとも幼稚なだけなのか。あるいは、一種のオタク？

連れもなく、周囲に人もいない状況では、無視することもできない。

そこで美佐子は、自分から訊き返してみることにした。たぶん、こういうタイプは、口を開かせたほうが扱いやすい。

「この写真の、どんなところがお気に召さないのですか」

案の定、その質問を待っていたかのように、青年は喋りはじめた。

「去年までの写真はいいんですよ。技術的にも素晴らしいし、僕も好きです。でも、今回の作品は自分が出すぎているって感じがしてちょっと。全部が全部よくないわけじゃないですよ。これとか、それとか――」と言ってツキノワグマを捉えたショットを指さし、「――こういう写真はいいですよ。ここまで接近して撮影するなんて、なかなかできることじゃないですからね」と、感じ入ったみたいに頷いた。

「だけど、そう、たとえばこの写真とか、こっちのやつとか――」

言いながら、青年はハンターを撮影したパネルをひとつひとつ指さして、口をへの字に曲げた。

「メッセージ性が強すぎますよ。しかも、言わんとしているところが見え見えでしょ？　好み以前の問題として、こういう写真はよくないです。こんなのを撮る人じゃないと思っていたので、正直がっかりしたな」

青年の言葉の意図を摑《つか》みかねる以上にむっとして、美佐子は思わず反論していた。

「そうかしら？　写真にメッセージを込めるのはプロのカメラマンとして当然だと思いますけど。それに、私はむしろ、逆の感想を持ちましたよ。なにかこう、人間の物悲しさが伝わってくるようで、今までのもの以上に深みがあるというか、そんな感じがします」

「そう、それ、そこが問題なんですよ」

「問題って、なにがですか」

「いいですか、もし、こうしてハンターの姿を写すのなら、ほんとうは違った撮り方をするべきなんです。たとえば、獲物を見つけてにやりと笑っているとか、殺したクマの前で満面に笑みをたたえているとか。そういうショットなら僕も賛成です」

「どうして？」

すると青年は、半分はすねたように、半分はそんな質問をするのは馬鹿だとでも言いたげに、美佐子を見おろした。

「だって、そうじゃありませんか。写っている彼らが愉快そうに笑っていれば、そこに見てとれるのは、逆説的な人間の残酷さやエゴイズムになるはずで、ほんとうはそれをこそ訴えるべきなのに、この写真では逆になっているじゃないですか」

ここまで言うからには、ただの写真好きの学生ではなさそうに思える。

「もしかしたらあなたもカメラマン――」の卵？　と出かかった言葉は呑《の》みこみ、尋ねてみた。

「いいえ」

そっけなく否定したあとで、青年はジーンズの尻《しり》ポケットを探りはじめた。

何をしているのかと訝《いぶか》っていると、財布から名刺を一枚抜いて差し出してきた。

まさか名刺を持っているような相手だとは思わなかったので、自分の名刺をハンドバッグから取り出すタイミングを失い、出されるままに受け取って覗きこんだ。

青年が渡してよこした横書きの名刺には、特定非営利活動法人『奥山放獣ネットワーク』常務理事の肩書きとともに、相馬《そう　ま》聡《さとし》という名前がプリントされていた。

びっくりして、美佐子は若者の顔を見あげた。

何年か前にいわゆるNPO法が成立してから、日本でもさまざまなNPO法人が生まれつつあるので、特別驚くようなことではないのだが、常務理事という肩書きと本人とのギャップの大きさに、少々どころか、かなり驚いてしまったのである。

それが表に出てしまったのだろう。

「なにも、そんな顔をしなくてもいいじゃないですか。こう見えても僕、あと二年で三十路《みそじ》になるんですよ」

はじめて見せる笑みを浮かべて相馬が言う。

「ごめんなさい、まだ学生さんかと思ってしまったので」

「いいですよ別に、慣れてますから。その恰好だけはなんとかしてくれと代表からもよく言われるんですが、こればっかりは――それより――」といったん言葉を切り、相馬は眼鏡の奥で探るような目をした。

「――その名刺を渡すと、オクヤマホウジュウってなんですかって必ず訊かれるんですが、興味は湧きません？」

ちょっとばかり自意識過剰じゃないのかと思う。しかし、それは顔に出さないように気をつけて、美佐子は答えた。

「実は、知っていることだったので」

今度は相馬が、へえ？　という驚きの表情を見せた。

今回のルポを書こうと思い立ったときから、マタギやツキノワグマのことについては、ある程度のことを調べていた。

そのなかで、捕獲したクマを殺処分にしてしまうのではなく、奥山に運んでいって、本来彼らがいるべき棲息地《せいそくち》に帰してやる方法があることは知っていた。まさか、そういう仕事に携わっている人物――名刺に刷り込まれているからには間違いなさそうだ――に偶然会おうとは思ってもいなかったが、これはチャンスかもしれない。

強い思いが人を引き寄せるというのは、まさしくこういうことを言うのだろう。

そう考えながら、美佐子はハンドバッグを開けて、一昨日刷りあがってきたばかりの、フリーライターとだけ肩書きを入れた名刺を取りだした。

「へえ、ライターさんだったんですか。じゃあ、ここには取材かなにかで？」

美佐子の名刺を手にした相馬が尋ねた。

「取材というか、実は――」と、美佐子は仙台に足を運んだ理由を簡単に説明した。

聞き終えた相馬は軽く頷いた。

「なるほど、そうですか。でも、はたしてどうかな」

「どうかなって、どういう意味？」

どうもこの相馬という青年は、理由をぼかしてものごとを口にし、そのあとで、だってそれは、と話をしていく癖があるみたいだ。

「だって――」と、予想どおりの前置きをしてから相馬はつづけた。

「――今回の写真を見るかぎり、彼はあっちよりの人だと思いますよ。だとしたら、あなたのルポには合わないのじゃないかな。これでも僕、学生のときは映像の勉強をしてたのでそう思うんですが、ライターとカメラマンって、気が合う以上に、根本的なところで共通の認識というか、同じ思いを持っていないと、いい仕事はできないですよね」

相馬の言わんとしていることは美佐子にも理解できた。彼の「あっちより」という言葉は、野生動物の保護を目的としている者には、今回の吉本の写真は頷けない、というところからきているのだろう。確かに、吉本が写したハンター——おそらくはマタギ——の写真は、どこか悲しげな表情を捉えているために、かえって彼ら狩猟者の存在を肯定しているように見える。

「それはわからないでもないです。でも、私には私なりの考えがありますので」とだけ答え、あえて議論は避けることにする。

ほのめかした拒絶を無視してまで議論をふきかけようとする気は、相馬にもなさそうだった。バンダナの上から頭を掻《か》いて、照れくさそうにした。

「そうですよね、考えてみれば僕がどうこう言う問題じゃないや。失礼しました」

「いえ、気になさらないでください——それより、ひとつお願いがあるんですが」

「なんですか」

「ここでお会いしたのもなにかのご縁だと思いますので、一度事務局にお邪魔させていただきたいのですけど、よろしいでしょうか」

「取材、ということですか」

「ええ」と今度ははっきり答えて頭を下げた。

美佐子の取材の申し出に、相馬の表情が曇ったように見えた。が、それも一瞬のことで、むしろ歓迎しますとでも言いたげに、顔をほころばせた。

「どうぞご遠慮なく。僕たちの活動をより広く知ってもらうためには、決して悪いことではないですから。で、いつごろおいでになりますか」

ずいぶんせっかちな人だと、思わず苦笑が漏れそうになる。

「いつでもご都合に合わせられますので。でも、できるだけ早い時期にお願いできれば助かります。近いうちに、あちこち取材の予定が入るかもしれませんので」

ほんとうにそうなれば嬉しいのだがと思いながら答えると、相馬は「そうだ」と、何かを思いついたように小声で言ってから尋ねてきた。

「来週、軽井沢《かるいざわ》までおいでになる時間はありますか」

「軽井沢？」

唐突な話に、文字どおりオウム返しに美佐子は訊き返していた。

相馬の話では『ＯＨＮ』すなわち『奥山放獣ネットワーク』の仕事で、来週からしばらくの間、軽井沢に行っているのだという。事務局といっても何があるというわけでもないので、現場の仕事を見てもらったほうがずっといいだろうとのこと。泊まる場所なら、実費さえ払ってもらえば、予約してあるコテージに余裕があるので問題はないとつけ加えた。

話の進み具合に戸惑いを覚えながらも、美佐子はこの提案にありがたく便乗させてもらうことにした。今の時点で吉本がどうなるかわからないのがネックだったが、こんな機会をみすみす逃す手はない。結局、東京に戻ってから、あらためて電話で予定を確認しあうということになった。

「じゃあ、僕はこれで」と立ち去ろうとした相馬を、美佐子は呼び止めた。

「吉本さんにお会いにはならないんですか」

「ええ、会うのが目的だったわけじゃないですから。盛岡《もりおか》からの帰りに時間があったので、ちょっと寄ってみただけなんです」

言い残し、相馬が踵を返した。

ギャラリーから消えた相馬と入れ替わるようにして吉本憲司が姿を見せたのは、それから五分と経たないうちだった。

9

その日の夜、チェックインしていた『ホテルリッチフィールド仙台』の一階ロビーで、美佐子は吉本を待っていた。

ギャラリーでこみいった話をするのは避けたほうがよいと思ったし、説得にはそれなりに時間が要るだろうと考えた。さらに内心では、あまりに閑散としたギャラリーで話をすること自体が、なんとなく気の毒に思えたこともあった。そこで、もしかまわなければ、ということで夕食に誘った。

「いいですよ、特に予定はないですから」と答えた吉本に、「エスニック料理はお口に合いますか」と尋ねた。「好き嫌いはないので、なんでも」という答えに、美佐子はほっとした。

いい店を知っていたということ以外に、そこを選んだのには別の理由があった。高城がエスニック料理を苦手としていたのである。その手のレストランであれば、偶然ばったり、などという心配をしないですむ。

約束の時刻、午後八時ぴったりに吉本がロビーに姿を現した。

掛けていたソファから腰を浮かし、近づいてくる吉本をあらためて観察する。

格子柄のポロシャツとブルージーンズに、履きこまれたトレッキングシューズ。特に目立つ出で立ちではないのだが、どこからどう見ても、フィールドワークをしている人間だと思わせるのは、やっぱり日焼けした顔を覆っている濃い髭のせいだろう。

確かに、相馬が漏らしたように、マタギと同じ匂いがする。

あの髭さえきれいに剃《そ》ってしまえば、もっと親しみやすい感じになるのに——そう考えるのと同時に、既婚者なのだろうか、独身だとしたら、つきあっている女性はいるのだろうか、などと思いを巡らせている自分に気づき、美佐子は少々げんなりした。高城と別れたばかりだというのに、なんだか男に餓《う》えているように思えて気が滅入《めい》ってしまったのだ。

気分を切り替え、ロビーを横切って吉本の前に立ち、ぺこりと頭を下げる。

吉本の顔がほころんだ。

なぜだか髭面のなかに吸い込まれそうになり、再び美佐子はうろたえた。

あらためて挨拶を交わしてから案内したエスニック料理の店で、最初に出てきたゴイクォンを頰張《ほおば》りながら、「そんなことを言いましたっけ」と、吉本が怪訝そうな顔をした。

マタギの集いではじめて会ったとき、「山は半分殺してちょうどいい」と言った彼の言葉を尋ねなおしてみたのである。それが、今回のルポを思い立ったきっかけになったのだとつけ加えて。

「ええ、確かにそうおっしゃいました。その意味は、なんとなくわからないでもありません。たぶん、人間と自然が共生するために、マタギが身につけてきた知恵を言葉に表したものだろうと、そんなふうに想像することはできます」

「共生――ですか」

「ええ」

箸《はし》を置き、ビールをひと口すすったあとで、あの遠くを見るような目で、吉本が呟く。

「それは違うと思いますね」

「違うって、どこがですか」

「どこがと言われても困りますが、僕がそう言ったとしても、まあ、あなたがそうおっしゃるからには口にしたんだと思いますけど、あなたが捉えているような、今流行《はや》りの『共生』という言葉のイメージを重ね合わせているのだとしたら、外れとは言わないまでも、当たりではないですね」

美佐子の心の内で反感が疼いた。昼の相馬といい、吉本といい、どうしてこう持って回った言い方をするのだろう。なるほどそうですか、でもあなたは、ほんとうのところはわかっていない――そんなニュアンスが口調の端々に見てとれ、しゃくに障る。

必要以上に棘《とげ》がある言葉が出てきそうだったので、美佐子は無言で話のつづきを促した。

口髭の部分を幾度かさすってから、吉本が再び口を開く。

「それに、殺す、という言い方は正確ではないですね。おそらく、あなたにもわかりやすいようにと、そんなふうに言ったのでしょうけど、実際には、伸《の》すという言い方を、彼らマタギはしています。文字で表すとしたら、殺すと書いて殺《の》すと読めば、ニュアンス的にはぴったりだ。僕はそう思います」

――山は半分、殺《の》してちょうどいい。

口のなかで呟いてみる。確かにこのほうがしっくりくると、美佐子は思った。

――吉本さんやマタギたちが言う、「山を殺す」という言葉は、正確には何を言っているのか。そこに、現代社会にも通じるだけの価値は見いだせるのか。この言葉をキーワードにすることで、社会的にも意義のあるルポが書けると、私は信じている――。

気がつくと美佐子は、自分でも驚くほど熱を込めて語っていた。

「今のように、仮想現実がはびこっている時代であればあるほど、そういった現場からの声は、生々しく人々の耳に届くのではないでしょうか。そこからこそ、ほんとうの環境問題や自然保護のあり方が見えてくるはずです。私は、商業的な成功を目的としているのではありません。その証拠に、今の私は完全にフリーの立場で仕事をしています。自分の信じることを、この状況だからこそできるのだし、すべきだと思っています」

話しながら、これだけ熱くものごとを語るのは、高城と一緒に、一日も早く『みらい』を軌道に乗せようと議論を戦わせて以来だと思った。まだ冷めていない自分が確かにいるのだと、嬉しくさえなった。

言葉を切り、自分用にオーダーしたピエモンテの赤ワインで喉を潤す。

「佐藤さん」

吉本が言った。

――私の熱意は通じただろうか。

少しだけテーブルに身を乗り出して、「はい」と返事をした美佐子は、次の吉本の言葉に出鼻をくじかれた気分になった。

こっちの話をちゃんと聞いていたのだろうかと思わせるのんびりとした口調で、「追加の料理、頼んでもいいですか」と尋ねたのである。

鼻の穴が広がりそうになるのをこらえ、「どうぞ、ご遠慮なく選んでください」と頷く。確かに話に夢中になりすぎて、ゴイクォン以外にはサイゴンソースで和《あ》えたキャベツのサラダしかオーダーしていなかった。

「じゃあ、すいませんが、これとこれを」

メニューを示した吉本の指先を見て、今度は鼻の付け根に皺が寄りそうになった。こともあろうに、吉本が所望したのは、食用蛇の香草炒《いた》めとワニ肉のタバスコ煮という、今までこの店で、それだけはだめ、と美佐子が避けてきた料理の組み合わせだった。

――この人、ゲテモノ好きの趣味があるの？　あ、それとも、もしかして……。

脳裏にふと閃《ひらめ》くものがあった。

——ははあ、そうか、きっとそうに違いない。そんな見え透いた手には乗らないんだから。

美佐子は、唇を真一文字に結び、吉本に対して少しだけ首をかしげてみせた。

「あのう、吉本さん、これってあまりに見え見えじゃありません？」

「は？」

「は、なんてとぼけた顔をしないでください。私を試しているんでしょう？　ワニとか蛇とかを、私が食べられるか。それを見て、今回の仕事を引き受けるかどうか、決めようと思っていらっしゃる」

きょとんとした目で美佐子を見ていた吉本の髭面が弛《ゆる》む。

「おもしろい人ですねえ。僕がそんなことを考えていると、ほんとうに思ったんですか」

「違うんですか？」

「そんなこと、考えもしませんでしたよ。食べたことのない珍しい料理なので試してみようと思っただけです。お嫌いなら他のを頼みますけど、どうします」

ほんとうにそうだろうか。思いながらも美佐子は厨房《ちゆうぼう》のほうに向かって手をあげた。

オーダーをとりにきたレストランのオーナーにワニと蛇の料理を注文すると、それを見ていた吉本がやけに嬉しそうな顔をした。

どうやら、ほんとうに自分が食べたいだけだったらしい。

なんだか気勢がそがれたようで、先ほどまで熱弁を振るっていた自分が恥ずかしくなる。

気を取り直し、もう一度ワインを口に含んでから、あらためて言う。

「吉本さんの今後のスケジュールのこともありますが、どうでしょう、この仕事に参加していただけませんか？　吉本さんにとってもご興味のあるテーマだと思いますし、それに『ムーサ』――」と、千秋が作っている雑誌の名をあげて「――のギャラはけっこういいですよ」そうつけ加えた。

ふっと力を抜いたような笑みを浮かべて吉本が言う。

「そんなに僕って貧乏カメラマンに見えますかね」

「いえ、そんなつもりで言ったのでは――」

慌てて否定する美佐子を、吉本はやんわりと遮《さえぎ》った。

「まあ、事実だからいいですけどね。でも、それとは別に、この仕事、あなたには無理があると思うな」

「簡単な仕事でないことはわかっています。しかし、無理とまでは思いませんけど」

美佐子の反論に対して、吉本は軽く首を振った。

「いや、やっぱり無理だと思います」

「どうしてそう言い切れるんですか」

「マタギの取材は女性には難しい。なぜかと言いますとね、マタギの世界では、女性が山に入ることを極端に嫌うからです。彼らが信仰する山の神さまは醜い女の神さまで、そう、たとえば、あなたのような綺麗な女性にはひどく嫉妬《しっと》して、マタギに獲物を授けなくなってしまう、とまあ、そういうことです」

綺麗だと言われて悪い気などしないが、そういう問題ではない。

「それって、迷信でしょう？　それに、そんなことで取材を断るのだとしたら、女性蔑視《べっし》もはなはだしいと思います」

すると吉本は、今までの微笑みとは違う、何かを面白がっているような笑いを浮かべた。

「取材の申し込み、断られたんでしょう？　それで僕をカメラマンの候補として考えた」

思わず息を呑む。

すべてはお見通し、というわけだ。

美佐子は唇を嚙んでうなだれた。

「ごめんなさい。最初に話をしておけばよかったんですが、どうしても言いにくかったもので──あちこちアポイントをとろうとしましたが、すべて断られてしまいました。門前払いもいいとこです。それで、あの──吉本さんにお願いすればなんとかなるのではと考えて──どうしてもこのルポを書きたかったものですから、藁《わら》にもすがる思いで──」

しおれきった声で訴えるのと同時に、ああいやだ、という嫌悪感に襲われる。

吉本に図星を指摘されてから口を開くまでのわずかな間に、美佐子の頭はめまぐるしく回転していた。

こうしてうなだれ、情けなさそうな声を出している自分の姿は、半分以上演技であることが自分でもわかっていた。肝心なとき、ふだんの気の強さとは裏腹な弱さをぽろりと出して見せると、結局は思惑通りにことが運ぶ場合が多いのに、思春期をすぎたころから美佐子は気づいていた。特に、相手が異性の場合は効果てきめんだった。

もちろん、全部が全部、演技というわけではない。だからこそかえって、罪悪感とともに嫌悪感を覚えるのかもしれなかった。

吉本が美佐子の様子をどう捉えたのか、実際のところはわからない。が、口から出てきた言葉は、心中で望んでいたものだった。

「まあでも、この時代ですからね。難しいのは確かですが、受け入れてくれるところがないとは言えないかな」

「それは、お引き受けいただける、ということですか」

顔をあげ、期待を込めて吉本を見つめる。

——ああやだ、ほんとうに涙で目が潤みかけている。

自分のずるさに対する嫌悪と、偽りのない嬉しさがないまぜになった複雑な思いで返事を待つ。

「少し考えさせてください。引き受けるにしても、いろいろとスケジュールの調整もしなくてはならないし——そうですね、ここでの写真展が終わったらいったん札幌に戻りますので、来週の頭にでも連絡をください。そのときには、どちらにしても、はっきりとした返事はしますので」

「ぜひお願いします」

今の段階ではこれ以上期待するのは無理というものだろう。いざとなれば札幌に飛んで口説いたっていい。そう考え、テーブルの下にある膝に手を置いて深々と頭を下げた。

タイミングを見ていたかのように、追加の料理――ワニと蛇――が運ばれてきた。

もとの形はないが、はっきり言って気持ち悪い。どうしてすき好んでこんな料理を食べたがる人がいるんだろう。

そんな美佐子の思いをよそに、吉本は、これはなんという種類のワニや蛇なのですかとか、仕入れはどこからしているんです、などとしきりに尋ねている。

オーナーの丁寧な説明に満足したらしく、今度は「お、なかなか」「こりゃ思ったより」といった具合に、独り言めいた感想を漏らして、爬虫類《はちゆうるい》の肉切れを頬張りはじめた。

口をもぐもぐさせながら皿を押してよこす。

「けっこういけますよ。ちょっと癖はあるけど、独特の歯ごたえがあっていい。ソースの作り方がコツなんだな、きっと」

仕方なく箸を伸ばし、どっちにしようと少し迷ってから、ワニのほうをつまみあげる。肉片を眺め回してくんくん匂いをかいでいると、吉本がにっと笑いかけてきた。

「夏グマの肉より、食いやすいかも」

目を瞑《つむ》ったまま、美佐子はワニ肉を口に放りこんだ。

10

時計の針がちょうど正午を回ったところで、滝沢は椅子《いす》の背に背中をあずけて、大きく伸びをした。

事務机の上に散乱していた伝票を簡単にまとめ、凝った肩を揉《も》みほぐしながら立ちあがる。

「飯、食いに行ってきます」

「またラーメンかい？」

右手の机から声をかけてきたのは、滝沢が勤める運送会社の総務部長、菅野美津枝《かんのみつえ》だ。トラックが五台だけの小さな会社のこと、総務部長とはいっても、社長の奥さんである。ドライバーが出払っている事務所には、美津枝とその姪《めい》の由美《ゆみ》、そして滝沢の三名しか事務員はいない。

いつもと同じ顔ぶれの、いつもと変わらぬ風景だった。

配送の遅れや交通事故といった突発的な問題が起こらない限り、時おり思いだしたように電話が鳴る以外には、ゆったりと時間が流れる静かな仕事場。田舎の小さな会社ではごくありふれた光景である。

「昭典さん、あんたラーメンばかり食べてると、いくら若いったって体に悪いよ」

心配そうに美津枝に言われ、滝沢はぽりぽりと頭を掻《か》いた。

「んだたって、コンビニ弁当も飽きたしの」

「そろそろ愛妻弁当が恋しくなってきたんじゃない？」

向かいの席で由美が言う。

「そんなことねえって」

「なーに照れてんのよ。いつも見てたんだからね。また同じおかずかよ、なんて文句言いながら、奥さんのお弁当を食べてるときの幸せそうな顔。でれーっとしちゃって、こっちのほうがごちそうさまって感じ」

「まったく由美ちゃんにはかなわんわ。大人をからかうもんじゃねえって。それより、そっちこそ弁当を持たせる相手、早く見つけろよな」

「よけいなお世話ですう」

ふたりのやり取りを、目を細めて見ていた美津枝が、ところで、と言って滝沢に尋ねた。

「奥さんの具合は、その後どうなの」

あまり触れてほしくない話題だった。

「産後の肥立ちが悪いってやつなんだべの。今ひとつ体調がすぐれないもんで、もうしばらくは実家にやってようかと思ってな」

そう答えて取り繕うしかなかった。

妻、翔子《しょうこ》の産後の肥立ちが悪いという滝沢の説明は、まったくの嘘《うそ》ではないにしても、事実からは遠く離れていた。

二十日ばかり前、ユキエ婆さんが巨《おお》グマを見て腰を抜かした翌日に、滝沢家に待望の長男が生まれた。滝沢と翔子にとってはふたり目の子どもである。

今年で三歳になった長女の真奈美《まなみ》のときもそうだったように、出産にあたって、妻の実家、千葉県の松戸《まつど》市に真奈美と一緒に翔子を里帰りさせていた。大事なひとり娘を嫁にもらった手前、遠く離れた義父母に対する気づかいだった。翔子自身も、そのほうが安心できるだろうという配慮もあった。

無事に男の子が生まれたという報《しら》せを受け、有給休暇をとって駆けつけた病院のベッドで、翔子は、産着《うぶぎ》にくるまれた息子に寄り添い、幸せそうな微笑《ほほえ》みを浮かべていた。

母子ともに落ち着いたころ、二週間もしたらあらためて迎えに来るからと約束し、滝沢はひとりで山北町に戻って、俊介《しゅんすけ》と名づけた息子の出生届を役場に出した。

そこまでは長女のときと同じだった。

違いに気づくまでには、少々の時間を要した。

妻と息子が退院したあと、滝沢は一日おきに松戸に電話を入れていた。電話での翔子の声が、心なしか沈んでいるように思えた。体調があまりよくなくて、と翔子は答えた。最初のうちはそれで納得していたが、どうも様子がおかしかった。

そして先週の金曜日。

おまえの調子がいいようだったら、明日と明後日《あさって》の休みを利用して車で迎えに行くから、松戸の家で一泊して一緒に帰ろうと思う——そう電話で伝えた滝沢は、返ってきた言葉を聞いて眉《まゆ》を曇らせた。

ごめんなさい、もう少しこっちにいさせて、と翔子は言った。

そんなに具合が悪いのかと尋ねると、少し間を置いてから、体はもう大丈夫だと返事をした。じゃあ、どうしてと、滝沢は訊《き》いた。さらに間があいた。受話器を通して鼻をすする音が聞こえてきた。

もう少しこっちで今後のことを考えたい。途切れ途切れながらも、そう言っているのだとは、理解できた。だが、今後のこととはどういうことか。

受話器を握り締めてしばらく考えこんだ滝沢は、やがて確かめるように言った。おまえ、それは俺《おれ》と別れたいと言っているのか、と。

滝沢と翔子との出会いは、六年前の五月の連休にまで遡《さかのぼ》る。

きっかけとなったのは、滝沢たち熊田に住む若い衆が中心となって開催した、第一回目の『残雪のブナ林を歩く会』だった。

この会を発案したのは、他ならぬ滝沢自身である。会がスタートする前年の夏、東京、池袋《いけぶくろ》のデパートで行うことになった物産展に向けて、仲間たちと準備をしているときに思いついた。ゼンマイやフキといった食材のほかに、伝統工芸としてのシナ織を紹介するのが物産展での目的だったが、こちらから都会に出向いて行くのとは逆に、ささやかでよいから、都会の人間を地元に呼べる催しができないだろうかと考えたのだ。

同じ山北町内でも、海岸沿いには、国の天然記念物にもなっている奇岩が浮かんだ『笹川《ささがわ》

『流れ』という景勝地があり、遊覧船なども出ていたりして、そこそこの観光客が訪れる。だが、山側はとなると、熊田の集落が典型であるように、観光客の目を引くようなものは、はっきり言ってなにもない。あるのはただのブナ林だけだ。

なにもないと思ってきた自分の棲《す》み処《か》に、子どものころからさんざん見飽きてきたブナの森があるではないかと、ふと気づいた。

残雪の山を歩くという、生活の一部として自分たちがあたりまえに行ってきたことが、もしかしたら都会の人間には新鮮に映るかもしれない。

そう考えた滝沢は、「来年のゴールデンウィークは残雪のブナ林を歩いてみませんか」と呼びかけるチラシを仲間と一緒に作り、物産展のときに配ってみた。

ちょっとした思いつき程度のものだったので、たいして期待していたわけでもなかった。ところが驚いたことに、村に戻ってしばらくすると、参加の問い合わせや申し込みの電話が、ぽつぽつとかかってきたのである。

その後、参加希望者は二十名以上にもなり、準備で大慌てしなければならなくなった。適切なコースの選定からはじまり、ガイドの分担、さらには万一のことを考えての官公庁への届出やら保険の手配など、いざ実施しようとなると、けっこうな手間隙《てまひま》がかかった。しかし、それを補って余りあるだけの成果はあった。特に、滝沢にとっては思ってもみなかった余禄《よろく》がついた。

参加者のひとりに、当時は東京でＯＬ生活をしていた千田《ちだ》翔子がいたのだ。

滝沢たちが開催した『残雪のブナ林を歩く会』への参加希望者は、大半が、熟年の夫婦か、引退してから山歩きをはじめたという年配者だった。次いで小学生か中学生の子どもがいる家族連れ。カップルも一組あったが、若い女性がひとりでというのは、千田翔子だけだった。役場から借り出したマイクロバスで、山北町の羽越本線府屋《ふや》駅に参加者たちを迎えに行ったとき、滝沢は最初から翔子の様子が気になった。ひとりでの参加ということもあるのだろうが、他の参加者とは違って、どことなく表情が沈んで見えたのだ。

熊田の集落内にある簡易宿泊施設を利用し、二泊三日の日程で歩く会は実施されたが、その間、滝沢は、できるだけ多く、翔子に声をかけるようにしてすごした。

別に下心があったわけではない。せっかく清々《すがすが》しい自然のなかに足を運んでいるのだから、いい思い出を作り、自分たちが愛するブナの森を好きになって帰ってほしいという、主催者としての気づかいだった。

その三日間で、山には不思議な力があると、滝沢はあらためて教えられた気がした。傍目《はため》にも暗い表情をしていた翔子が、帰る間際には、他の参加者と同じように明るい笑顔を見せるようになっていたのである。

特別こみいった話をしたわけではないので、この町の駅に降り立ったとき、彼女が心のなかに抱えていたものはわからない。だが、熊田の森のなにかが翔子の心を動かしたということだけはわかった。

こうして成功裏に第一回の『歩く会』を終えてからひと月後、翔子から礼状が届いた。

封書で送られてきた手紙には、丁寧なお礼の言葉と一緒に、今回の会への参加は、自分にとっては一種の傷心旅行のようなものでした、としたためられていた。でも、すっかり元気を取り戻したので、来年もぜひ参加したいと思います、と書き添えて。

手紙を読んだとき、やっぱりそうだったのか、という思いとともに、なんだかこれってテレビドラマみたいな話だな、という気分になった。ひるがえってみれば、このときすでに、滝沢の心は翔子へと飛んでいた。彼女との間にロマンスが生まれたりして、などと勝手な想像をしてにやついている自分が照れくさかった。

ところが世のなか、ほんとうにテレビドラマのような展開になることもあるのだから、不思議なものである。

翌年も、幾人かのリピーターと新規の参加者に混じって、翔子は熊田の森にやってきた。見違えるほどに翔子は明るくなっていた。

その姿を見た滝沢は、こりゃあ完全に惚《ほ》れてしまっている、とうろたえ、気後《きおく》れしてまともに顔を見られないくらいだった。

翔子はというと、前年とは違い、最初から打ち解けて滝沢に話しかけてきた。そのせいもあり、しだいに気分もほぐれ、あっという間の三日間が過ぎたころには、互いの個人的なことについても、かなりの部分を知るようになっていた。

そうして、ふたりの遠距離恋愛がはじまった。手紙や電話のやりとりと、月に一度のデート——たいてい列車を利用して、新潟市や長岡《ながおか》市で落ち合った——を重ねたのち、翌年の初夏、三度目の歩く会を終えてひと月後に、ふたりは結婚した。

翔子との結婚を考えはじめたとき、滝沢にはひとつだけ気がかりなことがあった。翔子がひとり娘だった、ということである。

婿をもらって家を継ぐべき娘を、果たして翔子の両親は手放してくれるだろうかと考えると、自分が悪人になろうとしているような気さえして落ち着かなかった。

それに対して翔子は、最初は笑って、それでもなお滝沢が躊躇《ちゅうちょ》を見せると、今度はほんとうに怒った顔になって、そんなことを気にする必要はない、と言った。うちは典型的なサラリーマンの家庭で、しかも転勤族だったから、婿をもらえだなんて、そんな古臭いことは考えもしていないと。

そんなものだろうかと一抹の不安を覚えながらも、実際に蓋《ふた》を開けてみれば結婚話はとんとん拍子に進み、一緒になった翌年には、長女の真奈美が誕生したのだった。

結婚してからここまでの四年間で、翔子は熊田という慣れない土地にもすっかり馴染《なじ》んだと、滝沢は思っていた。少なくとも、自分が見ている限りでは、ふさぎ込んだり憂鬱《ゆううつ》そうにしていたり、などということは一度もなかった。たまには愚痴をこぼすこともあったが、どれもこれも些細《ささい》なことばかりで、本人もすぐにけろっとしていた。集落の住人からも好かれていたし、口々にいい嫁だと誉《ほ》められてさえいる。舅《しゅうと》や姑《しゅうとめ》との間にも、いさかいなどまったくない。

それなのに、どうして突然こんなことになってしまったのか……。

いくら考えても滝沢にはわからなかった。

別れたいと言っているのか、との滝沢の問いに、電話で翔子は、そうじゃない、と答えた。そうじゃないけど今は戻れない、と涙声で言った。

何がなんだかわからなかった。

電話では埒《らち》が明かないから、とにかく明日、松戸に行く——そう滝沢が言うと、翔子は、来てもらっても帰らないと繰り返し、どうして私に時間をくれることもできないのと、なじるような口調になった。

これまで聞いたことがない声のトーンにたじろいだ。同時に、これ以上問い詰めたら、ますます状況が悪くなると感じた。

わかった、また電話する。そう言うしかなかった。電話をしてもいいとも、だめだとも言わずに、翔子のほうから回線が切れた。

それから今日までの五日間、連絡を入れられないままに時間がすぎている。翔子からも音《おと》沙汰《さた》はなしだ。

このことを、親父《おやじ》とおふくろには、まだ話していない。体調がよくないみたいなので、もうしばらく実家でゆっくりさせることにした、と話しただけだ。

だが、いつまでもごまかしていられないことはわかっていた。親父は別にしても、おふくろのほうはなにかを薄々感じているようだし、もしかしたら、心配になって、翔子の実家へ様子伺いの電話をしているかもしれなかった。

今週いっぱい待ってもう一度電話をしてみるか、あるいは、連絡はせずに、直接松戸の家を訪ねてみるのがよいか、滝沢は迷っていた。それ以上に、いったい翔子はどうしてしまったのか、文字通り雲をつかむ思いだった。

このような状況で、なに食わぬ顔をして日常の仕事をこなすのは、ひどく疲れることだった。コンビニ弁当をやめて外食に出るようになったのも、昼休みの時間帯、狭い事務所で美津枝や由美と顔をつき合わせていたくなかったからでもある。

外食といっても小さな田舎町のこと、街なかに一軒ずつある大衆食堂かラーメン屋のどちらかを選ぶしかない。

行けばたいてい知った顔に会ってしまうが、事務所にいるよりはましだった。案の定、ラーメン屋の暖簾《のれん》をくぐると、先客のなかに知り合いがいた。

役場職員の板垣《いたがき》という男が、滝沢の顔を見るなり手招きしてきた。

総勢百二十名あまりの役場職員のうち、滝沢が顔を合わせる機会が最も多いのは、産業課にいる板垣である。というのは、有害鳥獣駆除の担当窓口が板垣だからだ。学年は板垣が一級上だったが、高校時代に同じ部活動に所属していたため、個人的なつきあいも長い。

「なんだ、珍しいな。母ちゃんの弁当でねえのかい」

そう言う板垣に、滝沢は、ついさっき事務所でしたのと同じ説明をしながらテーブルに腰を落ち着け、おざなりにメニューを眺めてから、チャーシュー麺《めん》と餃子《ギョーザ》を注文した。

「そいづは大変だの。んでもまあ、たまには独身気分もいいもんだべ。どうだ、母ちゃんがいない間に、鶴岡《つるおか》か村上《むらかみ》あたりにでも繰り出さねえか」

「いいって、おめえが行きたがる店は、金ばかりかかって面白くねえ」

フィリピンクラブで鼻の下を伸ばし、でれんと脂下《やにさ》がっている板垣の顔を想像してげんなりする。

「なんだや、若いころは、おめえのほうこそさんざん遊んだくせにの。所帯を持って、すっかり親父になってしまったってか」

揶揄《やゆ》の色を浮かべる板垣の顔は、しかし、どこか寂しげだ。未《いま》だに独身であることに対する焦りと諦《あきら》めが、薄くなりかけた頭に張りついているように、滝沢には見えた。

「そう言うおめえこそ、また薄くなったんでねえのか」

少々のことを言っても気を悪くする相手ではなかったので、思ったことをつい口にしてしまった。

「んだ、ストレスのせいだな、これは」と言って、見えない自分の頭頂部を見上げる真似《まね》をし、板垣は、はあとため息をついた。

「なにストレスなんか溜《た》まるっけな」

すると板垣は、一転して真面目《まじめ》な顔になり、コップの麦茶をぐいとあおった。

「一昨日また出たんさ」

それだけで、滝沢には意味がわかった。

「どこに？」と訊くと、しかめっ面をして「勝木《がつぎ》」と答える。

「碁石川《ごいしがわ》のあたりか」

「んだ」

勝木とは、町役場がある府屋から三キロほど南下した海岸沿いの集落で、その手前には、碁石川という沢に毛が生えた程度の川が流れている。その近辺で一昨日クマが出没したと、板垣は言っているのだ。

「今年の夏になってから何頭目だ」

「これでもう五頭目さ。また電話がかかってくるべなあ」

そう答えた板垣の顔色は優れない。

無理もないと滝沢は思った。

人里に出没したクマを捕獲するための有害鳥獣駆除の許可は、以前は国の機関の委任事務として県知事が直接下すという形になっていた。ところが、平成十一年の地方分権一括法をベースとした狩猟法の改正で県の自治事務に変わり、それに伴って、必要に応じて条例を定め、各自治体、すなわち市町村長に委任することが可能となった。

こうした法的な問題を考えると滝沢の頭は混乱するばかりだったが、要するに、駆除の申請は役場が受け、役場が捕獲の許可を出す形になった、ということである。県によって取り扱いはまちまちだということだが、少なくとも山北町ではそうなっていた。

板垣の立場になってみれば、以前は単なる県への取次窓口としての業務ですんでいたものが、それではすまなくなったということを意味する。許可を与える決定権者は町長であるものの、実質的には担当の板垣が、出没したツキノワグマの生殺与奪の権を握っているに等しい。

これだけでも、確かにストレスの種になるだろう。が、頭の禿《は》げかけた中年の独身男が、それ以上の心理的重圧に晒《さら》されているのは、滝沢にもよくわかっていた。また電話がかかってくるべなあ、という板垣の呟《つぶや》きがそれである。

去年の同じ時期もさんざん愚痴を聞かされたが、有害駆除でクマを捕殺処分にすると、どこからどう聞きつけるのか、抗議の電話が役場にかかってくるらしい。どこそこの自然保護団体だと、きちんと名乗った上での電話もあるが、ほとんどが匿名で、なかには、かなりヒステリックに罵倒《ばとう》する電話もあるという。

結局そういった抗議の電話は、担当ということですべて板垣に回されてしまう。これでは、クマが出たという情報が舞いこむたびに、胃が痛くなってもおかしくない。

「早いとこ、他の課に移るしかねえの」

同情を込めて言った滝沢に、板垣は「なんであいつら、こんな麓《ふもと》にばかり出るんだ？　おめぇの山でおとなしくしてればいいものを」と、恨めしげな顔でぼやいた。

板垣が言うように、確かに今年は里グマの出没が多いと、滝沢は思った。

里グマとは、人の生活圏周辺の山に棲みつくようになったクマのことを言う。ともすれば彼らは、人の目に触れるところまで出てきて騒ぎを起こす。

クマの側に立ってみれば、ひょいと雑木林を抜け出たところに食い物があったら、それを試さないわけがない。ただ問題なのは、奴《やつ》らがこれは美味《うま》いと腰を据えて食いはじめたものが、おうおうにして人間が育てた作物だということだ。

さらに夏場は、山のなかで最も食い物が不足する季節だから、餌《えさ》を求めて里に降りて来るクマが増えるのも当然だ。『マタギの集い』でも話題になったが、岩手県あたりでは、家畜飼料用のデントコーンを目当てに出てくるクマがずいぶんいるらしい。

丹精込めて育てた作物を無断で食われて黙っている者はいない。しかも相手はクマである。これ以上被害が拡大しないうちに、まちがって人が襲われるなどという事態になる前に、出てきたクマを獲ってくれ、殺してくれ、という運びになる。クマを見慣れている熊田の住民などとは違い、里の人間には恐怖の対象としてしか映らないのだから、姿を見るなり、駆除の申請をするのもいたしかたない。

そこで、板垣のような不運な連中が板ばさみになって、胃を痛めたり頭が薄くなったりするというわけだ。

なんで里にばかり出るのだという板垣のぼやきには同情を禁じえないものの、相手は野生の生き物なのだから、ぼやきそのものが見当外れとも言えよう。特に山北町の場合、里に出てきてしまうクマが、すべて人間の作物目当ての奴らかといえばそうでもないと、滝沢は思っている。

麓近くの山林には杉の植林地も多いが、ほったらかしになった雑木林もけっこうあって、それが海岸まで迫《せ》り出していたりする。

雑木林というのは、基本的にはクマの棲み処だ。クマの身になって考えると、ここは俺たちの棲み処だと思って安心して歩いているうちに、気づいてみたら海岸沿いの国道に出ちまっていた、などということもしょっちゅうだろう。で、運悪く人間に目撃されてしまったクマが、哀れな末路を辿《たど》ることになる。

こうしてみると、板垣には悪いが、どちらかといえばクマのほうが気の毒な気がしてくる、というのが本音だった。

運ばれてきたチャーシュー麺を餃子と交互に汗をしたたらせながら腹に収め、板垣との雑談を終えてから、滝沢は先に店を出た。

うら寂しいくせに陽射《ひざ》しだけはきつい町の通りを、事務所に向かって歩きはじめる。

ひとりになると、すぐに翔子のことが頭に戻ってきた。今ごろ妻は、真奈美は、そして一度しか顔を見ていない息子の俊介はどうしているのか。

生まれたばかりの俊介は当然として、まだ三歳の真奈美も、父と母の間に起こりつつあることをわかってはいないだろう。久しぶりに訪ねた祖父母に可愛《かわい》がられ、松戸での毎日を楽しんでいるに違いないが、俺のことを思って寂しくなったりしていないだろうか。父ちゃんに会いたいと、毎日駄々をこねてくれればいいのに。そうすれば翔子も、すぐにも熊田に戻るべきだと思い直すかもしれない……。

そう考えた滝沢は、娘を当てにしている自分が情けなくなった。問題は翔子の気持ちなのだ。彼女の心が落ち着かない限り、無理やり連れ戻しても、なんの解決にもならない。

ふと、板垣と話していたときに考えていたことが、なぜだかわからないが蘇《よみがえ》った。

クマの棲み処、人の棲み処、俺の棲み処、そして、翔子の棲み処……。

妻にとって、熊田の集落は、ほんとうに居心地のよい棲み処なのだろうかと、滝沢は考えはじめた。

クマの場合でもそうであるように、人間にだって心から落ち着ける棲み処が必要だ。熊田の山とブナの森が好きになって嫁いできた翔子だから、熊田の集落は居心地がよい棲み処のはずだと信じて疑わなかった。だが、果たしてほんとうにそうだったのだろうか。自分は、もっと真剣に考えるべき大事なことを、おろそかにしてきたのではないか……。

重い気分のまま会社の敷地に入ろうとしたところで、ポロシャツの胸ポケットに入れていた携帯電話が鳴った。

ディスプレイに表示された相手の名まえを確認して、最初はがっかりした。そして首をひねった。がっかりしたのは、翔子がかけてきたのではないとわかったからで、首をひねったのは、知ってはいるが珍しい相手だったからである。

通話ボタンを押した滝沢は、努めて明るい声をつくって携帯電話を耳に押し当てた。

11

美佐子が軽井沢を訪れるのは、大学三年生の夏休み以来だった。サークルの仲間と一緒に、ペンションに泊まりがけでテニスをしに来たのだが、それから十数年が経《た》っていた。

長野新幹線『あさま』で、朝の九時半に東京駅を発《た》って一時間と十分弱。カメラマンの矢《や》島《じま》と一緒に降り立った真夏のリゾート地は、当時と変わらぬ賑《にぎ》わいを見せているように見えた。

さすがに軽井沢だと思う。

バブル期に競ってつくられた地方のテーマパークが、いまや続々と閉鎖に追いこまれている この時代、不景気の影響は受けているのだろうが、それでもこれだけの人出を呑みこむ避暑地には、背骨がしっかりしたリゾート地としての余裕めいたものすら感じられた。

「世の親父たちがリストラに怯《おび》えて戦々恐々してるっていうのに、いいんですかねえ、こんなにのん気にしていて」

撮影機材で膨れあがったバッグを両肩からたすきに吊《つ》るした矢島が漏らす。

旧軽銀座へとつづく新道、三笠《みかさ》通りの基点となっている軽井沢駅前は、新幹線を降りてからタクシーに乗りこむ者、バス停に並ぶ者、あるいは徒歩のままぶらつきはじめる者と、いずれも一見して学生とわかる若者たちでいっぱいだった。

だがそこには、と美佐子は思った。

どうせろくな未来が待っていないと敏感に感じ取っている若者たちの、せいぜい今のうちに楽しんでおこうという、半ば自暴自棄的な諦めが隠れているようにも見える。

「タクシーを拾いましょう」

矢島に言って、美佐子はタクシー乗り場を指さした。

「荷物をどれか持ちましょうか」

そう尋ねると、長髪の若いカメラマンは白い歯を見せて首を振った。

「大丈夫です。美佐子さんだってけっこうな荷物でしょう、それ以上は無理ですよ」

いつもの、体にぴったりしたスーツのかわりに、タンクトップとジーンズを身に着けた美佐子は、背中にデイパック、右手にベネトンの旅行用バッグ、左手にはノートパソコンが入ったキャリアケースを抱えていた。確かにこれでは、自分のぶんだけで精一杯だ。

エアコンが効いたタクシーの車内で、眺めていた景色から視線を戻して矢島が訊いた。

「最初に撮影ですか」

「いいえ、星の森リゾートの事務所で相馬さんが待っているはずだから、まずは打ち合わせをしてから昼食。ロケハンを兼ねて撮影できるのは午後いちからね」

「わかりました。そういえば、昨日の昼からなにも食べていないんでお腹《なか》が空いてきた」

「昼からって、じゃあ、昨日はお昼も晩御飯も抜きだったの？」

「ええ、つい夢中になっちゃって」

明るく笑っている矢島を、美佐子は呆《あき》れ顔で見た。

休み明けの昨日、約束通り札幌に電話を入れた美佐子は、吉本の声を聞きながら、あいていた右手を握り締めて思わずガッツポーズを作っていた。取材への同行を引き受けることにした、という返事だったのだ。

さっそく美佐子は、ＯＨＮの相馬の招きで、明日軽井沢に行くことになっていると告げ、吉本の同行を求めた。だが、週末まで待たないと、今週はどうしても動けないという。電話で吉本は、「取材先のマタギ村はどこでもいいですか？」と尋ねた。「お任せします」と美佐子が言うと、「じゃあ、心当たりを当たってみますので、場合によっては、週末に現地で合流ということになるかもしれませんが、それでもかまいませんか」との答え。

美佐子にとっては願ったり叶《かな》ったりだった。その結果、軽井沢での取材が終わってからどこへでも飛べるようにと、大荷物を携えての移動となったのである。

こういった経緯で、今回の取材だけは別のカメラマンを使うことにし、創心社の千秋に手配を頼んだ。急な仕事だったこともあり、アウトドア系のカメラマンは無理だったが、融通が利くという若手を紹介してもらえた。それが美佐子よりふたつ年下の矢島だった。

教えられた番号に電話してみると、すぐに矢島は捕まった。が、来週開くことになっている写真展の準備でおおわらわだと言うので、直接新幹線のホームで待ち合わせすることになった。

いくら三日間で終わる取材とはいえ、自分の写真展を来週に控えているのに急な仕事をオーケーするなんて、ほんとうに大丈夫なのかしら、まさか土壇場でキャンセルなんかしないだろうなと、少々不安があったのは確かだ。

新幹線の発車時刻が迫り、これはやっぱりキャンセルかと、じりじりして待っていた美佐子は、明らかに撮影機材だとわかる荷物を抱え、ばたばたとホームに駆けこんできた青年を見てほっとした。

挨拶《あいさつ》もそこそこに車両に飛び乗り、荷棚に手荷物を載せて座席に着くと、矢島は「すいません、徹夜だったもので、ちょっとだけ寝かせてください」そう断るや、一分もしないうちにすやすやと眠りはじめた。

軽井沢駅が近づいたところで揺り起こしてやると、矢島はしきりに恐縮して寝不足の理由を釈明した。今回の写真展は自分にとって初めてのものなので、ついつい熱が入り、気づいてみたら朝になっていたのだという。

大事なときにこんな仕事を入れちゃっていいの？　と尋ねた美佐子に、矢島は「姉貴の命令には怖くて逆らえませんから」と答えた。

「姉貴って、まさか――」

絶句している美佐子を見て、矢島は「ははあそうか、姉貴のやつ、美佐子さんにはわざと教えてなかったんだ」と笑い、花房千秋が自分の実の姉であることを説明した。

千秋のやりそうなことだった。今ごろはオフィスかどこかで、美佐子の驚く顔を想像してにやついているに違いない。

矢島の素性を聞いて、むしろ美佐子は気が楽になった。本来なら最初から最後まで同じカメラマンで通すべきところ、ピンチヒッターに一度使うだけでは、同行してくれるカメラマンには申し訳ないと思っていたからだ。

どんな写真が専門なの、という問いに、食うためにはなんでも撮りますが、と前置きをしてから矢島は言った。

「今度の写真展に向けて準備してきたのは、夜の盛り場の女性なんです。場末のバーのママさんやホステスとか、ジャンキーの女の子とか、それから風俗嬢なんかも」

あれまあ、と美佐子は思った。今回の仕事とのギャップに、いくら千秋の実弟であるとはいえ、なんだか気の毒になってしまったのである。

軽井沢駅のホームに滑りこんでいく新幹線の車中で、慣れない仕事に駆り出しちゃってごめんなさいと、美佐子は手を合わせた。すると矢島は、「たまにはお日様の下で仕事をするのも悪くないですよ」と屈託のない顔をした。

国道一八号線を中軽井沢へ向けて走るタクシーのなか、新幹線で見せたものと同じ笑顔を浮かべる矢島を、美佐子は仕事の相棒として気に入った。歳《とし》も自分のほうが上なので気を使わずにすむ。千秋の弟だと知ったことで自分にとっても弟のような存在、という位置にぴたりと収まってしまった。ところが、矢島とは違い、吉本を前にすると、どうしても緊張を強いられる。仙台で一緒に食事はしたが、最後まで緊張が取れなかった。

いったいなにがそうさせるのだろう。考えていた美佐子は、おそらく、と思った。

自分にとって、吉本は異質すぎる存在なのだ。なにとははっきり言えないが、ある意味、一から十まで違っている。果たして吉本とうまく仕事をやっていけるだろうかという不安が、はじめて美佐子のなかで頭をもたげてきた。

仙台のギャラリーでＯＨＮの相馬が言っていたことを思いだす。確か、あなたのルポには合わないのじゃないかな、と言っていたはずだ。吉本が、あっちよりの人だから、とも。同行を承諾してもらうことに精一杯であまり深く考えていなかったが、いざスタートが切れるという状況までこぎつけた今、どんな仕事になるだろうという期待と同じくらいに、漠然とした不安が膨れあがってきている。

そんな美佐子の思いをよそに、タクシーは中軽井沢駅の交差点で国道一四六号線へと右折した。お盆期間にはひどく渋滞するだろう鬼押《おにおし》ハイウェーへ向かう道も、まだこの時期は流れがいい。右折してから五分も経たないうちに、相馬が待っているはずの『星の森リゾート』に到着する。

「お客さん、車、どこにつけましょうか」

タクシーの運転手に訊かれ、「ウッドペッカーの事務所前でお願いします。ログハウスふうの建物らしいんですけど」と答える。

「ああ、あれね」

頷《うなず》いた運転手がハンドルを切り、タクシーを敷地内の私道に乗り入れた。

中軽井沢に広大な私有地を所持する『星の森リゾート』は、多彩な施設を抱えた一大リゾート地となっている。

設備が整った温泉ホテルにはじまり、貸し別荘やコテージ、キャンプ場といった施設のほか、野鳥の観察小屋もいくつか点在し、さらにはアカゲラが棲《す》む森も管理しているという話だ。

そのなかで、バードウォッチングを中心に、さまざまな野外活動のガイドを担当している部門が『ウッドペッカー』で、十五名ほどの専属スタッフで運営されているという。形としては『星の森リゾート』が百パーセント出資して設立した、野生動物保護管理のための調査研究施設になっているということだった。利潤の追求を第一義とする私企業が傘下に置くとはいえ、こういった部門を採算は度外視して作ってしまうところが、軽井沢の懐の深さなのかもしれない。

先週末の相馬との電話によって、なぜＯＨＮが軽井沢で仕事をするのかも、ある程度のことはわかった。

原因はやはりツキノワグマだった。

目立った報道はないので、美佐子はまったく知らなかったが、軽井沢ではここ数年来、別荘地やキャンプ場の周辺に、ニホンザルやツキノワグマが頻繁に出没して、関係者が頭を痛めているのだという。ニホンザルはまだしも、ツキノワグマまでがうろついているとなると、ひとつ間違えば人身事故の危険がある。

ただし軽井沢では、出没したクマを処分するという手段は、基本的にはとっていないということだった。そのかわり、捕獲したクマに発信機を装着して森へ帰し、追跡調査をしながら行動管理をしているとのことだ。

確かに頷ける話ではある。

観光地にクマが出ては困る。だが、軽井沢の場合、単なる景勝地とは違う。訪れる人々の多くが、自然による癒《いや》しを求めに来るのだと言っても過言ではない。自然に触れようとやってきた先で、その象徴とも言えるツキノワグマを捕獲して殺しているとなれば、大きなイメージダウンになってしまうはずだ。

いかにして自然との共生を実現するか。それを模索した場合、『ウッドペッカー』の存在は、民間組織だからこそ大きな意義を持つのだろうし、OHNが協力して仕事を行うことになるのも、ごく自然な流れであろう。

その『ウッドペッカー』の事務所では、相馬と一緒に、小川という青年が美佐子と矢島の到着を待っていてくれた。

見るからに生真面目《きまじめ》そうな印象の小川は、ツキノワグマ問題の専属スタッフとのこと。名刺交換のあとで美佐子が尋ねると、大学院で修士課程を終えてからすぐ『ウッドペッカー』に就職し、今年で三年目を迎えるが、専門は動物生態学だという。

「僕だけじゃないですよ」と小川は誇らしげに胸を張った。「スタッフのほとんどが各分野のエキスパートであり、民間の研究所としては、どこに出しても恥ずかしくないものだとつけ加えた。

半分に割った丸太で組んだテーブルを挟み、ドングリの実で作ったというコーヒーを傾けて打ち合わせをしながら、今回のルポで最初のインタビューが、実質的にスタートした。

「最大の問題は人間が出すゴミなんです」

そう言って、小川は眉《まゆ》を曇らせた。

「もちろんゴミ集積所はそこそこの数ありますよ。でも、キャパシティが不足して、ビニール袋に入れただけの生ゴミが、どうしても集積所の周りに放置されたままになってしまう。そうした状況がしばらく続いたのがまずかった。生ゴミが誘引物質となって、ツキノワグマが餌付《えづ》いてしまったんです」

「今も同じ状況なんですか？」

美佐子が訊くと、小川は首を振った。

「だいぶ改善されてきてはいます。というのも、この問題が出てすぐに、町では被害予防の対策協議会を設立しまして、実態調査をもとにした管理体制を整えるための予算もつきました。で、僕らのところが委託されて実質的な業務を行っているわけなんです。お金がかかることなんで一度にというわけにはいきませんが、ゴミ集積所の数を増やしたり、ゴミ箱をクマが簡単には壊せないものに換えたりと、だいぶ改善されつつあります」

「じゃあ、クマの出没そのものも減ってきているわけですね」

「それが——」と言葉を濁したあと、「隠していても仕方ないのでありのままを言いますが」と前置きをして小川は続けた。

「それでぴたりとおさまってくれればありがたいのですが、そう上手《うま》くはいかなくて困っているというのが現状です。実はつい先日、とうとう薬殺処分にしなければならない個体が出てしまいました」

薬殺という物騒な言葉を聞き、メモをとる美佐子の手がとまった。

そう、と頷いてから小川が再び口を開く。

「クマという動物の特徴なんですが、彼らにはひとつの食べ物に執着する習性があるんです。自然のなかにいる場合もそうですけど、気に入った食べ物を見つけると、そこに留《とど》まって食べつづけようとする」

「そのクマの場合、人間の出す生ゴミが気に入ってしまったというわけですか」

「まあ、彼に限らず、クマにとっては、人間の食べ物はたいへんなご馳走《ちそう》のようです」

「で、実際にはどういう状況だったのでしょう」

「僕らは一昨年から、ゴミの集積所や別荘地に出没したクマを捕まえ、発信機をつけたうえで山に逃がして追跡調査をはじめました。逃がすときには、唐辛子《とうがらし》スプレーをかけて、お仕置きをしてやるんですけど——」

「奥山放獣というやつですね」

「ええ、僕らはお仕置き放獣、あるいは学習放獣と言っています。移動放獣や忌避放獣という言い方をする場合もありますが、ようするに、人間に近づくと酷《ひど》い目にあうぞと学習させたうえで逃がしてやるわけです」

「効果はどうなんですか」

「スプレーの主成分のカプサイシンは、命に別状は与えませんが、一度味わったら二度とごめんだというくらい強烈ですからね。かなり効果はあります。実際にそれで人里に近づかなくなるクマもいる。でも、なかには食べ物の誘惑にどうしても負けてしまうのか、学習したことを忘れてしまうのか、しばらくするとまた戻ってきてしまう個体が出てくるのも事実なんです」

「今回のクマがそうだったわけですね」

美佐子が念を押すように言うと、小川の顔つきが暗くなった。

「残念ながらそうなんです。今回の捕獲は三度目でした。しかも、白昼堂々とゴミ漁《あさ》りをしていたのですから仕方ないです。町とも、二回目までは見逃すけれど、三回目には処分するという約束になっていますし、どうしても殺さざるを得ませんでした。ほんとうは、クマは悪くないんですけどね。悪いのは、ゴミをほったらかしにしていた人間のほうなんですから――」

視線を落とした目から涙が零《こぼ》れるのではないかと思ったくらい、小川の表情には切ないものがあった。

「つらいですか、クマを殺すのは」

あえて美佐子は訊いてみた。

すると小川は、むっとした表情になって美佐子を睨《にら》んだ。

「あたりまえじゃないですか。毎日のように、僕らはモニターを見つめながら祈っていたんですよ。おい、頼むからそこから先には近づかないでくれって。つらくないわけがないでしょう」

「ごめんなさい、よけいなことを訊いてしまいました」

「いえ、僕のほうこそすいません。なにせ、一頭一頭に名まえをつけて放獣しているものですから、つい感情移入してしまって――」

「あのう、そのクマの名まえは、なんと呼んでたんですか」

「三太郎といいました。三頭目に捕獲した雄の個体だったもので」

名まえを耳にした美佐子は、一瞬吹き出しそうになった。が、あくまでも真面目な顔つきの小川を見て、弛《ゆる》みかけた頰《ほお》の筋肉を引きしめる。

「それで、その三太郎を処分してからの出没状況はどうなんですか」

「現在モニターしている五頭は、今のところ大丈夫です。ですが、先週からまた別な個体が別荘地に現れて被害が出てしまいました。使われていなかった別荘で、戸袋の内側にできた蜂《はち》の巣を狙《ねら》って、腰板を壊してしまったんです。他にもう一頭、目撃情報が寄せられています」

「なんだか、周辺のクマがどんどん寄って来ている感じですね」

小川が軽くため息を吐き出した。

「改善されつつあるんですが、どうしてもゴミの処理が間に合わないのが実情なんです。特に夏に入ると山のなかの食べ物も不足しますし――でも、一番の問題は、この時期、マナーの悪い観光客が増えるということでしょうね。生ゴミだけでなく、ジュースなんかの空き缶のポイ捨てもやっかいな問題です。彼らは甘いものには目がないですから」

これではいたちごっこだと、美佐子は思った。それを言うと、小川は、まったくその通りですと漏らしてから、隣にいる相馬に目を向けた。

「それで、今年からもう一歩進んだ形でクマたちの行動管理をしようということになって、相馬さんのOHNと協力態勢をとることになったわけです」

目配せされた相馬が、小川のかわりに説明をはじめた。

「先週の電話でも言いましたが、クマ問題というのは、やらなければならないことが多岐にわたって、ほんとうに大変なんですよ。自治体によっては、担当の職員がノイローゼになるくらい。で、そのなかでも、クマを捕獲して追跡調査を行うという部分に絞ってノウハウを先鋭化させたのが、僕らのOHNというわけです。そこまではいいですよね」

「ええ」

頷いた美佐子に、相馬はブルーのレンズの奥で目を細めた。

「で、捕獲そのものにもけっこうノウハウが要るんで難しいんですが、一番大変で、手間隙とコストがかかるのが追跡調査です。佐藤さんは、テレメトリー調査については、どの程度知っていますか」

「あまり詳しくは——電波発信機がついた首輪を装着するということくらいしか——」

こちらの無知がむしろ嬉《うれ》しそうに、相馬が解説する。

「旧来から使われてきたのがアマチュア無線を利用した方法で、五〇メガヘルツ帯、あるいは一四四メガヘルツ帯の電波を出す発信機を使います。最近は、受信アンテナが小さくてすむ一四四メガのほうが多いかな。でも、これだとですね、固定局を設置するだけでは不十分なので、標識個体の位置を随時モニターするには、どうしても移動アンテナを持った人間が必要になる。あちこち移動しながら電波の方向を特定しなければなりませんから。わかります？」

「はあ、どうにか」

「それをですね、実際に山中に踏み入ることなく、基地のパソコン画面でモニタリングするシステムにかえるわけです」

「あ、もしかして――」

美佐子は最近テレビで見たコマーシャルを思いだした。GPS衛星を利用した徘徊《はいかい》老人探索システムとかなんとか――。

それを話すと、相馬はうんうんと大きく頷いた。

「いい線いってます。実際にGPSを使って追跡調査をする場合もあります。だけど、ひとつだけ欠点があるんです。カーナビを使ったことがあればわかるでしょうが、あれって基本的には、自分がどこにいるのかを知るためのものですよね。僕が言いたいことはわかります？」

相馬の問いかけに美佐子が考えこんでいると、それまで黙って話を聞いていた矢島が口を挿んだ。

「そうか、クマが自分の位置を知ってもしょうがないってわけだ」

相馬の顔に笑みが広がる。

「そう、だから実際には、GPS受信機とPHS、あるいは携帯電話を組み合わせて使っています。つまり、GPSで得た情報を別の経路で発信しなければならないわけ。すでにサービスが始まっているものの多くはPHSとのセットなんですが、それだと都会でしか役に立たないでしょ」

なるほど、確かにそうだ。クマが歩き回る山中にはPHSのアンテナなんかないし、携帯電話が使えるエリアも限られてくる。

「で、いちばん使えるのがアルゴス衛星を利用した探知システムなんです」

「アルゴス衛星？」

はじめて耳にする言葉に美佐子は訊き返した。

「初耳のようですけど、実はこっちのほうがGPSより前からあって、特に、海洋哺乳類《ほにゅうるい》の追跡では主流になっているんですよ」

「どう違うんですか、GPSと」

「ようするに、標識の位置を受信機側で計算するのがGPSで、衛星側で計算して地上の基地局に送ってくるのがアルゴスシステム。だから、アルゴスなら、クマが地球上のどこにいようと追跡できちゃうわけです。けれど、このシステムにも手続きが大変だったり、コストがかかったりという欠点がある」

頭が混乱してきた。美佐子の困った顔がよほど面白いのか、相馬の口許《くちもと》には、にやにや笑いが張りつきっぱなしだ。

「話をまとめますね。つまり、僕らOHNは、現場の実情、たとえば周辺の地形とか予算、あるいは専属スタッフの数に合わせて、アルゴス、GPS、従来からの電波発信機のうち、最も効率的な方法をできるだけ安価で提供しようという仕事を、積極的に展開しているわけです。資金があるところにはアルゴス、予算がきついけれど携帯の電波が拾えるところではGPS、どっちもだめで、クマが人里に接近したときだけ警告を出せればいいというところには通常の電波発信機、といった具合に。どうです？　なかなかいけてるでしょう」

いけてる、という言葉がいかにも相馬らしかった。

必死になってメモを取っていた美佐子は、なぐり書きの自分の字があとで読めるだろうかと思いながら、次の話を促した。

「だいたいわかりました。お話を戻しますが、ウッドペッカーとOHNでは、具体的にはなにをなさろうとしているのですか」

今度は小川が答えた。

「今までいろいろ対策を練ってはきましたが、後手後手に回ることが多かったのは否《いな》めません。そこで、もう少し積極的に個体管理をしようということになりまして、まずは、できるだけ多くのツキノワグマを捕らえて追跡をすることになったんです。理想的には軽井沢周辺に生息しているすべてのクマをモニターして、被害が実際に出る前に予防するシステムを作ろうということです」

「ほんとうにそんなことができるのでしょうか」

美佐子が疑問の言葉を口にすると、小川は先ほどと同じように、相馬をちらりと見やってから答えた。

「僕らや町だけでは、人的、時間的、そして物理的にもコストがかかりすぎて厳しかったんですが、OHNさんの協力で実現が可能となりました。三年以内になんとかノウハウを確立し、将来は『軽井沢モデル』とでもして、各自治体に広めていきたいというのが目標です」

美佐子は、小川と相馬、ふたりの顔を交互に眺めやった。

見た目は好対照のふたりだが、思いとするところはまったく同じなのだという熱意が、こうしていても伝わってくる。

千秋の『ムーサ』に掲載する一回目のルポは、絶対にいいものが書けると確信した。軽井沢というネームバリューは、購読者の興味を引くにはうってつけの素材だった。あとはそう、ツキノワグマの写真があれば文句なしだ。

考えていることは同じだったらしい。美佐子が口を開く前に矢島が質問をした。

「ゴミ箱漁りをしているクマとか、罠《わな》に入ろうとしているクマとか、そういった決定的な写真を撮るチャンスはあるでしょうかね」

相馬と小川が顔を見合わせた。驚いているというよりは、どちらかというと呆れ顔。

やがて相馬が「矢島さんでしたっけ――」と、テーブルの上に置かれた名刺を手に取って尋ねた。

「動物写真が専門ですか」

「いいえ、違いますけど」

頭を掻きながら矢島が答えた。

「でしょうねえ。もし専門の人だったら、そんな質問をするわけないや」

相馬が、やれやれといった顔で矢島を見る。唇に浮かんでいる薄い笑いも、明らかに失笑に見える。

それでも相馬は、嚙《か》んで含める口調でやんわりと言った。

「一週間も十日も滞在して張り込むのならともかく、一日や二日でそんな写真は撮れませんよ。こっちの都合に合わせて出てくれるわけじゃないですから。それに、たとえ夜通し張り込みをしても素人には難しいです。クマという動物は非常に警戒心が強いですから、狙って簡単に撮れるものではありません」

「ですよねえ、やっぱり」と矢島が苦笑いする。

でも、と相馬が言った。

「捕獲したクマなら、撮れる可能性は高いですよ」

「ほんとうですか？」

美佐子と矢島は、同時に声をあげていた。

「ええ、ちょうど今ごろは、うちのスタッフが罠を設置し終えたころだと思います。僕ら、捕獲にも経験を積んでいますから。自慢じゃないですが、仕掛けた檻《おり》には八割以上の確率で翌日にはクマが入ります。だから運がよければ明日中に、そうでなくとも、明後日までには間違いなくいい写真が撮れるはずです」

ずいぶん自信たっぷりだと思う。だが、そう言い切れるだけのものを、OHNは蓄積しているのだろう。

「そうだ、よかったら昼食のあと、設置した捕獲檻を見てみませんか。これもまた、僕らの売りのひとつでしてね。一見の価値はありますよ」

「ありがとうございます、ぜひ拝見させてください」

美佐子と矢島は、そろって相馬に頭を下げた。

これだけ順調に取材が滑り出すとは思ってもみなかった。これもすべては、吉本の写真展で偶然相馬に会ったからこそで、なんだか自分のツキが怖くなるくらいだった。懸案になっているマタギ集落の取材も、この調子でうまく運べばいいのだが……。

取材先の当たりがついたかどうかは、今夜、吉本に電話を入れて確認する予定だった。

軽井沢のあと、果たして私はどこに向かうことになるのだろう。そう考えると、不安よりも期待のほうが大きかった。

12

『星の森リゾート』のコテージに荷物を収め、ホテルのレストランで食事をとったあと、美佐子と矢島は、相馬の案内でツキノワグマの捕獲檻を見に出かけた。

場所は中軽井沢の別荘地。幹線の国道からわずか二、三百メートル入っただけの位置で、相馬は運転していたワゴン車を停《と》めた。

「こんなところにまで出ちゃうんですか」

車から降り立ち、周囲の様子を窺《うかが》いながら、美佐子は驚きの声をあげた。

一軒一軒の建物が雑木林に抱かれるようにして並んでいるとはいえ、まだ別荘地の入り口にさしかかったばかりである。国道からの車やバイクの音は届いてくるし、奥のほうへ向かって目の前を通過して行く車両もけっこうある。

「警戒心が強い動物だと、さっき伺ったばかりだと思うんですけど――」

相馬が軽く肩をすくめる。

「確かにそうなんですけどね。気に入った食べ物を見つけると、他のものが目に入らなくなるお馬鹿さんもけっこういるんだな、これが」

お馬鹿さんと言いながらも、相馬の口ぶりは親しげだ。

「クマっていう動物は、一般の人たちが考えている以上に、一頭一頭の性格が違うものなんですよ。ものすごく臆病《おくびょう》な奴がいるかと思えば、かなり大胆な奴もいる」

「人間みたいですね」

「そう、彼ら、好奇心も旺盛《おうせい》ですしね。特に若い個体なんかは」

「じゃあ、人里まで出てくるクマには、若いクマが多い？」

「いちがいには言えないですけど、おおむねその傾向はありますね。もっとも、ただの好奇心という以上に、若い個体は山のなかで食べ物を探すのが、まだ下手くそだということがあるかもしれない。だから、一番やっかいなのは、ごく幼いうちに母グマと一緒に生ゴミの味を覚えちゃった奴です」

「楽ができるなら、それに越したことはないってわけか。ほんと、俺たち人間と一緒だ」

矢島が漏らした感想に、相馬は「その通り」と頷いてから、傍らに建っている別荘の門扉を押した。

「ここが、さっき話した蜂の巣目当てに荒らされた別荘です。持ち主は不在ですが、既に連絡して、捕獲檻の設置許可はもらっていますので」

実際に目にした檻は、思ったより小さなものだった。

壊された雨戸の戸袋に板を打ちつけ、簡単な補修を施された建物の軒下に、捕獲檻は設置されていた。これにほんとうにツキノワグマが入るだろうかと思うほどに小さい。

全体を眺めてみると、縦横が五、六十センチメートルで奥行きが百八十センチメートルほどの直方体。クマが入りこむ入り口が落とし戸となっていて、反対側の奥には囮《おとり》の蜂蜜缶が取りつけてある。枠組みそのものは鉄骨を組んであるが、底にあたる部分以外は、直径五ミリメートルほどの小さな穴が無数に空いた網目状の鉄板で覆われ、すけすけになっていて内部が丸見えだ。

実際に見る前には鉄格子の頑丈な檻を想像していただけに、サイズの小ささに加えて、こんなもので壊されたりしないだろうかと心配になる。

それを口にした美佐子に、相馬が悪戯《いたずら》っぽく笑いかける。

「試しに入ってみます？　見た目より頑丈ですよ。一度入ったら絶対に出られない——あっ、ちょっと！」

突然大声をあげ、「だめです、触らないでください！」と、檻の前に屈《かが》みこんで内部を覗《のぞ》きこもうとしていた矢島を制止した。

「人の匂《にお》いがつくとまずいんだってば。彼ら、嗅覚《きゅうかく》が発達してるから、檻に人間の体臭が残っていると捕獲率が悪くなる」

バツが悪そうな顔をして立ちあがった矢島に、相馬が口を尖《とが》らせる。本気で怒っている顔を見て、美佐子は思わずたじろぎそうになった。

悪い人間ではないと思うのだが、この相馬という青年、かなり神経質で激しやすいタイプみたいだ。

すいませんと、しきりに恐縮している矢島を一瞥《いちべつ》してから、美佐子に向き直る。

「入ってみますかと訊いたのは、あくまでも冗談ですよ。ほんと、気をつけてくださいよね。クマの捕獲率が僕らの大事なセールスポイントなんだから」

セールスポイントという言葉に違和感を覚えたものの、美佐子は矢島と一緒に「ごめんなさい」と素直に頭を下げた。

とたんに相馬の表情が戻った。

今しがたの激昂《げっこう》が嘘だったように、熱心な口調で解説をしはじめる。

「まずはこの檻のサイズですが、ぎりぎりまで絞っているのには、ちゃんとした理由があります」

相馬の話では、檻が大きすぎると、入ったクマがなかで暴れて体力を消耗してしまうのだという。さらに、この全長であれば、軽トラックでも容易に運べるから、奥まった場所にある民家の軒先にでも、こうして簡単に設置できるとのこと。

一見華奢《きゃしゃ》に見える構造も、できうる限りクマのことを考えたものだと力説する。

「昔から使われてきた箱罠《はこわな》という檻は、鉄格子状になっていますけど、あれが最もクマにダメージを与えるんです」

「暴れて頭なんかをぶつけちゃうんですか」

美佐子が訊くと、相馬はすっかり機嫌が直った顔で答えた。

「それもありますが、最もよくないのは、鉄格子を齧《かじ》っちゃうことなんです。それで牙《きば》が折れてしまう。牙ばかりか顎《あご》の骨さえも。それを防ぐため、最近ではドラム缶を溶接して繋《つな》げた捕獲檻が使われるようになってきていますが、それにも欠点がある」

少し焦《じ》らすように待ってから、相馬はつづけた。

「クマの捕獲が必要になるのは、夏の時期が多いじゃないですか。ドラム缶だと内部が熱くなりすぎてクマが弱ってしまう。クマって暑さには弱いんですよ。だからこの檻では、パンチングメタルっていうんですけど、これで覆うことで通風を確保しているわけです。ごらんのように通風孔が細かいので、牙も通らない。外から内部もよく見えますしね。クマへのダメージを最小限に抑える捕獲檻としては、これがベストだと言えますね」

「ずいぶんと細かな配慮をなさってるんですね」

「すべてはクマのことを思ってです。でもまあ、この檻は僕らのオリジナルってわけじゃないですけどね」

あら、この人、謙遜《けんそん》することも知っているんだと思い、美佐子は微笑みながら首をかしげてみせた。

「戸河内《とごうち》型って僕らは呼んでいるんですけど、広島県の戸河内町で最初に使われだしたタイプなんです。実際に僕らのスタッフが現地まで行って、製作方法を教えてもらいました」

「わざわざ広島まで？」

「ええ、実は広島って、奥山放獣では先進県といってもいいんです。なぜだかわかります？」

さあ、と美佐子は首をひねった。

「それだけ西日本では、ツキノワグマが危機的な状況にあるんですよ」と相馬は言った。

東日本においてはまだ十分な頭数が生息しているだろうと思われるツキノワグマも、西日本となると、個体群の生息域の分断と孤立化が深刻なまでに進み、危機的状況に陥っている地域が多いのだという。特に、九州では既に絶滅している可能性が高く、四国でもわずか数頭しか生き残っていないと見られているのだと、相馬は憤慨した口調で語った。

西中国山地もそのひとつで、以前は駆除一辺倒だった行政側も、全国的にも比較的早い時期、平成三年を境に奥山放獣を導入しはじめた。その先駆けとなったのが、広島県の西部に位置する戸河内町で、奥山放獣と電気柵《さく》による防除を組み合わせた方法は『広島方式』とも呼ばれ、全国に広まりつつあるのだという。

「——こうして絶滅寸前までいかないとわからないんだから、人間ってほんとうに愚かな生き物だ」

喋《しゃべ》っているうちにまた怒りがぶり返してきたのか、頬を紅潮させて相馬は吐き捨てた。

ただならぬ雰囲気に呑《の》まれ、美佐子も矢島も、黙って口をつぐんでいるしかなかった。

引きつったように歪《ゆが》んでいた相馬の口許が徐々に戻る。

やがて相馬は、醜態を見せてしまったとでもいうように照れた笑いを浮かべ、頭に巻いたバンダナを手のひらで撫《な》でつけた。

「すいません、なんだかひとりで喋ってばかりで——なにか質問はありますか」

「いえ、今のご説明で十分わかりましたので大丈夫です。たいへん勉強になりました」

「ならいいんですけど」と言う相馬は何か物足りなげだ。が、美佐子は、ここで別れて矢島と一緒にロケハンに向かうことにした。

「わざわざ案内していただいてありがとうございました。これから私たち、ふたりでそのへんを回ってみることにします」

「ご一緒しましょうか」

「いえ、あちこちでインタビューしたり撮影したりで時間を食うと思いますので、どうかお仕事にお戻りになってください。いろいろお忙しいことでしょうし」

「そうですか――それじゃあ、夜にでもコテージで」

「よろしくお願いします」と頭を垂れる。

実は、相馬とはあまり一緒にいたくないというのが、美佐子の本音だった。

「ちょっと変わった人ですね」

別荘から国道へおりる舗装路を歩きながら矢島が言った。

「そうね――たぶん一生懸命すぎるのかも」

美佐子は頷いた。もちろん相馬のことである。

突然怒りだしたかと思うと一転してにこにこ顔になったり、我を忘れたように熱弁をふるいはじめたりと、目まぐるしい気分の変わりようは、まるで幼い子どもみたいだ。

もっとも、それだけ純真なのかもしれないし、あれくらい偏ったところがなければ、ツキノワグマの保護活動など続けられないのかもしれない。

残された午後の時間、いったん旧軽井沢に足を運び、新軽井沢を経由して再び中軽井沢に戻りながら、グラビア用の撮影と街頭でのインタビューを試みる予定にしていた。

軽井沢をとりあげるからには、写真の全部がクマや捕獲檻というわけにはいくまい。いかにも夏の軽井沢といった好対照の写真が入っていれば、かえって記事が引き立つに違いなかった。

実際に取材をはじめてみると、意外にものんびりしたというか、落ち着いた答えが返ってきた。

——クマが出ているのは知ってるけど、うちでは直接被害を受けていないし、町で対策も練っているようだしね、自然が豊かな証拠でいいんじゃないの——多くの商店主たちの言葉である。道行く観光客にいたっては、クマが出るなんてまったく知らなかった、というのがほとんどで、なかには「どこに行けば見られるの？」と尋ね返す者もいる。

小川や相馬が訴える深刻さとのギャップの大きさには、戸惑いを覚えざるを得ない。

クマが自分の前に姿を現し、実際に困ったことにならない限り、しょせんは他人事なのだろうか……。

クマ問題の難しさや複雑さの一端を目《ま》の当たりにしたように、美佐子には思えた。

その後『星の森リゾート』のコテージに戻って夕食を終えてから、吉本の自宅に電話を入れた。

約束はしていたが、ほんとうに在宅しているかどうか不安だった。急に思いついてカメラを手にし、どこかの山のなかへという展開は、彼なら十分ありそうだ。

携帯電話のメモリーを呼び出して、通話ボタンをプッシュする。

一度のコールで受話器があがり、びっくりした。

「やあ、どうも」

携帯電話特有の、やや金属音がかった声が聞こえてきた。前とは違い、すぐに吉本が捕まって安堵《あんど》する。驚きと安堵が一緒になったせいか、一瞬言葉に詰まった。

あらたまった挨拶をするのも妙だし、お天気の話などもっと変だ。

「あ、あの、えーと、電話をしたのは例の取材先の件ですが、どこか目星はつきましたか」

いきなり用件を切り出した。

下唇を嚙んで返事を待つ。

待ちながらも、どうして私がうろたえなくてはならないんだろうと思う。

少し間が空いたあとで、吉本が口を開いた。

「なんとか当たりがつきましたよ」

「ほんとうですか？」

喜びに、今度は声がうわずった。

「新潟県の山北町、熊田という集落です」

それってどこだっけ、とちらりと思った次の瞬間、美佐子は「えっ」と声をあげていた。

完全に思いだした。

新潟の熊田といえば、六月の『マタギの集い』で会った、滝沢とかいう男が住んでいる集落ではないか。

あのときの情景が蘇る。

懇親会でちらりと見せた、こちらを舐《な》め回すような獣じみた目。翌日の全体ディスカッションのときに絡みついてきた憤慨の色も露《あらわ》な目。滝沢にしてみれば、懇親会での自分のお喋りが攻撃される材料になったのだから、怒りたくもなるだろう。

美佐子とてそれは重々わかっていたので、創心社のオフィスからあちこちに電話をした際、滝沢の村だけは外していたのだ。よりによって、そこを取材先に選ぶなんて……。

吉本が訝《いぶか》しげな声で尋ねてきた。

「えっ、てなにかまずいことでもあるんですか」

「まずいというわけではないんですが、実は――」

黙っていてどうなるわけでもないので、美佐子はあのときの経緯を包み隠さず話した。

「――というわけなので、気分を害されているのは間違いないと思うんです」

しばらく間が空いた。

「そうですか――でも、まあ、大丈夫でしょう。佐藤さん、あなた、けっこういける口ですよね」

「いける口って、あのう、それってお酒のことですか？」

「ええ、先日食事をしたとき、じつに美味《おい》しそうにワインを飲まれてた。だからそう思ったんですが」

携帯電話を握りながら頬が熱くなる。

アルコールは嫌いではない。というより、けっこう好きなほうで、今ではそんなことはしなくなったが、学生時代、勢いに任せて酔い潰《つぶ》れるまで飲んでしまったことも、一、二度ある。

仕事の相手と飲む際には気をつけており、仙台で吉本と食事をしたときも、ワイングラスに三杯でやめておいたのだが、そんなに美味しく飲んでいるように見えたのだろうか。いずれにしても、あれで酒好きの女と見られてしまったのだとしたら、外れではないのだが、少々気恥ずかしい。

「いける口というほどではないですが、人並みには――あの、それがなにか」

「いや、たいしたことじゃありません」

そう言ったあとで、吉本のほうから話題を変えた。

「ところで、軽井沢での取材は、明後日、木曜日まででしたっけ」

「その予定です」

「じゃあ、金曜日に直接熊田で落ち合う、ということでどうです？　僕も金曜の夕方なら、現地入りできそうですから」

「私は大丈夫です、その準備はしてきていますので。となると、宿の手配が必要だと思いますが、近場に旅館なんかあるのかしら」

「それは僕のほうで手配しておきましょう。あそこの集落には、町営の宿泊施設がありますから問題ないです。確か、一泊、千五百円で使えるはずです」

――一泊が千五百円ですって？

いったいどんなところに泊まることになるのだと、美佐子は首をひねっていた。

13

吉本と電話で熊田入りの打ち合わせをした翌日、美佐子は生まれてはじめて、野生のツキノワグマと対面した。

『ウッドペッカー』の小川の紹介で、中軽井沢駅のそばにある町役場を訪ね、クマ問題の対策協議会の担当者に取材中のことだった。

インタビューがほぼ終わり、雑談をしていたところで、美佐子の携帯電話が鳴った。相馬からだった。

ついさっき、昨日見学した捕獲檻に、若い雄のツキノワグマが入ったという。時刻は午前十時を少し回ったばかり。ということは、白昼堂々と出没して罠にかかったことになる。明け方や夕暮れ時、あるいはゴミ漁りのクマの場合、夜の出没が多いと聞いていただけに少し意外な気がした。が、それだけ軽井沢周辺のクマがずうずうしくなっている証拠かもしれなかった。

そそくさと役場を辞去し、タクシーを拾って矢島と一緒に急行する。

五分とかからずに到着した現場では、既に五人ばかりの人間が忙しく立ち回っていた。うちふたりは、相馬と小川。残りの三名は、昨夜コテージで紹介されたＯＨＮのスタッフたちだ。なかにひとりだけ、髪をポニーテイルに結った若い女性がいる。

彼女、粕谷里実《かすやさとみ》は獣医師の免許を持っており、捕獲したクマの麻酔を担当する専属スタッフで、奥山放獣には欠かせない存在である。捕らえたクマをそのまま奥山に運んでいって逃がすだけなら必要ないが、追跡調査をするための発信機を取り付けるためには、麻酔を打っておとなしくさせておかなければならない。

「通常は、塩酸ケタミンという麻酔薬を、吹き矢を使った筋注射によって投与します。持続時間は二十分から三十分くらい。量が多すぎると呼吸低下を引き起こしてしまうので、そのへんのさじ加減が難しいですね。その間に体位や体重の測定をします。それから、年齢を特定するために犬歯の後ろの歯を抜き、DNA検査に使う検体も採取します。そのうえで、識別用の標識を耳に付け、さらに発信機を装着するわけですから、手際よくやらないといけません。でも、うちのスタッフは手慣れていますから、二十分あれば、余裕を持って処置を終わらせることができますよ」

昨日、夕食のあとでOHNのスタッフたちにインタビューした際、ずり落ちてくるメタルフレームの眼鏡をあげながら、里実はそう説明した。

「OHNで仕事をしようと思ったのはどうしてですか」

技術的な説明が終わったところで、美佐子は里実に尋ねてみた。今の時代、動物病院で働く女性の獣医は珍しくないが、野生のクマ相手に仕事をする里実に、同性としての興味を覚えた。

「大学を卒業したあと、都内の動物病院で三年ほど働いていました。それなりにやりがいのある仕事だったんですけど、もともと私は、野生動物を相手の仕事がしたかったんです。それで、OHNで獣医を募集しているのを知り、迷わず応募したわけです」

当然の選択をしただけだと言うように、里実は答えた。

「怖くはないですか」

「怖い？」と訊き返したあとで「全然――」と笑みを浮かべ、里実はつづけた。

「こんな可愛い動物はいないですよ。知れば知るほど可愛くなってくる。そして、彼らにはなんの罪もありません。有害獣だなんてとんでもない話です。知っています？　農作物や森林に与える野生動物の被害のうち、ツキノワグマが原因のものがいかに少ないか」

「そう――なんですか？」

「農作物の被害面積に関しては、その八割がシカとイノシシ、そしてサルによるもので、クマによる被害は、ほんの一、二パーセントにすぎないんですよ。森林の樹木に対する皮はぎの被害についてもしかりです。ほとんどがシカとカモシカ、そしてノネズミが原因です。明らかにクマのせいだといえるものは五パーセント未満なんです」

「でもクマの場合、一歩間違えれば、人身被害が出てしまいますよね」

「必ずそれなんです」

憤慨した口調になって里実は顔をしかめた。

「いつもそう。人が襲われたらどうするんだという話ばかりで、すぐに駆除だということになってしまう。スズメバチに刺されて死ぬほうが、クマに襲われて命を落とすよりも数が多いって知ってました？　だいいち、彼らの棲み処を蹂躙《じゅうりん》して棲みにくくさせてしまったのは、人間のほうじゃありませんか。しかも、彼らのことをよく知ろうともせず、無防備なまで出くわして悪者に仕立ててあげてしまう。クマにとってはいい迷惑です。そこまで追い詰められてしまった彼らに、一方的に罪を被せるのは、犯罪的でさえある。彼らにも、人間同様、生きる権利はあります。違いますか？」

そうですね、と頷くしかなかった。

昨夜、優しげな顔には不似合いな怒りを浮かべて語っていた里実は、今は冷静な表情で相馬たちと一緒に仕事をこなしていた。

捕獲されたツキノワグマは、既に麻酔をかけられて檻から引きだされていた。

スタッフの邪魔にならないように気をつけ、美佐子と矢島は、青いビニールシートの上に横たえられたクマに、恐る恐る近づいた。

体位の測定はもう終わってしまったらしい。

今日は黄色のバンダナを頭に巻いている相馬が屈みこんで、発信機の首輪を装着している最中だった。

意識を失い、ぺたんとうつ伏せに手足を投げ出しているツキノワグマは、美佐子の目に、ぬいぐるみのように映った。

尋ねてみると、年齢はおそらく三歳。測定した体重は五十三キログラムで、少々痩《や》せ気味の若い雄だという。檻に入った状況から見て、別荘の戸板を壊したクマに間違いないとのこと。

可愛いと言っていた里実の言葉は嘘ではなかったと、美佐子は不思議な思いに捉《とら》われていた。

クマ自体が小さいということもあるだろう。目にする前はかなりどきどきしていたが、実際に見てみると、ごわごわした首筋の毛並みを撫でてみたくなるくらいで、恐ろしさなどまったく感じない。これなら、たとえ山のなかでばったり出くわしたとしても平気なのではと思ったほどだ。

「さてと、じゃあ、作動テストしてみようか」

相馬が言うと、スタッフのひとりが道端に停めてあったワゴン車に走った。

相馬の呼びかけに、ワゴン車の助手席でノートパソコンを開いたスタッフが、しばらくしてから「オッケー、ばっちりです！」と返事をした。ＧＰＳを使った追跡システムが、問題なく動き出したということらしい。

「どう？　拾えてる？」

相馬にかわってクマの上に屈みこんでいた里実が言う。

「呼吸、脈拍ともに問題なし。もう五分もすれば覚めてくると思う。そろそろ檻に戻しましょう」

「はいよ」と言って、男性スタッフたちが檻のなかにクマの体を押し込み、カシャンと入り口を閉じる。呆気《あっけ》にとられて見とれてしまうほど、彼らの手際はよかった。

「いや、ほんともう、驚きましたね。あっという間だった」

新しいフィルムをカメラに装塡《そうてん》しながら、相馬が運転する乗用車の後部座席で、矢島も美佐子と同じ感想を漏らした。

前方を、捕獲檻を積み込んだワゴン車が走っている。

処置を終えたら、できるだけ迅速に放獣場所まで運んで、クマを放してやることが肝心なのだと、助手席に座っている里実が説明してくれた。

「ひとつには、クマにできるだけダメージを与えたくないということがあります。私たちの檻はダメージが最小限になるように工夫してありますが、それでも長時間入れたままでは消耗してしまうのです」

「ひとつにはというと、別な理由も？」

尋ねた美佐子に、里実が首をねじって答える。

「もうひとつは学習効果を高めるためです。佐藤さんは犬を飼ったことありますか」

「いいえ」

「飼い犬が悪さをしたときは、しつけのためにお仕置きをしますよね。その際、時間を置いてからだとなんの意味もないんです。なぜお仕置きをされたのかわからなくて、犬は混乱するだけ。それと同じです。人里に近づいてしまったことがまずいことだとクマにわからせるためには、できるだけ早く唐辛子《とうがらし》スプレーでお仕置きをしてやる必要があるわけ。どれくらい効果があるかは、今データを取っている最中なので確定したことは言えませんが、できることはなんでもしてみる、というのが私たちのモットーですので」

へえー、と矢島が感心したように頷く。ふだん、夜の盛り場に被写体を求めている矢島にとっては、見ること聞くこと、すべてが驚きのようだ。事前に少しは勉強してきたといっても、それは美佐子も同じ。現場に入らなければわからないことは山ほどある。

デスクにへばりついての編集の仕事より、こうして取材に飛び回るほうが、やっぱり私には性に合っているのかも、とも思う。

未舗装の林道に入ってしばらくすると、周囲の森が鬱蒼《うっそう》としてきた。

そうしてさらに二十分ほど揺られたところで、前方のワゴン車のブレーキランプが赤く光った。

到着してから十分後、美佐子は里実と一緒に、乗用車のなかから、地面に置かれた捕獲檻を見つめていた。

檻のそばには、唐辛子スプレーを携えた相馬が、もうひとりの男性スタッフと立っている。カメラを構えた矢島がワゴン車の屋根に登り、その車内には、小川と残りのスタッフがいた。

檻から出たクマに襲われる心配はほとんどないということだが、念のための配置だそうだ。

見守るなか、相馬の「じゃあ、そろそろやるよお」というのんびりした声が、開け放ったサイドウィンドウから届いてきた。

檻に開けられた窓に、相馬がスプレーのボンベを押しつけた。

ボンベから発する圧搾空気の音に混じってガフーンッという、クマのものに違いない声が響くや、相馬がワゴン車に駆け戻った。待ち構えていたもうひとりのスタッフが手にした紐《ひも》を引き、檻の扉が跳ね上がった。

よたよたとツキノワグマが檻から出た。その場で二、三度ぐるぐる回ったあと、いやいやをするように首を振りつつ、林道の奥に向かって、おぼつかない足取りで走っていく。

唐辛子スプレーの威力はよほど強力なのだろう。文字通り、すたこらさっさと逃げていくクマの姿は、気の毒なくらいに滑稽《こっけい》だ。なるほど、これならお仕置きとしては文句ない。

「おーい、二度と町になんか降りて来んなよー、わかったかー」

空になったスプレーを振り回して、陽気な声で相馬が叫ぶ。

「もう降りても平気よ」

クマの姿が見えなくなると、ドアを開けながら里実が促した。

車から降り、美佐子はワゴン車の上の矢島に声をかけた。

「撮れた？」

「ばっちり。きっと面白い絵が撮れてますよ」

「えー、追跡感度は良好、やっこさん、えらい勢いで遠ざかっています」

ノートパソコンのモニターを見ていたスタッフが笑う。

相馬が頷き、隣にいた小川に声をかけた。

「よしと、これで一丁あがり。成功報酬の請求書はどっちに送ればいいんでしたっけ」

――請求書？　成功報酬？

なんのことかと、美佐子は相馬と小川の顔を見つめた。

「請求書は、直接町へ送っていただいてけっこうです」

相馬の問いに、小川がそう答えた。

「あのう、すいません。成功報酬ってなんのことですか」

割って入るのは悪いかと思いながらも、美佐子は気になって尋ねてみた。

ああ、と言ったあとで、相馬が説明した。

それによると、OHNでは委託契約の契約料の他に、実際に捕獲して放獣したツキノワグマの個体数に応じた成功報酬を、別個に請求しているのだという。その請求書を『ウッドペッカー』と軽井沢町のどちらに送ればよいのか、という会話だったわけである。

なんだか腑《ふ》に落ちない話だ。

そう考えこんでいると、美佐子の疑問を察したらしく、こちらから尋ねなおす前に相馬が口を開いた。

「佐藤さん、もしかして、僕たちが金儲《かねもう》けをしていると思ってるんじゃないですか」

「いえ、そういうわけじゃ――」

「いいや、その顔はやっぱりそうだ。いいですか、成功報酬といっても、一頭につき五千円しか貰《もら》いませんから、かかるコストを考えれば微々たるものです。なくたって僕らは困るわけじゃない」

「じゃあ、なぜ?」

「意識の問題ですよ――」と言って、相馬は真面目な顔をした。

「――日本ってＮＰＯの後進国なもんで、特にね、自治体の行政側に、間違った認識がまだまだはびこっているのが問題なんです。ＮＰＯというとなんでもかんでもボランティアでやってくれるものだと思っている。非営利だということとボランティアはイコールじゃないんですよ、実際。株主配当がない会社、と考えてもらえばわかりやすいかな。むしろ、きちんとした報酬を得ることで、よけいな圧力を受けずに、よいサービスを提供することができる。だからこそ僕らは、サービスのプロとして日々研鑽《けんさん》を積み、ここまでのノウハウを確立しているんです。それを受益者、つまり行政の担当者にも正しく認識してもらうために、あえて成功報酬を貰っているわけです。そこを取り違えてもらっては心外だな」

昨日と同じく、相馬の熱弁にまたしてもたじろぎそうになった。が、よく考えてみれば、彼が言っていることは間違っていない。

さらに翌日、取材の最終日に、別の檻で、今度は雌のツキノワグマが捕獲された。そのときは最初から現場に居合わせることができ、軽井沢での取材は、これ以上は望めないだろうというほど充実したものになった。

写真展を間近に控えている矢島を夕方の新幹線で東京に帰し、美佐子自身は軽井沢にもう一泊してから、直接新潟へ向かうことにした。

夜が更《ふ》け、静まり返ったコテージの一室で、美佐子は『ムーサ』に掲載する第一回目の原稿を、ノートパソコンに打ちこみはじめた。

嘘のように筆が進む。

書きたいことがありすぎて、見開き二ページには収まりきれないくらいだ。こうなったら、いっそのこと二回分の記事にしてしまおうか……。

そこで美佐子は、キーを叩《たた》いていた手を休め、椅子の背にもたれかかって、ふう、と小さく息を吐きだした。

筆が滑りすぎるときは気をつけろ。

ある有名な作家の言葉だ。

受け売りにすぎないが、『みらい』にいたとき、ライターたちにしつこく言っていた。あまりに筆が進むときは客観的にものが見えなくなっていることが多い。独りよがりの文章になるのを戒めた言葉であり、それは自分にもあてはまる。

筆が滑りすぎるのは、頭のなかの興奮がまだ冷めていない証拠だった。

美佐子は、部屋の隅に設置されている小型冷蔵庫を開け、麦茶のペットボトルを取り出してコップに注いだ。立ったまま喉《のど》に流しこみながら、この興奮も仕方ないと思う。

相馬や里実が携わっているOHNの活動は、ツキノワグマという、本州で最強ではあるが、人間から追い詰められつつある哺乳《ほにゅう》動物にとって、間違いなく救世主になると確信できた。

夏の避暑地にツキノワグマが出没していることを伝えるだけでは、興味本位の記事で終わってしまう。だが、『ウッドペッカー』やOHNのように、その裏側で人知れず努力を重ねている人々がいる。彼らの活動をより広く世間に知らしめることが、自分に課せられた使命なのではないかとさえ思えてきた。

久しぶりに味わう書くことへの衝動と情熱で、体までが火照《ほて》っているように、美佐子には感じられた。

14

集落の入り口に立てられた『ブナの里――熊田』という看板の前で、美佐子はタクシーを停めてもらった。

腕時計を覗きこむと、時刻は午後の四時を少し回ったところ。

軽井沢を発ったのは、朝の十時だった。急ぐ旅ではなかったので、JRのバスで碓氷《うすい》バイパスを下り、横川《よこかわ》から高崎《たかさき》までは信越本線を利用した。

上越新幹線『とき』に乗車するまでの待ち時間で、ハンバーガーショップで昼食を摂《と》り、新潟に到着したのが午後の一時半。

ここまではよかった。新潟からすぐに出る在来線に乗り換えようとしたのだが、手前の村上市止まりなのがわかり、特急『いなほ』が発車するまでの一時間近くを、なにするでもなく待ち時間に潰《つぶ》してしまった。

結局、山北町の府屋駅に降り立ったときには、午後の三時半を回っていた。そこからさらにタクシーに乗ること三十分。出発してから熊田に着くまで、およそ六時間の行程である。

それでも、府屋駅に停まる特急に乗れてよかったと思うしかなかった。乗り継ぎがもっとまずければ、熊田への到着は夕刻になるところだった。

　飛行機を利用すれば、東京から札幌まで一時間三十分、沖縄へだって二時間半で行けることを思うと、日本って狭いのか広いのか、どちらなのかわからなくなってしまう。

　だが、乗り換えと列車待ちに少々うんざりしていた美佐子も、府屋駅の前で拾ったタクシーのなかから移り変わる景色を見ているうちに、しだいに気分が和《やわ》らいできた。

　海辺に佇《たたず》む閑散とした駅に、変化が乏しい小さな町並み。ありふれていて、意識のどこにもひっかからない田舎の風景とばかり思っていた車窓からの眺めが、山裾《やますそ》に近づくにつれて、心の襞《ひだ》に爪《つめ》を立てはじめた。

　車中からでもきれいに澄んでいるのがわかる川沿いを、十キロほど走ったあたりで、こぢんまりとした集落が出てきた。最初、美佐子は、そこが熊田だと思った。雰囲気が、秋田のマタギ村、打当とよく似ていたからだ。

　ところが運転手は、まだ十キロ以上先だと言う。中継《なかつぎ》という名のその集落をあとにするや、自然のトンネルを走っているかのように、木々の梢《こずえ》が頭上に迫《せ》り出しはじめた。

　舗装はされているものの、この先に人里があるとはとても思えない寂しい道が、走っても走っても手繰《たぐ》り寄せられてきた。

　――このままどこまで行ってしまうんだろう。

　不安になりかけたとき、赤い鉄骨で組まれたスノーシェードが行く手に見えた。

右手の崖《がけ》に呑まれそうになっている薄暗いスノーシェードを抜け出た先に、背後の杉林に埋もれかけて、『ブナの里——熊田』の看板が現れた。

Uターンして走り去っていくタクシーのエンジン音を背中で聞きながら、美佐子は半ば魅せられたように、村の景色に見とれていた。

森が迫っていた。

熊田の集落で谷が尽きていた。

舗装はされているが、両腕を広げれば抱えられそうな道が、突き当たったところで左右に分かれ、緩い登りとなって山裾へと消えている。

道沿いに寄り添って建っている家々の数は、ざっと見たところで二十戸ほど。新しい造りの家は見当たらない。どの家の壁も、煤《すす》けたこげ茶色の腰板と漆喰《しっくい》で覆われ、周囲の緑に溶けこんでいる。そして、いずれの家からもブリキ製の煙突が突き出ていて、敷地の隅には薪を貯《たくわ》えた小屋があった。

たぶん、薪ストーブを使っているのだろう。夏の盛りの今、煙突は静かに眠っているが、雪の季節には、どの煙突からもゆらゆらと煙が立ち昇っている光景が容易に想像できた。

それにしても、と美佐子は思った。

これほどまでに、ひっそりと肩を寄せ合っている集落を見たのは初めてだ。

切ないほどに小さな村だった。

我を忘れて立ち尽くしていた美佐子は、思い直したように荷物を抱え、集落の入り口に佇む建物へと歩いた。

他の民家と違い、ここだけ新しい。まだ建材の匂《にお》いが微《かす》かに残っている玄関先には、『しなおりの館《やかた》』というどっしりとした一枚板の看板が掲げられている。

吉本の話では、伝統工芸のシナ織を紡ぐため、家々に眠っていた織機を集めて、三年前に設立された組合の建物だという。彼が予約してくれた宿泊所の鍵《かぎ》は滝沢のところで預かっているので、まずは組合を訪ねて、滝沢の家を教えてもらえばいいと指示されていた。

「ごめんください」

外から呼んでみたが返事はない。

少し迷ったあと、「すいません、お邪魔します」と小声で言いながら、美佐子は引き戸に手をかけて玄関のなかへと入った。

土間に立った美佐子をツキノワグマが出迎えた。といっても、生きたクマではなく、敷物になった毛皮だった。土間から続く板の間の奥の壁に、手足を広げたクマの毛皮が、訪れた者を歓迎するように貼《は》られていた。

十畳ほどの板の間の中央には、畳一枚分はある大きな囲炉裏が切られている。

薄暗い室内を見回すと、あちこちの柱から、カンジキやシナ織の手提げ袋、さらに、やはりシナで作ったと思われるが美佐子には用途がよくわからない工芸品が、いくつも吊《つ》り下げられている。

見ているうちに、突然異空間に迷いこんでしまった気分になった。

——誰もいないのだろうか……。

再度呼びかけると、右手の奥から「はい」と返事が聞こえて、板の間との仕切り戸が開いた。

奥の部屋から、お婆さんと言うにはまだ早い年配の女性が、エプロン姿で現れた。

美佐子の前に立ち、もう一度「はい？」と言って遠慮がちに微笑んだ。

田舎の人間にありがちな、余所者《よそもの》に対する警戒の色はない。かといって無理に愛想よく迎えるでもなく、ごく自然に浮かんでいる微笑みが、なぜか美佐子を安堵させた。

ぺこりと頭を下げてから用件を言う。

「東京から来ました佐藤美佐子と申します。すいません、滝沢さんのお宅はどちらでしょうか」

「滝沢さんかい？」

「ええ」

「どの滝沢さんですかの」

訊《き》かれて美佐子は、そうだったと思いだした。吉本から言われていたのを忘れていた。熊田にある家の苗字《みょうじ》はほとんどが滝沢で、違う苗字は二軒しかないはずだった。

「あ、すいません、滝沢昭典さんのお宅です。宿泊所の鍵を預かっていただいているはずなので、お邪魔して受け取るようにと教えられていまして」

それですべてがわかったようだった。

「ああ、そのことね」と頷いたあと、彼女は土間に降りてサンダルを履き、「どうぞ」と言って手招きした。

どうやら案内してくれるらしい。

遠慮しても仕方がない。美佐子は素直にあとに従い、先ほどの道路を突き当たりまで歩いてから、沢に架けられた小さな橋を渡った。

嘘のように水が透き通っている沢を渡りきったところで、案内してくれたおばさんが立ちどまり、「ここですよ」と言ってすぐそばの家を指さした。

沢筋に建つ、かなりくたびれた小さな二階家が、滝沢昭典の家だった。

街なかにあるのなら、ずいぶん粗末な家だと思ったはずだ。だが、他の家々も同様な佇まいなので、そんな感じは全然しない。むしろ、都会の住宅地に並ぶ、サイディングやアルミサッシがぎらぎらしている家が建っていたりしたら、違和感ばかりが先に立って妙な感じがするだろう。

この集落には、くすんだ色あいの古びた建物のほうがよく似合う。

勝手なものだと、美佐子は思った。

ほんとうは、この村の人々も設備が整った最新の家に住みたいはずだ。そんな家が一軒も見当たらないのは、そこまで経済的な余裕がないからに違いない。

お礼を言って玄関に向かおうとすると、「ちょっと待っとって、今誰もいないからの」と言って美佐子を残し、おばさんが開け放してあった玄関のなかに消えた。

すぐに出てきて一本の鍵を手渡し、美佐子の背後を指さした。

「今渡った橋の向こうを登った先に、小学校に使ってた建物があるからね。その向かい側が宿泊所になってますだ。水道とガスは出るようにしてあっから、自由に使ってくださいの」

「あ、はい、ありがとうございます」

狐《きつね》につままれたような思いをして鍵を受け取り、再び橋を渡ったところで、さっきの建物へと戻るおばさんと別れた。

後ろ姿を見送りながら首をひねる。

施錠をしないだけでなく、玄関を開けっ放しで留守にする家も家だが、自分の家へ入るみたいに、勝手に他人の家にあがりこむなんて……。

確かにこんな山奥の村に泥棒など来はしないだろうが、これではあまりにも——と思ったところで、美佐子は肩をすくめた。

考えてみれば、ここの住民はすべてが顔見知りに違いない。ばかりか、九割の苗字が一緒ということは、遠い近いは別にして、全戸が親戚《しんせき》関係にあってもおかしくない。

——なんだか、すごいところに来ちゃったみたい。

思わず美佐子は嘆息していた。

おばさんに教えられた宿泊所はすぐにわかった。

途中、誰とも行き合うことなく、五十メートルばかり緩い坂を登ったところで集落が尽きた。

集落が終わって、道路が未舗装の林道に変わる手前、左手に建つモルタル塗りと木造が混在している建物が小学校跡だった。まだ残されている看板には『山北町立大川谷小学校熊田冬季分校』とある。

いつごろまで使われていたのかはわからないが、書かれた文字はさほど掠《かす》れてはいないので、わりと最近まで、ここで子どもたちが勉強していたのだろう。

冬季分校ということは、積雪期だけの使用であり、その間、先生たちは、この集落に寝泊まりして教えていたことになる。つまり、今回の取材で利用する宿泊所は、冬季の教員住宅を改造したものだった。

分校跡の真向かいにその宿泊所はあった。

道路を挟んで建っている宿泊所を見た美佐子は、少し安心した。どんなひどいところに泊まることになるのだろうと心配だったのだが、思いのほか、立派な建物だった。

外装がリフォームされてから間もないのだろう。薄い茶色の壁板は真新しく、窓枠も落ち着いた色のアルミサッシになっている。一階部分の軒下には、石油ストーブの屋外タンクが据え付けられており、隣に二槽式の洗濯機が置かれていた。

鍵を手にし、分校跡の敷地から出て道路を横切ろうとしたとき、宿泊所の隣に広がる杉林へ、自然に目がいった。

ぎょっとして立ちどまる。

薄暗い杉林のあちこちに、墓石が立っていたのである。

古い農家の裏庭に屋敷墓があったり、棚田の間に共同墓地が造られていたりするのは、『みらい』にいたときの取材で、何度か見ていた。東北の田舎の山村ではありふれた光景だ。だが、こんなふうに杉林のなかに、点々と、そして平然と、墓石が立ち並んでいるのは初めて見た。

幽霊は信じないほうだが、泊まることになる建物の隣がお墓だらけというのは、少々気味が悪い。

急に心細くなってきた。

早く吉本が到着してくれないだろうかと願いつつ、美佐子は鍵穴にキーを挿しこんだ。

建物に入って荷物を降ろした美佐子は、まずはすべての窓を開け放ち、澱《よど》んだ空気の入れ換えをした。

蒸し暑いことには変わりないが、周囲の深い緑のせいだろう。エアコンなしでもなんとかしのげそうな風が、開けた窓から入ってきた。

全部の部屋をひと通り見て回った美佐子は、これならまあ快適にすごせそうだと思った。宿泊用の各部屋が和室だということを除けば、別荘地にある貸し切りのバンガローといってもいいくらい。

ダイニングキッチンには、中身は空っぽだったが、スリードアの大型冷蔵庫まである。

そこではたと困った。

細かいことは聞いていなかったので、自分の荷物以外は手ぶらで来てしまった。いったい食事はどうしたらよいのだろう。

自炊するしかないだろうが、この集落にはお店なんか一軒もない。麓の町にあったスーパーで、食料品を調達しておかなければならなかったのではあるまいか。

そうだ、と思いつき、荷物を置いた部屋に戻って、ハンドバッグから携帯電話を取りだした。

この時刻なら、吉本もこちらに向かっているはず。途中で食料の買い出しをしてくれるように頼めばいい。

携帯電話のディスプレイを覗きこんだ美佐子は、『圏外』の表示を見て、人前では漏らさない「げっ」という呻《うめ》きを、声に出して言った。

タクシーでここまで来るあいだ、確か、中継の集落を通過するあたりでは、しっかりアンテナが立っていた。それで安心していたのだが、どこからか通話エリア外になっていたらしい。

人が住んでいるところなのに、今どき携帯の電波が届かないなんて、なんたる田舎……。

これでは、隣の家にでも行って電話を貸してもらうしかないなと思ったとき、そういえば、と思いだした。玄関から入ってすぐのどこかに、公衆電話が置かれていたような気がする。

廊下を小走りに戻ってみると、あった。

めったにお目にかかれなくなったピンク電話が、下駄箱《げたばこ》の上にちょこんと置かれている。

通じるか試してみようと受話器に手を伸ばしかけたところで、いきなり電話が鳴り、今度は「きゃっ」と言って跳びあがった。

美佐子は、がなりつづけるピンク電話に恐る恐る手を伸ばし、ドキドキしている心臓をなだめながら、受話器をあげた。

耳に押し当て、「はい」とだけ答えてみた。

「佐藤さん？」という男の声に、力が抜けそうになる。

電話をしてきたのは吉本だった。

「はい、私です。ついさっき、熊田に到着しました。ちょうど吉本さんに電話をしようとしてたところでした。今、どちらにいらっしゃるのですか」

「僕も、さっき府屋に着いたところです。何度かそちらに電話をしていたんですが、捕まってよかった」

「はあ――あの、駅の近くにスーパーがありましたよね。すいませんがそこに寄って――」

言ってる途中で、吉本が遮《さえぎ》った。

「僕が迎えに行くまで、そのまま宿泊所から動かずに待っててもらえます？　今、車でそっちに向かっているところですから」

「迎えにって、どういうことですか」

「着いた早々であれですが、うまい具合に取材ができる手筈《てはず》が整いました」

「えっ？　それってなんの取材？　相手は誰ですか」

「詳しい話はあとでします。とにかくあなたはそこを動かないで」

「それはいいですけど、いったいなにが――」

そこでぷつんと接続が切れた。

首をかしげながら受話器を戻す。

電話の前でしばらく待ってみたが、ベルは鳴らない。車でこちらに向かっていると言っていたから、途中で切れたのは、吉本の携帯電話が、通話エリアから外れてしまったせいかもしれなかった。

それはよいのだが、取材ってなんのことだろう。声の調子からすると、かなり慌ただしげだった。今日のところは、夜になってから滝沢の家を一緒に訪ね、とりあえず挨拶だけして、正式な取材は明日と明後日の二日間で行う予定だった。

でもまあ、なにかはわからないにせよ、取材ができるのだったら文句はない。

ただし、ちょっとだけ面白くない部分があった。なにをどう取材するかは、基本的にはライターである自分が決めること。もともと吉本頼みで取材の許可を取りつけたのだから仕方がないとはいえ、主導権をカメラマンに握られてしまうのは、美佐子としては不本意なことであった。

二十分までは待たずに、表の道路に札幌ナンバーの旧型のパジェロが到着した。

「Uターンさせときますから、急いで準備して」

車から降りずに言う吉本に頷き返し、美佐子は、宿泊所の上がり口に置いていたデイパックを取りに戻った。

取材ノートと小型テープレコーダーが入ったデイパックを抱えて助手席に飛び乗るや、吉本はパジェロを勢いよくスタートさせた。

「札幌から車でいらしたんですか」

シートベルトを締めながら訊くと、吉本はマニュアルのシフトレバーを操作しながら答えた。

「いや、仙台までは飛行機です。最近は東北の取材が多いんで、札幌に戻るときは、仙台の友人に頼んで、車を置かせてもらっているんです」

「レンタカーでもよかったんですよ、取材費で落とせますから」

「いや、こういうところの取材は、かなり山奥まで入る場合がありますからね。慣れた車のほうが、気が楽です」

なるほど、と頷いた美佐子は、話を本題に切り替えた。

「ところで、電話でおっしゃってた取材って、なんですか」

「府屋に着いてすぐ、前から知っている役場の担当者を訪ねてみたら、昨日の夜、有害駆除で仕掛けてあった檻に、ツキノワグマが入ったそうなんです。あなたに連絡がつかなかったので、僕の独断でしたけど、取材の申し込みをしました」

それでようやく事情が呑みこめた。が、次の言葉を聞いて、美佐子は眉を曇らせた。

「で、これから処分することになったので、急いであなたを迎えに来たというわけです」

「処分っていうと、なにを――」

「なにをって、射殺ですよ。山北町では、夏場の有害駆除で捕らえたクマは、射殺して焼却することになっていますから」

あたりまえのように言う吉本の横顔を、まじまじと見つめる。

着いたと思ったとたん、いきなり生き物が殺される場面に立ち会うことになるとは、予想もしていなかった。同時に美佐子は、軽い吐き気を覚えた。

軽井沢で見たばかりの、可愛いとさえ思ったツキノワグマが、今度は自分の目の前で射殺されるなんて……。

正直言って、クマが殺される場面など見たくない。考えてみれば、虫や魚は別として、それ以外の生き物が殺される場面を現実に見たことなど、一度もない。理科の授業でカエルの解剖があったときも、それが嫌で学校をずる休みしてしまったくらいだ。

むろんこれは、自分に限らず、現代の日本に生まれ育った人間の多くにとっては、共通したことである。生身の動物の死を見るとしたら、せいぜいテレビのドキュメンタリー番組のなかだけ。それ以外は、いくら刺激的な映像が溢れていても、あくまでも作り物だ。

これから目にしなければならないことに自分が感じている嫌悪感は、本能的なものに違いなかった。

そんなことを考えているうちに、ふと思い当たった。

曲がりくねった道にもかかわらず、リラックスして車を飛ばしている吉本に疑問をぶつけてみた。

「今、思ったんですが、取材の許可がよく下りましたね。相手は町役場とはいえ、官公庁なわけでしょ？　決していい顔はしないと思うんですけど。特に、最近は自然保護団体なんかが煩《うるさ》いし」

返事がない。

答える気はないのだろうかと思ったところで、吉本が口を開いた。

「まあね、駆除の担当者と面識のない者がまともに申し込んだのでは、そう簡単にはオーケーが出ないでしょう。ただし、無条件で許可が下りたわけでもないんです。雑誌に掲載する前に、向こうがチェックするという条件がくっついています。場合によってはボツということもあり得ますが、それ、かまわないですよね」

「いいですけど、吉本さん、ひとつだけ約束していただけますか」

心もち、硬い声で美佐子は言った。

「今回は仕方なかったですけど、なにをどう取材するか、具体的なことは私が決めます。さんざんお世話になっていてこんなことを言うのは申し訳ないですが、これはあくまでも私のルポですので。少なくとも、事前に相談だけはしてください」

ハンドルを握ったまま、吉本が助手席側に首をねじった。

ちょっと言い方がきつかったかとも思う。いざとなればカメラマンの替えは利く、と言っているのと同じだからだ。だが、ここは肝心なところだった。スタートの段階ではっきりさせておかないと、あとあとやっかいなことになってしまうことを、今までの経験から学んでいた。

美佐子を見つめていた吉本の眉が吊りあがり、少しして、髭面《ひげづら》がほころんだ。

「オーケー、わかりました。ボスはあなただ、これからは気をつけます」

安堵の息をそっと吐く。

見た目とは違い、わからずやの頑固者ではなさそうだ。

その間にもパジェロは山道を駆け下り、府屋の町並みの少し手前で左に折れた。

「どこに向かっているんですか」

美佐子が尋ねると、前方に顔を向けたまま吉本が答えた。

「この先に小さなお寺がありますが、そこからちょっと行った山のなかで処置が行われます。終わったあと、寺で供養をするということもありますが、まあ、ほんとうのところは、できるだけ人目につかない場所でやってしまいたいというところでしょうね」

「どこで捕らえたクマかは聞いてます？」

「府屋から少し南下したところに勝木《がつぎ》という集落がありますが、海岸から一キロも入らない雑木林だったということです。しばらく前から田んぼや畑の周辺に出没していて、農家から駆除の依頼が出されたらしい」

「どうしても殺処分にするしかないんでしょうか」

「自治体によって事情も異なるし、対応はまちまちですからね。それに、奥山放獣をするにはコストもかかるし、それなりのノウハウも要る。全部の自治体に奥山放獣をしろといっても無理があるでしょう」

聞きながら、その気になればできないこともないのでは、と美佐子は思った。むろん、頭のなかに浮かんでいたのは、相馬たちのＯＨＮの存在だ。

吉本が言っていた寺の前を通り、さらに数百メートル未舗装の林道を走ったところで、道端に停められたクレーン付きの二トントラックが見えた。空荷の荷台のあおりには、地元の造園会社のものらしい名が入っている。

数名の男たちが、トラックの周囲に佇んで吉本と美佐子の到着を待っていた。

トラックの後ろにパジェロを着けた吉本が、サイドブレーキを引いて促した。

「さあ、降りましょう、だいぶ待たせてしまったみたいだ」

無言で頷き、美佐子はデイパックを手にして草むらに降り立った。

男の数は四人。ひとりだけ腕まくりをしたワイシャツ姿の男がいる。残りはいずれも作業服を着た男たちで、うちふたりの肩には、猟銃が入っているに違いないケースがかけられていた。いずれもむっつりとした顔つきで、美佐子に視線を向けてきた。

吉本がワイシャツの男の前に歩み寄って軽く頭を下げた。

「待たせてしまってすいません。こちらがライターの佐藤です」

美佐子は、デイパックのポケットに手を突っこんで、名刺入れから自分の名刺を抜き取り、自己紹介をしながら差し出した。

「産業課の板垣と申します」

それだけ言って、頭が薄くなりかけているワイシャツ男が、名刺を受け取った。名刺交換をする気はないようだ。

ちらりと手元に視線を落としただけで、要らないものをもらってしまったとでも言いたげに、腋《わき》の下に汗が染みたシャツの胸ポケットのなかへ、美佐子の名刺を押しこんだ。

その間、残りの男たちは胡散臭《うさんくさ》げな目で美佐子をじろじろ見ているだけで、口をへの字に曲げたまま。軽井沢を発ったときのタンクトップから着替えていなかったので、男たちの視線で裸に剝《む》かれているような気がして、ものすごく居心地が悪い。

彼らにも頭を下げ、愛想笑いを浮かべてみたが、完全に無視された。どうやら、まったく歓迎されていないみたいだ。

「吉本さん、さっきも言いましたが、顔が写る写真はなしですよ」

板垣と名乗った役場職員が、釘《くぎ》を刺すように吉本に言う。

「わかっています」

カメラのレンズを交換しながら、吉本が頷いた。

杉林を少し入り、ちょっとした広場になった下生えの上に、捕獲檻は運ばれていた。軽井沢で見た、パンチングメタルを使った檻よりふた回りほども大きな、いかにも頑丈そうな鉄格子の檻だった。相馬が言っていた箱罠というものに違いない。

男たちのあとからついていった美佐子は、途中で足が竦《すく》んでしまった。

静かだった杉林に、突然クマの咆哮《ほうこう》が轟《とどろ》いたのである。あわせてガシン、ガシャンと、鉄格子に肉塊がぶつかる音が響いてくる。

おとなしくなっていたクマが、人間が近づくのに気づいて、檻のなかで暴れだしたに違いなかった。

置き去りにされて突っ立っている美佐子に、檻の前ですでに撮影をはじめていた吉本が、手をとめて顔を向けた。

怒った顔をして、顎をしゃくってよこす。

唇を嚙み、震えがきそうな膝を無理やり動かして、そろそろと檻に近づく。

鉄格子の内側で、黒い塊が怒り狂っていた。

腹の底に響く唸《うな》りをあげて、しきりに鉄格子に体当たりをしている。

鼻面と口の周りが濡れて光っていた。

それが、クマが流した血であることに気づき、美佐子は一瞬くらりときた。暑さによるものではない汗が、額からどうっと噴き出してくる。

貧血を起こしかけていることに気づき、その場にしゃがみこむ。

「大丈夫？」

カメラのファインダーを覗いたまま、吉本が訊いた。だが、その声は、美佐子を案じたものというより、叱《しか》りつけている口調だ。

「大丈夫です」

奥歯を嚙み締めて声を絞りだした。暗くなりかけた目の前が、どうにか元に戻った。大きく息を吸ってから、ゆっくり立ちあがる。

突然、檻のほうからパキーンと音がして、剝き出しになった二の腕に鋭い痛みを感じた。

「痛っ！」

わけがわからず反射的に腕をさすると、「そこどいて！　足下！」と吉本が声を飛ばした。素早くレンズを交換するや、片膝だちになって地面の上にカメラを向け、続けざまにシャッターを切りはじめる。

体をずらし、地面を見つめた美佐子は息を呑んだ。

そこには、鉄格子を齧って折れたツキノワグマの牙が、無残に転がっていた。

「危ねえでや、姉ちゃん。あんたら、こっちのほうさ少しさがってろ。そろそろ片付けるがら」

折れた牙と暴れつづけているクマを交互に見やっていた美佐子に、ハンターのひとりが声をかけた。

束《つか》の間《ま》、躊躇《ためら》ってから、美佐子は地面に手を伸ばし、牙を拾いあげてジーンズのコインポケットに押しこんだ。

吉本と一緒に後ずさりし、ハンターたちの背後から様子を窺う。

若いほうのハンターが、檻に向けて猟銃を構えた。すぐにも自分の命が消えるのを知ってか知らずか、クマはいっそう激しく暴れはじめた。ハンターの腰が少し引けているように見える。

「馬鹿っ、このっ！　筒先を檻のなかさ入れろ！　そんでは弾が跳ね返ってしまうべや」

年配のハンターに叱りつけられた若いハンターは、じりじりと歩み寄って、銃口を鉄格子の間に挿しこんだ。

と思うや、銃声が響いた。

美佐子は思わず目を瞑《つむ》った。

杉林のあちこちで、カラスの鳴き声と羽ばたきが交錯する。

クマの吠《ほ》え声が途切れた。

怖々瞼《まぶた》を開く。

再びクマが叫びだした。

「なにやってっけな、掠っただけだべや！　そこからどいでろっ」

年配のハンターが仲間を押しのけ、自分の猟銃を、苦しげにのた打ち回っているクマに向けた。

もう見ていられなかった。

檻から視線を外し、顔もそむけた。

いきなり下顎を摑《つか》まれた。

吉本の左手が美佐子の顎を摑んでいた。無理やり檻へと、顔を向けられる。

なにするのっ、やめて！　と声をあげる寸前、厳しい表情で吉本が囁《ささや》いた。

「最後まで見届けなくちゃだめだろ！」

檻に向けられたままの首筋が、痺《しび》れたように硬直した。

直後、二発目の銃声とともに、ツキノワグマは絶命した。

吉本の手を振りほどき、美佐子は杉林の外へと走った。

林道に出たところで草むらにしゃがみこむ。

まだ残っていた昼食が、胃液と一緒に食道を駆けあがってきた。

捕らわれたツキノワグマに対する処置のすべてが終わり、熊田へと戻る車中、美佐子は吉本とはほとんど口をきかず、青ざめた顔で押し黙っていた。

美佐子は怒っていた。

なににと訊かれても、簡単には答えられない。

まずは、自分に対する吉本の乱暴な振舞いに腹が立つ。

最後まで見届けろ——確かにそうかもしれない。でも、こっちは、あんな場面は初めてなのだ。思わず目をそむけてしまったからって、仕方がないことではないか。それを無理やりセクハラまがいに、私の顔をあんなふうに……。

思いだすと、悔しくて涙が滲《にじ》みそうになる。もっと紳士かと思っていたのに野蛮すぎる。こんな人と、この先ほんとうに仕事をやっていけるか、もう一度考えてみたほうがいいのじゃないだろうか。

そして、あの板垣という禿《は》げ親父。

ツキノワグマの処置が終わったあとで、彼が言った言葉が耳に戻ってきて、美佐子は下唇を噛んだ。

「いいですか、勘違いしないでくださいよ。私たちはね、好きでクマを駆除しているのではありません。放置しておいて、万がいち住民がクマに襲われてしまったら、行政を預かる者としての責任を放棄したことになりますからね。殺さずにすむならどんなにいいことかと、そりゃあ、私だって思っていますよ——」そう説明した板垣は、美佐子の頭のてっぺんから爪先まで、ためつすがめつ眺めてから、鼻であしらうように言った。「——あなたのように上品な都会の方々はね、すぐに保護だなんだと騒ぎ立てますが、実際に被害を受けたり、命が危険に晒《さら》されたりするのは、われわれ田舎の人間、いやでもクマとつきあわざるを得ない立場にいる者です。ですから、町民の意識を逆撫《さかな》でするような、いい加減な記事を書かれては困りますよ。それだけはお願いしておきますからね」

言っていることそのものに反発を覚えたのではなかった。それぞれに立場があることがわからないほど、こっちだって子どもじゃない。だが、最初から人を疑っているような言い方と、それにも増してあの高圧的な口調。端《はな》から、こちらを馬鹿にしているとしか思えなかった。

さらに、とどめとなったのが、クマを射殺した年配のハンターの言葉だった。

昼に食べたフィッシュバーガーの残骸《ざんがい》を道端に吐き散らし、吉本の車にもたれかかってぐったりしていた美佐子に、林の奥から戻ってきたハンターが言った。

「なんだあ、姉ちゃん、青い顔して。女の人が取材さ来るって言うから、ほんとうに大丈夫かと思ってたんだけどの。やっぱりだめだな、こんでは。悪いことは言わねえ。クマの取材なんかやめにして、早く帰ったほうがいいぞ」

そのときは、まだ胃がムカムカしていて、言い返す気にもなれなかった。

だが、こうして少しは気分が回復してみると、どうしてあそこで言い返さなかったのか、せめて、決して安易な気持ちで取材をしているのではないのです、ぐらいのことが言えなかったのかと、地団駄を踏みたくなる。

しかし、こうして腹を立てながらも、美佐子は、自分がなにに対して最も憤慨しているのか、実はわかっていた。

自分自身に腹が立って仕方がなかったのだ。

あのハンターが言った通りだった。

取材ですなどとうそぶきながら、目にした光景におろおろするばかりで、まともなインタビューにならなかった。そしてなによりも、あんなぶざまな姿を人に見せてしまった自分が許せなかった。

これでは、駆け出しの新米ライターと一緒ではないか。確かにこの手の取材は今回が初めてだが、東京と仙台でそれなりに経験を積み、ときには修羅場をくぐってきた身である。これくらいのことで神経を参らせていたのでは、仕事になんかなりゃしない。

少々無理して気分をしゃんとさせ、美佐子は閉じていた口を開いた。

「すいません、食料品のことを言うのを忘れてました。宿泊所に冷蔵庫はあるんですが、食べ物がないんです。町で買っておく必要があったと思うんですけど」

美佐子が怒っているのを感じ取ってか、黙ってハンドルを握っていた吉本は、何ごともなかったかのように「ああそれ――」と言ってから続けた。「――夕方になると、生鮮食料品の販売車が巡回してくるから問題ないですよ。それに今夜は、滝沢さんの家で晩飯をご馳走になる予定ですから」

「えっ？　挨拶にお邪魔するだけじゃなかったんですか」

またしても急な話に、美佐子は、嘘でしょう？　と思いながら訊き返していた。

15

午後七時をすぎ、遅い夕暮れがようやく熊田の山々にも落ちはじめたころ、美佐子は吉本と連れ立って、滝沢昭典の自宅の前に立っていた。

宿泊所に戻ってからシャワーを浴びてさっぱりしたおかげで、胃の具合はなんとか戻っていた。

ジーンズからスカートに穿《は》き替え、薄く化粧をして、オレンジ色の無地のTシャツの上に白い夏物のジャケットを羽織った。食事に呼ばれているといっても、ホテルに行くわけではない。かしこまりすぎず、かといって、くだけすぎてもおらず、たぶん、ちょうどよいだろう。

こちらから無理に取材をお願いしておいて、いきなり食事をご馳走になるなんて、厚かましすぎやしないだろうかと、熊田に戻る車のなかで、美佐子は吉本に言ってみた。

すると吉本は、断ったらかえって失礼ですよと、当然とでも言いたげに答えた。彼らは遠路の来客には食事を振舞うのが礼儀だと思っているし、楽しみにもしているのですから、とつけ加えて。

郷に入っては郷に従え。

そういうことなのだろう。だが、ひとつ心配なことがあった。よくよく聞いてみると、同行するライターが美佐子だとは、滝沢に知らせていないというではないか。女性のライターと一緒だがかまわないだろうか、と尋ねただけだという。滝沢が自分のことを忘れているとは思えなかった。

いきなり門前払いを食ったらどうしよう。

不安を抱えながら、軽井沢で買ってきたクッキーの菓子折りを手に、美佐子は吉本の背中に隠れるようにして玄関先に立った。

吉本が声をかけると、すぐに上がり口の障子が開いた。

「やあやあ、どうもどうも。遠いところご苦労さま、お久しぶりです」

親しげな声で出迎えに出てきた滝沢の顔が、美佐子に向けられたところで強張《こわば》った。

「ライターの佐藤です。その節は大変失礼しました。この度は、取材をお受けくださいましてほんとうにありがとうございます」

ひと息に言って、腰を深く折った。

恐る恐る顔をあげる。

困ったような表情で吉本と美佐子を交互に見ていた滝沢の顔が、少しして弛《ゆる》んだ。

「まあ、上がらい、どうぞ」

その言葉に、美佐子は胸を撫《な》で下ろした。

奥座敷のテーブルを挟むや、ビールの栓を抜きながら滝沢が苦笑した。

「吉本さん、あんたも人が悪いのぉ」

「いやあ、昭典さんも特に名前は訊《き》かなかったでしょう。僕もね、あとでこの人から事情を聞いて、ありゃりゃと思ったんですけどね。でもまあ、いいかと」

苦笑を返しながら、吉本が自分のグラスでビールを受けた。

「そりゃあんたの頼みだからの。そっちの人だとわかっても、嫌だとは言えないからね」

吉本と滝沢が口にした、この人、そっちの人、というのは、もちろん美佐子のことである。

なんだか、ふたりともやけに親しげだ。今までも、こうして幾度も杯を交わしているに違いない。

「ほれ、あんたも、一杯やらい」

滝沢に勧められ、美佐子は畏《かしこ》まってグラスを差しだした。

「んでは、まず」

滝沢の音頭でグラスを合わせ、冷えたビールを流しこむ。

「うめえ、夏はやっぱりビールだの」

あっという間に飲み干した滝沢が、同じく空になった吉本のグラスに注ぎ、「ほれ、あんたもぐっといがい、喉が渇いてるべ」と言って、ビール瓶を向けてきた。

半分ほど残っていた中身をひと息にあおり、「すいません」と、美佐子は言われるままにグラスに受けた。

すぽん、と二本目の栓を開けはじめた滝沢に、吉本が尋ねた。

「ところで、奥さんとお父さんは？」

「親父は会社の旅行で今日から出はってての――」と言って自分のグラスにビールを注ぎ足したあと、「――うちのやつは、ふたり目が生まれての。今、上の子と一緒に実家さ帰してるとこさ。ばあやの田舎料理で悪いけど、遠慮しねえで食ってけろ」そうつけ加え、滝沢は箸《はし》を手にした。

いやあ、おめでとう、男の子？　そう、そりゃあよかった、などと交わされるふたりの会話を聞きながら、なるほど、と美佐子は思った。

座敷に通され、料理の皿が載ったテーブルに着いて、あらためて家の様子を窺ったとき、玄関脇《わき》には子ども用の三輪車が置かれているのに人気《ひとけ》がなく、どことなく寂しい感じがしていたのだ。

滝沢が子持ちの既婚者だったというのは、最初意外な気がしたが、よく考えてみれば不思議でもなんでもないことだった。なにせ、三十も半ばすぎの男である。子どものひとりやふたりいてもおかしくない。

もうひとつ、意外というより驚いたのは、アユが焼きあがったよと言って、台所から皿を運んできた滝沢の母だ。熊田に到着したとき、宿泊所の鍵を受け取るために訪ねた、組合の建物にいたおばさんだったのである。

そうとは知らずに失礼しましたと恐縮している美佐子に、滝沢の母は、にこにこしながら、小ぶりだけど地アユだから美味しいよと皿を勧め、ゆっくりしていってくださいと言い残して、居間へと引っ込んだ。

またしてもなるほど、とひとりで頷き、苦笑した。いくら田舎といっても、やっぱり他人の家にずかずか上がりこむなんてありはしないか……。

それにしても、と美佐子は吉本と滝沢に気取《けど》られないようにして肩をすくめた。

これでは、取材のための挨拶というより、訪ねたとたん、いきなりの宴会ではないか。席に着いてまだ十五分とたっていないのに、既に大瓶が三本空き、滝沢はといえば、四本目の栓を抜きにかかっている。

しかも、グラスが空かないうちから、飲め飲めと注ぎ足される。断って気を悪くされるのもいやなので、勧められるままに傾けているが、空腹だったことも手伝って、早くも酔いが回りはじめている。

「おっ、姉ちゃん、あんたもけっこういけるんだの」

またグラスを満たされた。そういえば、電話で吉本が、お酒はいける口ですか、と訊いていたが、そうか、こういうことだったのだと納得した。

しかし、酒につきあうことで受け入れてもらえ、『マタギの集い』での一件を水に流してくれるというのなら安いものだ。

そう考えながら、ひと口だけ口に含み、とん、とテーブルにグラスを置いて美佐子は言ってみた。

「それで、滝沢さん。今日はご挨拶だけと思っていたんですが、せっかくですから、いろいろお話を聞かせていただければありがたいのですけど」

ビール瓶を傾けかけた滝沢の手が止まり、しかめ面になった。

——ちょっと話を急ぎすぎたかも。

そう思ったが、滝沢のしかめ面は、拒絶の印ではなさそうだった。

「お姉ちゃん、そう慌てなさんなって。これだから、都会の人は忙《せわ》しくてだめなんだあ。大丈夫、吉本さんの顔を潰《つぶ》すわけにはいかないからの。今夜は若い衆も呼んであっから、その話は奴らが来てからにするべし。爺やも来るはずだしの。まずはほら、ウォーミングアップだ。ぐっと空けろ」

たぶん、これでもう五杯目だ。それなのにウォーミングアップだなんて、いったいどれだけ飲もうというのだろう。

ちらりと不安が掠めたが、これは一種の通過儀礼なのかもと、思い当たった。田舎の村の取材では、おうおうにしてありがちなこと。

こうなったら腰を据えて飲むしかないなと腹を決め、美佐子はひと口だけ口をつけていたグラスを持ちあげ、一気に喉へと流しこんだ。

「おー、姉ちゃん、いいねえ。さ、どんどんいくべし」

滝沢が赤い顔をして嬉しそうにする。

新たなビールを注いでもらいながら隣をちらりと見ると、それでいいんだとでもいうみたいに、吉本が髭面のなかで笑った。

そうして五本のビール瓶が空いたころ、滝沢が言っていた、若い衆と爺やなるメンバーが登場した。

滝沢と同じくらいか、少し年下に見える青年がふたりと、六十年配の男がひとり。

訊いてみると全員が滝沢姓である。

若いふたりのうちでも歳《とし》が上のほうは、滝沢の従弟《いとこ》で、名まえが悟《さとる》。もうひとりは又従弟の貢《みつぐ》。皆から爺やと呼ばれている年配の男は、滝沢の伯父で鉄男《てつお》。彼は、今年滝沢が狩猟組の親方を初めて任されるまで、ずっと親方を務めていたベテランの猟師であるという。

なんだか頭がこんがらかりそうだが、要するに親戚一同のマタギ衆が集合した、というわけだ。

彼らが現れるまで酌み交わしていたビールのおかげで、まあまあ打ち解けた雰囲気になっていた。だが、新たな来客はまだ素面《しらふ》であり、たぶん、『マタギの集い』で美佐子の発言を耳にしていた者たちである。

頬を染めてテーブルを前にしていた女性が美佐子だと気づくや、突き刺さるような視線を同時に向けてきた。

「なんだや、あのときの娘《あね》っこでねえか」

上座の席に着いた爺やこと鉄男が、苦虫を嚙み潰した顔で呟いた。

崩していた膝を揃え、あの節は、と美佐子が頭を下げていると、滝沢が割って入った。

「まあまあ、爺や、いいべの別に。吉本さんの紹介なんだからのぉ。さあ、飲むべ、飲むべ」

驚いたことに、それでとりあえずは問題が解決したらしかった。

「そうが？」と言いながらも、爺やは注がれたビールを傾け、表情を和《やわ》らげて吉本と話をしだした。若いふたりもそれに倣《なら》って飲みはじめる。

やはり吉本と一緒で正解だった、と思うしかなかった。自分ひとりではこうはいかなかっただろう。それにしても、この髭面のカメラマン、悔しいけれど、彼らマタギたちの心をこれだけしっかり摑んでいるとは何者なのだろう。

考えこんだ美佐子は、吉本自身のことについて、自分はほとんど知らないのだと、あらためて気づいた。そういえば、独身なのか既婚者なのかも、まだ確かめていない。

――なんだか不思議な人だ。

酩酊《めいてい》するほどではないが、かなり酔ってきた頭で美佐子は吉本を見つめた。

つい数時間前、なんて野蛮でいやな奴と思ったばかりだというのに、滝沢たちと愉快そうに飲んでいる笑顔が、頼もしくすら見えてしまう。

飲み進むうちに、ごく自然に、話題はクマ狩りのことに移りだした。いや、よく注意してみると、吉本が上手に水を向けているのだとわかった。途中で吉本は、さりげなくこちらに視線を送ってよこした。

目だけで、美佐子は頷いた。

ありがたかった。あらたまって質問をするよりも、このほうが滝沢たちの口から本音が聞けそうだ。できれば宿泊所からテープレコーダーを取ってきたいところだったが、我慢するしかないだろう。

山菜の和《あ》え物をつまみにちびちびとビールを舐《な》めながら、真剣に耳を傾ける。

ふいに、左の肩を叩かれた。

「はい」

向き直った美佐子の目の前に、またしてもビール瓶が突きつけられていた。

「これ、姉ちゃんや、さっぱり進まねえなあ」

爺やが不満げな声を漏らした。

「すいません、ビールでお腹がいっぱいになってしまって――私はもうけっこうですので。あの、お注ぎしますからどうぞ」

ビール瓶に手を伸ばそうとすると、爺やは、ドンッと音を立ててテーブルに置いた。

――まずい、怒らせちゃったかも。

美佐子は胸のなかで舌打ちした。

だが、これ以上のビールは無理だ。座敷の隅には、空き瓶が既に一ダースも寄せられているし、爺やたちが来る前から、こっちはさんざん飲んでいる。これだけ大量にビールを胃袋に収めたのは生まれて初めてだ。

美佐子をじっと睨んでいた爺やが、「ほうが?」と笑った。

怒っているわけではないらしい。どころか、さらに嬉しそうな顔になって、滝沢に言った。

「これ、昭典。こっちの姉ちゃん、酒のほうがいいってや。俺も、そろそろ日本酒がいいのぉ。早く酒瓶ば持って来《こ》っ」

そういうことではなくて、と言う暇などなかった。言われた滝沢本人も「んだな、そんでは本格的に飲むべが」と頷くや、納戸《なんど》のほうに引っ込み、一升瓶を抱えて戻ってきた。

断る間もなく、コップ酒が目の前に置かれる。

男たちの視線が美佐子に集まった。

——ええい、こうなったらヤケクソだ!

「では、いただきます」

見得を切り、コップを口に運んでそのままぐいぐい飲み干した。空になったコップを逆さにして振ってみせ、手の甲で口を拭《ぬぐ》ってから、ぷはあっと息を吐く。

「おーっ」

なんだか知らないが、マタギたちから感嘆の声があがった。

「ご返杯します。さあ、爺やもぐいっと」

一升瓶を奪い取り、押しつけたコップになみなみと注いでやる。

目を丸くして美佐子を見ていた爺やの顔が、思いっきり崩れた。

「姉ちゃん、なかなかいい飲みっぷりだの。あんたが気に入ったぞぉ」

これをきっかけに、なにかが変わったみたいだった。

みたいだった、というのは、その先、三杯目の日本酒を空にしたあたりから、意識があやしくなってきたからである。

美佐子は、マタギたちの話にけらけらと笑い転げ、男どうしのように肩を叩きあいながら、コップ酒をあおりつづけた。

16

吉本から携帯電話に連絡が入ったとき、内容を聞いた滝沢は、はじめ当惑した。

翔子のことがあったからだ。

週末から土、日にかけて吉本が熊田入りをするとなれば、翔子を迎えに、あるいは説得するために、松戸へ行くことができなくなる。

だから滝沢は、理由は口にせずに、ちょっと難しいかもしれないと、一度は断った。

だが……。

定時で仕事からあがり、自分の車に乗りこんでエアコンを入れた滝沢は、携帯電話を手にして、吉本の番号を呼び出していた。

話を終えた滝沢は、助手席に携帯電話を放り投げて、長い息を吐いた。

午後の仕事の間中、悶々《もんもん》と悩んだ末、やはり取材を受けることにした。

動物カメラマンだという吉本にはじめて会ったのは、三年前に熊田で行われた九回目の『マタギの集い』のときだった。

懇親会の席で主催者に紹介され、滝沢は吉本という男をいっぺんで気に入ってしまった。

北海道でヒグマに襲われそうになってからこの道に入ったんです、と静かに笑う吉本に、自分たちと同じ匂いを感じた。その吉本の頼みだ。無下《むげ》に断ることはできない。

だが、そう決めたほんとうの理由は、自分でもわかっていた。

大事な来客があるので熊田を離れるわけにはいかない——自分自身に対する口実を作りたかったのだ。

松戸に行き、かえって話がこじれるのが怖かった。行ったとして、どうやって説得したらよいのか、皆目見当がつかなかった。

それに、翔子だって言っていたじゃないか。もう少し時間をくれと。

出向くとしても、もう一週間、待ったほうがいい。きっとそのほうがいいに決まっている……。

無理やり自分を納得させ、週末まで機械的に仕事をこなした。

人間の心というのは不思議なものだ。そうして淡々と自宅と会社の往復をしているうちに、ずっと前から妻や子どものいない生活をしているような気がしてきた。

むろん、そんなのは錯覚にすぎない。いったん考えはじめれば、高圧線の鉄塔の上から足下を覗きこんだような不安に襲われる。

だから、あえて滝沢は、自分の心に蓋《ふた》を被せようと必死になっていた。時が来れば、すべては解決すると言い聞かせて……。

そして今日、吉本と一緒に玄関先に現れた女の顔を見て、滝沢は正直なところ面食らってしまった。

なんと、今年の『マタギの集い』で偉そうに喋っていた、小生意気な女が立っているではないか。打当で見たときよりも髪が短くなっているが、人の目を引く整った顔だちは忘れようがなかった。

女性のフリーライターと一緒だとは聞いていたが、まさかよりによって……。

しかし、吉本が連れてきた客である。帰れと言って追い返すわけにもいかない。

事前に教えてくれなかった吉本を少しだけ恨みながら、食事の用意ができた奥座敷へと、ふたりを通した。

あとで事情を知ってありゃりゃと思ったと、屈託なく笑う吉本にはかなわない。しょうがねえなあと苦笑しながら、いつものようにビールの栓を抜いて飲みだした。

飲みはじめて驚いた。

勧められた酒を断っては失礼だと思っているのだろう。佐藤美佐子という名前のこの女、勧めれば勧めただけ、ビールを流しこんでしまうではないか。

飲ませているうちに、なんだか面白くなってきた。まるで水飲み人形みたいだ。

しかし、いくらビールだといってもアルコールであることには変わりない。三本目の瓶が空いたくらいから、女の頬がほんのりと桜色に染まり、切れ長の目のなかで瞳《ひとみ》が潤みだして、妙に色っぽくなってきた。

それでも女は素面《しらふ》を保とうと頑張っているようだった。スカートの裾から覗く形のよい膝をきちんと揃え、よけいな口は挿《はさ》まずに、自分と吉本との会話に、真剣な表情で相槌《あいづち》を打っている。ほんとうにあのときの、小生意気で鼻持ちならない女と同一人物なのだろうかと、首を傾げたくなるくらい、しおらしくしている。

この姉ちゃん、なにがあったかは知らないが、少しは心を入れ替えたようだ。そう思い、これだったらまあ、取材に乗ってやってもいいなと考え、面白がってどんどんビールを飲ませつづけているうちに、悟と貢、そして伯父の鉄男が現れた。

滝沢たちと飲んでいる美佐子との対面に、最初、場の雰囲気が悪くなりかけたが、それも束《つか》の間《ま》のことでいつものように酒宴は進んだ。

そうしてしばらくしたとき、滝沢は開いた口が塞がらなくなってしまった。美佐子が爺やを相手に日本酒の一気飲みをはじめたのだ。

熊田の冬は長い。

年によっては丸々半年近くも雪で閉ざされるほどの豪雪地帯だ。しかも、ほんの十年前にはまだ除雪車も入らなかったところだから、雪に閉ざされた冬場の楽しみは、酒を飲むことくらいしかなかった。

だからなのかはわからないが、熊田の男たちは酒豪揃いである。来客があって酒盛りをするときは、当然のごとく、浴びるほど飲みまくっての無礼講となる。それが心からの歓迎の印であり、相手が気持ちよく飲んでくれると、なおさら嬉しい。

それにしても、である。

こんなに大酒を飲む女を、滝沢は初めて見た。

この人大丈夫かと吉本に小声で訊いてみると、「いいんじゃないですか、本人も楽しそうなんだから」という返事。確かにその飲みっぷりは実に気持ちよく、見ているだけで楽しくなってくる。いつもは、むさ苦しい男だけで座を囲むところ、美佐子の存在は、間違いなく花を添えていた。

爺やなんか、最初は胡散臭《うさんくさ》げにしていたくせに、勧めた日本酒をいっぺんで飲み干したのを見て、彼女をいたく気に入ってしまったらしい。ふたりしてさかんに肩を叩きあって笑い転げている。

実際は悪い人間ではなかったんだと、上着を脱ぎ捨て、Tシャツ一枚になって爺やとともに気勢をあげている美佐子を見て、滝沢は思った。

酒を食らって本音を言いあえば、人間なんて、けっこうわかりあえるものなんだ。だから俺たちはこうして飲むのさ。

どこかで聞いたような台詞《せりふ》を思い浮かべながら、いっときだけ悩みを忘れ、心底愉快に、滝沢は飲みつづけた。

しかし、いくらなんでも飲ませすぎのようだった。

コップの縁から酒を零《こぼ》しながら、それでもずずずっと啜《すす》って半分ほど中身を空けた美佐子が、ガツンと音をさせてコップを置いた。

かなりの酩酊《めいてい》状態にあるようだ。上半身がぐらぐらしていて、完全に目が据わっている。

「あのねえ」と言ってから、しゃっくりをひとつし、悟と貢を指さした。

「そんなことを言いながら、あんたたちだって、クマを殺してるのは同じでしょう。いったいどう違うってのよ。説明してくださいよ、ちゃんと、わかるようにぃ、説明しろお～」

悟と貢が顔を見合わせる。

二人は、夏グマの有害駆除に対して、さっきから文句を並べ立てていたのだ。

――ややや、ついに絡み酒か。

滝沢は思ったが、止める気にはならなかった。ろれつの回らない口調で喋る美佐子を見ているだけで面白かったし、若い二人がなんと答えるか聞いてみたかったのだ。

「姉ちゃんよお、クマっていうのはなあ、山からの授かりものなんだ。大事にしなきゃいけねえ。それをあんなふうに罠にかけて殺してよ、しかも、食いもせずに焼き捨てちまうなんて、そんな酷いことをやっちゃいけねえ」

貢が答えた。こっちもだいぶ酔いが回っているみたいだ。

「説明になってないっ、じゃないですかあ。じゃあ、食べてしまえばいいってこと？」

「そういうことじゃなくって、俺たちのクマ狩りは、根本的に違っているっていうこと」

「わっかんないなあ。どこがどう違うのか、私には、わかんないっ」

「いいか、姉ちゃん」と悟が口を挿む。

「俺たちはな、むやみやたらにクマを殺すことはしてこなかったし、今もしてないのさ。巻き狩りで狩るったってよ、年に二頭、多くても三頭って、行政が言いはじめる前から、自分たちで決めて守ってきた。獲りすぎてクマがいなくなったら、いちばん困るのが俺たちだしな。しかも、獲れたクマは、みんなで平等に分けるのさ。クマの胆《い》だって、外の者に売ったりしねえで集落の者で分けるんだ。冬場になるとよ、少し前までは、病気になっても、簡単には町に行けなかったんだぜえ。貴重な常備薬だったのさ」

うんうんと、首がおかしくなるのではないかと思うくらい頭を上下に振って聞いていた美佐子が、スカートの上から膝を叩いた。

「う〜ん、わかった、それはわかった。あんたたちの言うこともわかる。でもさあ、それって昔の話でしょう。なにも、クマ狩りをしなくたって、今は困ることなんか、な〜んにもないじゃない。違いますかあ」

悟と貢が困った顔をした。

「姉ちゃん」と、今度は爺やが言った。

「あんたの言ってることは、確かに正しい」

「でしょう？」

「でもな、姉ちゃん。私らはの、ずっと昔から、クマ狩りでこの村を守ってきた。クマを追って山を守り、クマを獲って村を守ってきた。クマ狩りをやめれば、私らは、村を守れなくなるのさ」

爺やの言葉に一同が神妙に頷くなか、美佐子だけがポカンとした顔をしていた。

爺やの言葉に、う～ん、と唸《うな》っていた美佐子が、しばらくして、意味不明の笑みを浮かべた。男たちの顔をひとしきり眺めてから、コップに手を伸ばす。

「おい、姉ちゃん、なんぼなんでも飲みすぎでねえか？」

さすがに心配になり、滝沢は美佐子の手から酒を取りあげようとした。

「あのねえ、さっきから、姉ちゃん、姉ちゃんって。私には、美佐子っていう名まえが、ちゃんとあるんですう」

「そうじゃなくって、酒はもう――」と言いかけたところで、半分残っていた日本酒を、ぺろりと飲んでしまった。

二度、大きなしゃっくりをしたあとで、美佐子はこくんとうなだれ、首を振った。

「爺やあ、だめ、私には、爺やの言ってることがよくわかんないよお」

「だったらの、姉ちゃん、いや、美佐子さん。あんた来年の春のクマ狩りに来なさい。私らのクマ狩りをその目で見なさい。そうすれば、今言ったことがわかるはずだでの」

爺やが、自分の孫にでもするように、手を伸ばして、美佐子の茶色い髪をくしゃくしゃにした。

──このセクハラじじい！

思わず言いそうになったが、頭を撫でられた本人は嬉しそうだ。ばかりか、「きゃっ、ほんとですかあ？　爺や、だあーい好き！」と歓声をあげて、爺やの首に抱きついてしまった。まんざらでもない顔で、爺やが美佐子の背中をぽんぽんと叩いている。

だめだ、完全に酔っ払いの世界だ。

悟や貢、そして吉本と目を合わせ、やれやれと肩をすくめる。三人とも、さすがに呆れ顔だ。

そのとき、バタンと畳に重いものが倒れる音がした。

爺やのほうを振り向いた。

「あれまあ、この姉ちゃん、飲みすぎてしまったみたいだの」

見ると、乱れた髪を頬に張りつかせ、両手を投げ出した美佐子が、畳の上に伸びている。

「飲みすぎって、爺やが飲ませすぎたんだろ」

ぼやきながら、助け起こそうとして腰を浮かせかけた滝沢を、吉本が制止した。

「すいません、僕が連れて行きますから皆さんはゆっくり飲んでてください。寝かせたらまた来ます」

「そうか」と頷きながらも、滝沢は介抱役を奪われたみたいで、少し残念な気がしていた。

17

——やってしまった！

ずきずきする頭を抱えながら、ここはどこだと渋い目を擦《こす》り、自分がタオルケット一枚で布団の上に寝ているのに気づいたとき、美佐子は、谷底に突き落とされた気分になった。

慌てて身を起こし、窓から射《さ》しこむ朝陽《あさひ》のなかで、汗でべたつく体に手を這《は》わせる。ジャケットは着ていなかったが、Tシャツとスカートは、昨夜と同じものを身につけたままだった。

とりあえずほっとしたところで、ひどい吐き気が襲ってきた。

う～と呻《うめ》いて左手でTシャツの襟《えり》を摑んで胸元に空気を入れ、右手で頭をかきむしる。今にも吐きそうだ。

背中に手を回してブラジャーのホックを外し、スカートも緩めた。

それで少し楽になった。相変わらず後頭部がガンガンするが、なんとか吐かずにすみそうだ。

布団の上にうつ伏せになり、口で息をしながら、昨夜の記憶を取り戻そうと必死になる。

だめだ。

爺やと一緒に、日本酒を三杯空けたあたりまではどうにか辿れるが、そのあとの記憶がまったくない。宿泊所までどうやって帰って来たのかすら覚えていなかった。

自己嫌悪で目の前が暗くなった。

吉本や滝沢たちに、どんな醜態を見せてしまったのか、それにも増して、彼らを相手に何を口走ってしまったのかと思うと、恥ずかしさと不安で、消えてしまいたくなる。

——あんなに気をつけてたのに……。

今度は泣きたくなった。

社会人になってからは、ここまで深酒をしたことはなかった。学生時代のコンパで酔い潰《つぶ》れたとき、一緒だった友達にあとでさんざん愚痴を聞かされ、懲《こ》りていたからだ。アルコールにそこそこ強い体質が、いいことなのか悪いことなのか、わからなくなってしまう。

——こんなこと考えててもはじまらない。

そう思い、美佐子はふらふらと立ちあがった。

治まりかけていた吐き気が戻ってきた。

とにかくシャワーが欲しかった。熱い湯を浴びれば少しは気分がよくなるかもしれない。

着替えを手にし、風呂場《ふろば》へと向かう途中、隣の部屋にもキッチンにも、吉本の姿がないことに気づいた。気づいたけれど、どこへ行ったのか捜す余裕はなかった。

熱いシャワーのおかげで、いくぶん気分がすっきりした。

ジーンズと替えのTシャツを身に着け、部屋に戻る途中で、キッチンからコーヒーの香りが漂ってきた。

覗いてみると、ダイニングテーブルを前に、コーヒーカップを手にした吉本が微笑みかけている。

「おはようございます。大丈夫ですか？」

「ええ、なんとか」

廊下に立ったまま、美佐子は頷いた。

「朝食——といっても、その顔じゃ無理そうですね。コーヒーくらいならどうです？　アメリカンにしてあるから、胃袋に入るかも」

「じゃあ、これ——」バスタオルにくるんだ包みを指さし、「——部屋に置いてきますので」と言ってキッチンを離れた。

部屋に戻り、旅行用のバッグを探って、替えの衣類にまだストックがあることを確かめてから、脱いだ下着類をビニール袋に詰めた。

コンパクトを開いて化粧をしようとしたが、やめた。ファンデーションの匂いを嗅《か》ぐと、また気持ち悪くなりそうだ。

結局、ドライヤーで簡単に髪を乾かしただけで、キッチンに戻った。

「砂糖とミルク、入れときましたよ。二日酔いのときはそのほうがいいですから」

吉本の向かい合わせの席に、コーヒーカップが置かれている。

「すいません」

椅子に腰かけ、カップを持ちあげて、ひと口啜った。

　予想に反して、すんなり胃に入った。

　コーヒーはインスタントではなかった。ふだんはブラックで飲むが、ミルクと砂糖入りのほうが、こんなときには美味しく感じる。

「これ、吉本さんが淹《い》れてくださったんですか」

「車のなかにね、どこでも淹れられるように、豆とフィルターは用意してあるんです」

　もうひと口啜り、カップをテーブルに置いた。そして頭を下げた。

「あの、昨夜はすいませんでした」

「なに、気にしないでいいですよ」

「でも、さんざんご迷惑をかけたはずです。はずですと言うのもへんですが、途中からよく覚えてなくって――ほんとうにごめんなさい」

　頭を下げている美佐子の耳に、吉本のくすくす笑いが聞こえた。

　口許に笑みを残しながら吉本が言った。

「さすがにね、あの飲みっぷりには、ちょっとびっくりしましたが、大丈夫です。彼らにとっては、あれくらいの量は普通ですから」

「でも、ひどく失礼なことを言ったり、しちゃったりしたんじゃないかと――」

「いや、かえってね、美佐子さんのことが気に入っちゃったみたいですよ」

　苗字でないほうで名前を呼ばれて、どきりとした。吉本は、自分がはじめて美佐子と呼んだのに気づいた様子もなくつづけた。

「あなたが潰れてから、また戻って飲んだんですが、彼ら、言ってました。ここまで酒につき合うとは、なかなか見どころがある姉ちゃんだって。こうなったらもう、取材はばっちりですよ」

「そう――なんですか」

なんだか狐《きつね》につままれた心境だ。こういうのを怪我《けが》の功名と言うのだろうか。

「あのう、また戻って飲んだというと、私、どうやってここまで戻ったんでしょうか」

「どうやってって、僕がおぶってですよ」

うわっ、滅茶苦茶かっこ悪い。それじゃあまるで、盛り場の路地で酔い潰れている学生と一緒ではないか。

やっぱりあんなに飲むんじゃなかったとげんなりしていると、ところで、と前置きをして吉本が尋ねた。

「美佐子さんが大丈夫なようなら、このへんの山を案内してくれるって、滝沢さん、あ、昭典さんね、彼が言ってますけど、どうします？」

一瞬どうしようと迷ったが、すぐに頷いた。

ありがたい申し出だ。少々体調が悪くても断ったりしたらまずいし、山を歩いて汗を絞り出したほうが、早くアルコールが抜けるだろう。

左手のダイバーズウォッチに目をやってから、吉本が言った。

「じゃあ、十時ごろの出発ということでお願いしてきます。かまいませんか？」

「はい」と返事をしてから、どうしても気になったので、美佐子は訊いてみた。

「あのう、今まで佐藤さんだったのが、どうして急に、美佐子に――」

「あれ？　自分で言ってたじゃないですか。私は姉ちゃんじゃない、美佐子と呼べって」

怪訝そうに言う吉本の言葉に、頰がカーッと熱くなる。昨夜の記憶が全部戻ったら、ひどくバツの悪い思いをするに違いなかった。

18

宿泊所に迎えにきた滝沢に伴われ、山を歩きはじめて十五分もすると、全身から汗が噴き出してきた。

滝のように流れ落ちる汗が、着ているTシャツをぐっしょり濡《ぬ》らしている。

気持ちよい汗だった。

初めこそ足取りは重かったが、歩くにつれ、体内に残っていたアルコールが汗と一緒に蒸発していくのが、手に取るようにわかった。

さらに歩くこと十分少々、見晴らしのよい高台に出たところで滝沢が足をとめ、首にかけたタオルで顔を拭《ぬぐ》いながら言った。

「姉ちゃん、いや、美佐子さん、だいぶ気分がよくなったみたいだの」

「はい、おかげさまで。なんかこう、すっきりしてきました」

「そうそう、二日酔いにはこれがいちばん効くのさ」

笑う滝沢の顔には屈託がなかった。

昨夜の酒で、自分が滝沢たちから気に入られたという吉本の言葉に、嘘はないみたいだ。

「ほんとうはの、五月の連休あたりに歩けば、残雪があって、そりゃあもう気持ちいいのさ。一回、その時期に来てみるといい」

「そうですね、ぜひ」

言って、美佐子は周囲を見回した。

一面、深緑の森だった。

むせかえるほどに濃い緑がどこまでもつづき、山肌を覆い尽くしている。陽射しはきついが、目に入ってくる緑のせいか、清々《すがすが》しくさえある。

「あの稜線《りようせん》が県境かな」

カメラのシャッターを切りながら吉本が呟く。

「そうそう、あそこを越えればもう山形さ。熊田からまっすぐ目指せば、俺らの脚なら、一時間ちょっとで国越えだ」

国越えという表現に可笑《おか》しさを覚えて、美佐子は訊いてみた。

「道はあるんですか」

「今は獣道だけどな、昔は山形の大鳥《おおとり》に抜けるちゃんとした道があったっていうことだ。ほれ、このあたりから湯殿山詣《ゆどのさんもう》でに行くには、鶴岡から回るよりも近道だし」

「へえ、そうだったんですか」

「そう、それにの、爺やのもっと前の時代には、大鳥あたりからけっこう嫁を貰っていたそうさ。嫁入り道具の箪笥《たんす》を担いで峰越えしたっていうからの」

目をみはっている美佐子に、実はな、と滝沢が教えた。

「俺家《おらえ》でもそうだったのさ。鉄太郎というのが俺の祖父《じい》さんだったんだが、女房に貰ったやゑさん、つまり祖母《ばあ》ちゃんだな。実際にあの峰を越えて嫁に来たんだそうだ」

「えーと、その大鳥という村からなんですか」

「いや、八久和《やくわ》という村だったらしいの」

「八久和――ですか」

「そう、大鳥よりも少し月山《がっさん》寄りの村なんだけどね、今はなくなってるな」

「なくなってる？」

「んだ」と、滝沢が少し寂しそうな顔をした。

「ダムの底に沈んだのさ。戦後しばらくして造られた電源ダムのために、村ひとつ、すっぽりダム湖に沈んでしまったっていう話だ」

「村の人たちは、どこかに集団移転でもしたんでしょうか」

「いや、あちこちに離散したっていう話だな」

「滝沢さんのお祖母さんのご実家は？」

「さあ――一時は鶴岡に出たと聞いたことがあるけど、詳しいことはわからねえなあ。祖母ちゃんのお父さんという人も、俺らのような猟師だったらしいけど」

「そうすると、昭典さんの曾《ひい》お祖父さんに当たられる方ですね」

「んだ。もともとは、秋田から流れてきたマタギだったらしいの。鉄太郎祖父さんとも、猟を通して知り合ったそうだ。つまり、自分の娘を鉄太郎さんに嫁がせたっていうことになるな」

「お名前は聞いてます？」

「えーと、確か、富治《とみじ》といううんでなかったっけかな」

「なに富治さん？」

「苗字は知らねえなあ。昨日の爺やに訊けば覚えてるかもしれないけど」

「昭典さんのお父さんからは、なにもお聞きしてないんですか」

「うちの親父は婿さんだからの。猟もしねえし、訊いてもわからねべ」

ふーん、と頷きながら、美佐子は不思議な思いに捉われていた。

わずか数代遡っただけでも、村の背後に息づく歴史の深さが身に染みた。都会に暮らす私たちには窺《うかが》い知れないものを、日々、この集落の人々は背負って生きているのだと、今さらながらに実感する。

「美佐子さん、反対側、見てみると面白いですよ」

吉本に言われ、美佐子は滝沢の傍を離れて、吉本の隣に立った。

「あのあたりが、熊田の集落です」

と指をさされても、集落の家並みが直接見えるわけでもなく、よくわからない。

「なにかに気づきませんか？」

さあ、と美佐子は首をひねった。

特に目を引くものもなく、緑の森が広がっているだけだ。

「よく見てください。麓のほうに杉林があるでしょう。その周囲は、薪用の木材を切り出すナラやクヌギの林になっている。そのへんまでが熊田の集落の私有林のはずです。そこから上が、今僕たちが立っているところもそうですが、国有林の雑木林になっている。それでいいんでしたよね？」

吉本に訊かれた滝沢が、そうだ、と頷く。

相変わらず首を傾げている美佐子を見て、吉本が説明した。

「あの私有林が、動物、特にクマと人間との間の緩衝地帯になっているんです。クマに限らず、野生の動物というのは、自分の姿が丸見えになるのを嫌いますからね。手入れが行き届き、下生えが刈られた林が、うまい具合にバッファゾーンとなっているわけです。だから、周辺の奥山にいくらクマがいても、集落のなかまでは出てこない。少し前までは、山奥の村はどこもそうだったはずです。この熊田の集落のように、自然に棲み分けができていた」

「なるほど、とは思うのですけど——でも、昨日のクマは、人の目につく田んぼにまで出没していたわけですよね」

美佐子が疑問を投げかけると、話を聞いていた滝沢が答えた。

「だから俺たちはの、このへんのクマ、熊田のクマには、教育をしてやってるのさ」

「教育って、どういうことですか」

「そりゃあ、春の巻き狩りに決まってるべ。奴らを巻いてやって、人間っておっかねえもんだって教育してやってんだ」

ちょっとそれは、と美佐子は思った。あまりに都合よすぎる話ではないだろうか。自分たちの猟を正当化するための詭弁《きべん》とも取れる。

少しためらってから美佐子は言った。

「結局は、巻き狩りでクマを仕留めてしまうわけでしょう？　殺してしまったら、教育もなにもないじゃありませんか」

美佐子の反論に、滝沢は、わかってねえなあ、という顔をした。

「いいかい、巻き狩りするっていっても、狙ったクマが全部獲れるわけでもねえのさ。奴らは賢いからな。こっちの裏をかいて逃げおおせるクマが、なんぼでもいるわけだ。むしろ、逃がしてしまうほうが多いくらいかもしれねえ。だから、教育になるんよ。昨夜も言ったけどよ、人の手から逃げようとしてるクマは、ほんとに縮こまってな、恐怖のかたまりって感じで、情けねえ姿をしてるもんさ。あれだけおっかねえ目に遭《あ》えば、人間を襲おうなんて考えもしねえべ」

確かに一理あるようにも聞こえるが、ほんとうにそうなのだろうかと正直思う。

納得しかねているのが顔に出てしまったのだろう。

「それが証拠に──」と言って、滝沢は美佐子が口を挿む前につづけた。「──熊田では、今までひとりもクマに襲われた者はいねえんだ。もちろんクマはいるよ、山菜採りや茸《きのこ》狩りで、クマを見かける人方《ひとかた》はなんぼでもいる。んでも、必ず奴らのほうから逃げちまう。俺ら、ゼンマイ採りなんかで山に入るときは、鳴り声をあげてから入るようにしてるのさ。巻き狩りの鳴り子、要するに勢子《せこ》だな、その人方が出すのと同じように、やーほーっ、ゆーほーってな。それを聞いたクマはよ、こりゃやべえって、さっさと逃げてしまうわけよ」

なんだか、クマという動物を擬人化しすぎている気がしないでもない。昨夜、まだ意識がしっかりしているうちにも感じたが、彼らがクマの話をするときは相手が人間であるかのように喋る。聞いているぶんには面白おかしいが、そこまで擬人化すると、かえって事実から遠ざかってしまうのではないかと思う。

だが、滝沢の表情を見る限り、自分が口にしたことは真実だと、露ほども疑っていない様子がありありだ。

──この人は、自分とクマを完全に同列に置いちゃってる。

そう思い、苦笑しかけたところで、美佐子は、はっと息を呑んだ。ここまで擬人化してクマを語る彼らの見方のほうが、実は正しいのではあるまいかと思ったのである。

クマに限らず、保護する対象として動物を位置づけたとたん、その時点で、動物に対する人間の優位性を、暗に認めていることになりはしないだろうか……。

「どうしたね、難しい顔して」

滝沢に言われ、美佐子は我に返った。

――この点は、あとでもう少しじっくり考えてみよう。

そう思い、尋ね直してみた。

「ということは、昭典さんたちは、村の人たちがクマに襲われないようにするために、クマ狩り――春の巻き狩りをしているということですか」

「うーん、あらためてそう訊かれると困るんだなあ。確かにそれはある、それもあるけど、やっぱり違うな」

「じゃあ」

「こんなことを言うと、また、あんたに叱られるかもしれないけどさ。やっぱり面白いんだよ、巻いてのクマ狩りが。巻き狩りは、奴らと俺らの知恵比べだものな。あれは、やってみなければわからねえ。俺たちにはよ、どうしようもない血が流れているのさ。これぱっかりは仕方ねえんだ。また怒ったかい？」

「いえ――」

「まあ、難しい話はこれくらいにして、もう少し歩いてから弁当を広げるべし」

そう言って、滝沢は、足下にあったリュックサックを背負い直した。

すぐに登山道らしき小径《こみち》に入りこみ、美佐子は滝沢と吉本に前後を挟まれる形で歩いた。

林床を占拠する笹藪《ささやぶ》が深くなってきた。頭上を覆う木々の繁《しげ》みで直接陽射しが当たらないのはありがたいが、空気が抜けていかないために蒸し暑さは増している。いちばんやっかいなのは、顔の周囲をしつこく飛び回るアブや蚊で、いくら追い払ってもきりがない。前を行く滝沢が鉈《なた》を振り、行く手を塞ぐブッシュをなぎ払っている。見ているだけでもうんざりするほどの重労働だ。

整備された登山道でのハイキングとは、かなり勝手が違う。確かに道らしきものは続いているのだが、それにしても狭すぎるし、足場が悪い。履いているのがトレッキングシューズなのでまだよいが、華奢なスニーカーだったら、美佐子の足では、まともに歩けないかもしれない。

「あのー、これって獣道っていうやつですか」

前を行く滝沢に訊いてみた。

「そうさ」と鉈を払いながら滝沢が答える。

「昭典さんたちは、いつもこんなところばっかり歩いてるの？」

意外なことに「まさか」という答えが返ってきた。

「昔の人方は別として、いくら俺らでも、夏場のこの時期、ここまで酷いところには、めったに入らねえよ。疲れるだけだもんな」

聞いた美佐子は、少々拍子抜けした。しかし、考えてみれば当然かもしれない。滝沢たちは趣味や冒険で山を歩くわけではないのだ。

「じゃあどうして」

「この先にミズバショウの群生地があっての。そこに抜ける近道なのさ。もう少しだから、しばらく我慢してけろ」

納得し、口を閉ざして歩きつづける。が、またすぐ滝沢に声をかけた。

「それ、さっきからなにしてるんですか」

ずっと気になっていた。

先導している滝沢が、手にした鉈の腹を、手近にある木の幹に時おり打ちつけているのだ。振り返った滝沢が「これのことかい？」と言ってブナの幹を叩き、カーンという音を立ててみせた。

「そう」

「クマ除《よ》けだよ」

「えっ？」

「このあたりにはたぶんいねえと思うけどな、念のため音を出して、人がいることを知らせてやってるのさ。クマ除けの鈴と同じようなもんだな」

なるほど。と思ったところで、すっと背筋が寒くなった。ハイキング気分でいたのですっかり忘れていたが、この山はクマ猟の谷、つまり、クマたちの棲み処である。

急に不安になり、美佐子は周囲の森をきょろきょろ見回した。藪が割れて突然クマが躍り出てきたらどうしよう……。

「どうした？」

「あ、いえ──クマが出てきやしないかと思って──」

あはは、と滝沢が笑う。

「大丈夫だって。クマがいるとしても、この時期は沢の付近で遊んでることが多いんだ。それに、たとえ出てきてもこれでひと突きさ」

鉈を振ってみせる滝沢を、美佐子は信じられない思いで見つめた。

「あのー、つかぬことをお伺いしますが、その鉈で、クマと戦ったことがあるんですか」

滝沢は、今度は爆笑した。

「ありゃ？　本気にしちまったんかの。あるわけねえべよ、冗談だあ。鉄砲持たずにクマに遭ったら逃げるが勝ちさ。美佐子さん、あんた、俺らの言うことを、なんでもかんでも鵜呑《うの》みにしてはだめだぞお」

──まったくもう。

笑い転げている滝沢に向かって、美佐子は頬を膨らませた。

睨まれた滝沢は、真顔に戻って言った。

「んでもな、いよいよとなれば、覚悟を決めてこれで戦うしかねえもんな。こいつは、山入りのときは、なにがあっても忘れてはだめな、俺らの必需品なのさ」

滝沢が、刃渡りが二十センチ以上ある鉈の刃を指の腹で撫ぜた。

「それにしても凄《すご》い鉈ですね」

サイズもそうだが、片刃のブレードが切っ先の部分で鋭く尖《とが》り、鉈というより刀みたいだ。

「あのなあ、美佐子さん」

「はい」

「さっきから、鉈、鉈って、これは鉈ではないっつうの」

「へっ？」

「叉鬼山刀《マタギナガサ》というやつですよ」

後ろにいた吉本が口を挿んだ。

「昔から秋田のマタギたちが愛用してきた山刀なんです。重量があるので鉈や斧《おの》としても使えるし、上手に扱えば獲物の解体もそれ一本でできてしまう。ハーケンみたいに打ち付けて、凍った岩場を登れるほど丈夫なんです。究極のサバイバルナイフってとこですかね。その昭典さんが持っているのは刃渡り七寸の柄付《えつき》ナガサっていうタイプのものですが、他に袋ナガサというやつもある」

「フクロナガサ？」

「ええ、持つところ、柄の部分が鉄の筒状になっていてね、そこに棒を固定すれば、タテというクマ槍《やり》としても使えるわけです」

へえー、と感心して、あらためて叉鬼山刀を眺める。

説明を聞いたせいか、ただの鉈だと思っていたものが、生き物のようにさえ見えてきた。

「これはよ——」と滝沢が自慢げに言った。

「——今年の『マタギの集い』に行った帰り、阿仁町の荒瀬《あらせ》というところで買ってきたのさ。

似たようなのはあちこちで作られているけどな、やっぱり本場で作られた本物がよかったからね。こいつが前から欲しかったんだ」

包丁とカッター、むだ毛処理の剃刀《かみそり》以外に刃物を買ったことがない美佐子には、どうにも理解しかねる愛着が、滝沢の目に浮かんでいた。

「さあ、よけいな道草食ってねえで進もうや。美佐子さん、もう少しだから、あんた少しおとなしくしててくれ。これだと、いつまでたっても弁当を広げられねえべ」

ごめんなさいと滝沢に謝り、美佐子は今度こそ口をつぐんで、黙々と足を運んだ。

歩くこと十五分ほどで、頭上が開けた。

「さあ着いた」

汗を拭い、気持ちよさそうに伸びをしている滝沢に、美佐子は尋ねた。

「ミズバショウって、これが？」

「そうだよ」

「でも――」と、美佐子は指さした。

足下は、ミズバショウの群生地に相応《ふさわ》しく、確かに湿ってはいる。

だが、美佐子が示した先には、ツクシに似た花を包む、あのおなじみの、白くて可憐《かれん》な仏炎苞《ぶつえんほう》など、どこにもない。あるのは、にょきにょきと伸びる長い楕円形《だえんけい》をした巨大な葉ばかり。大きいものだと一メートル近くもあるのではなかろうか。

「まったくあんた、なにもわかってねえんだなあ。今はとっくに盛りをすぎちまったの」

できの悪い生徒だと言わんばかりに、滝沢が呆れ声を出した。

はあ、と美佐子は溜め息をついた。

そういえば、いつだったか尾瀬《おぜ》にミズバショウを見に行ったのは、五月の終わりごろだったような気がする。それにしても、開花のあとの葉っぱが、グロテスクなほどこんなに巨大に生長するなんて……。

美佐子が考えていたことを見透かしたらしい。

にっと笑って吉本が言った。

「観光客ってね、いちばん美味しいところだけ見て、あとは知らんぷりでしょう？　これを見て、ミズバショウの葉だとわかる人が、果たしてどれだけいるんだか」

まったくもってその通りだった。

都会の雑踏のなかで胸を張って歩いている自分なんか、ひとたび自然のなかに放りこまれれば、なんの知恵も持たずにうろたえるだけの、ただの役立たずのような気がしてくる。

美佐子が自分の無知さ加減にうんざりしていると、少し離れたところで腰を屈めていた滝沢が、声をあげて手招きした。

何を見つけたのだろうと、ふたりで滝沢の傍まで行ってみる。

「こりゃあクマの足跡だべ」

湿った地面を指さして滝沢が言った。

「そうですね、確かにクマだ」

吉本が滝沢の指先を見て頷いた。

「だべ？　しかもかなりでけえな。百キロじゃきかない大グマだぞ、こりゃ」

「時間もあまりたってないみたいだ。いますかね、このへんにまだ」

「いや、それはねえだろ。んでもまあ、用心してたほうがいいな」

「例の奴ですかね」

「もしかしたら可能性はあるな」

ふたりのやり取りを黙って聞いていた美佐子は、我慢できなくなって訊いてみた。

「これがクマの足跡なんですか？　私にはよくわからないんですけど」

すると滝沢は、さっきまでと違って、からかいの色は浮かべずに真顔で頷いた。

「はっきり残ってはいないけど、間違いねえ。ほれ――」と言ってクマの足跡だという窪《くぼ》みの横、ぬかるんでいる地面の上に自分の足を踏みつけてみせた。

「俺の体重で沈むのはこれくらいだべ。沈み具合を比べるとよ、七、八十キロ程度の並みのクマではないわけだ」

と言われてもさっぱりなのだが、一応頷き、さらに尋ねた。

「例の奴っていうのは？」

確信はねえけど、と断ってから、滝沢が言った。

「昨夜、話に出てたヌシかもしれねえ」

『ヌシ』という言葉の響きに、美佐子は胸騒ぎを覚えた。

このあたりの山には、ずいぶん昔から、ヌシと呼ばれるヒグマ並みの巨大なツキノワグマがいるのだという。ただし、誰もその姿は直接目にしていない。

実際に、猟師たちの間でも意見がわかれているらしく、昨夜の席では、爺やと滝沢が「いる派」、悟と貢が「いない派」だった。いる、いやいない、の話だけで延々三十分も議論を戦わせていたはずだ。

そのヌシかもしれない巨《おお》グマが、しばらく前にここを歩いた。もしかしたら、まだその辺の藪にでも隠れて、じっとこちらの様子を窺っているかもしれない。

想像しただけで、早くこの場を立ち去りたくなった。

しかし滝沢は、特に意に介した様子もなく、のんびりした口調に戻って言った。

「さてと、んでは、あっちのほうの木陰に座れる場所があるから、そろそろ弁当にするべ」

クマのことをいちいち気にしていたら、山仕事なんかできやしない。だいいち、身近に野生の動物がいるのは、昔の日本ではあたりまえのことであって、今さら驚くことではない——それが、おにぎりを頬張りながら聞かされた滝沢の持論だった。

都会では、街のなかにサルやシカが出没するとニュースになって大騒ぎするけど、騒ぐほうが間違っている。なにもクマと違って危険なんかないんだからと、滝沢はつけ加えた。

野生の獣に対する感覚が、私たち都会人とは根本的に違っている。

そういえば、と昨夜の会話を美佐子は思いだした。途中で、なにの肉がいちばん美味いかという話題になった。ウサギだな、と言う者もいれば、いやサルだ、そうじゃないやっぱりムササビだ等々、彼らの話題は尽きなかった。禁猟になる前は、実はカモシカが最高のご馳走だったらしいという話になると、これだけ増えてきたからには、カモシカ猟を再開したっていいだろうにと文句が出る始末だった。言いすぎかもしれないが、山に棲む動物イコール食べ物だと見えているのじゃないだろうかと思うくらいだ。が、それほど単純なものでもなさそうだ。

爺やが言っていた。

話題がヌシに移ったときだ。

「私《わだし》はの、生きている間に、一度でいいからヌシに会ってみたいのさ。でもそんときは、私は撃たねえな。猟師なら、たとえこの国で最後のクマだろうと、引導を渡してやるのがほんとうさ。でもな、鉄砲持っててもたぶん私は撃たない。姿を見るだけでいいのさ。いっぺんでいいから、奴の姿を見てみたいのぉ」

愛《いと》しげに、遠くを見る目で呟く爺やの言葉が、ずしりと重かった。

魔法瓶から注いだ麦茶を啜《すす》り、もの思いに沈んでいた美佐子に、滝沢が声をかけた。

「さあ、そろそろ戻るべか。美佐子さん、食べ残しは捨てないでくれよ、クマに味を覚えさせるとまずいからな」

「あ、はい」

頷き、ひとつ残したおにぎりをハンカチに包み直して、デイパックに戻す。

「ところで、今日は六時ごろでいいかね」

訊かれて、はあ？　と首をかしげた。

当然とでも言いたげに滝沢が笑った。

「第二弾の酒盛りに決まってるべ」

うへえ。思わず漏れそうになった呻き声を、美佐子はかろうじてこらえた。

19

美佐子のなかで、ふたつのものがぶつかり、せめぎ合っていた。

熊田の取材を終えて東京に戻ってから、あっという間に一週間が経《た》っていた。カレンダーは、ちょうど盆入りの日付になっている。

さっぱり行が進まないパソコンのディスプレイを前に、美佐子は「あー、もうっ」と声をあげてから、自分の髪に指を突っこんで、くしゃくしゃにした。実家の二階にある自室で、しかも、夜。誰が見ているわけでもなく、頭をかきむしろうと喚《わめ》こうと勝手なのだが、だからといって、筆が進みはじめるわけではない。

帰京してすぐ、美佐子は『ムーサ』へ掲載する最初の原稿に、大急ぎでとりかかった。お盆の期間は印刷会社が休みになるため、毎月二十日の発売日に間に合わせるためには、お盆前に、どうしても校了にしていなければならなかった。

軽井沢を題材にした第一回目の原稿は、すらすらと順調に進んだ。むしろ、分量を削るのに苦労したくらいだ。千秋の弟、矢島が撮った写真も、アウトドアの撮影は慣れてなくって、と本人が言っていたわりには出来栄えがよかった。

仕事には容赦がない千秋からも、一、二ヵ所、細かい部分を指摘されただけで、すんなりオーケーが出た。「なかなかやるじゃん」の、千秋としては最大級の賛辞つきで。

ところが、時間があるうちに書いておこうと、熊田での取材をもとにした第二回目の原稿にとりかかったところで、パソコンのキーを叩《たた》く手が止まってしまった。

書けない、のではなかった。

書くことはいくらでもあった。しかし、気づいてみると、本来書くべき内容とは正反対の文章になっているのだ。

二十一世紀の自然保護のあり方を考える、というのが、今回のルポルタージュの大きなテーマである。それなのに、いつの間にか、滝沢たちのクマ狩りを容認するような内容になっている。

やはり、今の時代、クマを殺してはいけないと思う。人間に殺されるために、彼らは森で生きているのではない。だとすれば、いかなる理由があれクマを殺してはだめだという論調を崩してはならないのだが、それができない。できない理由は、はっきりしていた。

滝沢たちが、熊田の村のマタギたちが、大好きになっていたのである。

美佐子は、パソコンの横に広げた取材ノートの脇《わき》から革製のペンケースを取りあげ、蓋《ふた》を開いて逆さにした。

ペンケースは、一昨年の誕生日プレゼントに、シェーファーの万年筆とセットで高城から貰《もら》ったものだった。別れた男を忘れるために捨ててしまう、あるいは、大切な思い出としてしまいこんでおく、などという少女趣味はなかった。機能的な道具として使っているだけだ。そのうち、こうして手にしても、なんの感慨も抱かなくなってしまうだろう。

逆さにしたペンケースから、万年筆につづいて、小さなかけらがひとつ、転がり出てきた。一端が鋭く尖《とが》り、反対側が不規則な断面になっている黄色っぽいかけらを摘《つま》みあげ、手のひらに載せて転がした。

かけらは、ツキノワグマの牙《きば》だ。

射殺される直前、最後のあがきとばかりに鉄格子に嚙《か》みつき、無残に折れ飛んだクマの牙だった。

あの光景を思いだすと、あまりの残酷さに未《いま》だに身震いしてしまう。

「以前は、もっと残酷な方法で処分されていたんですよ。まあ、なにをもって残酷とするかの見方にもよりますが」と、吉本が、あとで教えてくれた。

聞いているだけで気分が悪くなる話だった。自治体によっては、最近まで、有害駆除で捕らえたツキノワグマを、槍《やり》で突いて殺していたところもあるのだという。

理由を聞いてさらに呆《あき》れた。駆除の対象になったツキノワグマが捕獲檻《おり》に入った段階で、有害駆除は終了したと判断されるのだそうだ。つまり、檻のなかにいるクマは、もはや有害獣ではないということである。すると、銃刀法上、猟期ではないのだから猟銃を使用することはまかりならん、ということになってしまう。そのため、槍で突いたり、電気ショックを与えたり、あるいは檻のまま水没させて溺死《できし》させたり、さらには日干しにして餓死させたりと、動物の虐待と言われても仕方がないようなことが、ふつうに行われてきたらしい。そこまで杓子定規《しゃくしじょうぎ》なのは本末転倒ではないかという保護団体からの抗議により、つい最近になって、ようやく銃による射殺を認めた自治体もあるという話だった。

法や条例を正確に運用することが行政の仕事には違いないが、ここまで頭が固いと、なにをか言わんや、である。

「それと比べれば、銃によって一発で仕留めてやったほうが、クマにとっても苦痛は少ないでしょう」

吉本は、美佐子にそうも言った。

確かにそうなのだろう。しかし、単なる感傷ではなく、根本的になにかが間違っているとしか思えない。

ツキノワグマの処分に立ち会ったとき、美佐子に揶揄《やゆ》の言葉を投げつけてきた、あの年配のハンターが、最後に言っていた。

「お姉ちゃんよ、どんな記事を書くかはあんたの自由かもしれんが、ひとつだけ忘れないでくれよな。捕まえたクマを、こうして誰かが撃たねばなんねえのは確かなんだぞ。お巡りさんが片付けてくれるわけではないからの。どうしたって、俺《おれ》ら鉄砲撃《ぶ》ちが頼まれることになる。頼まれれば嫌とは言えねえべ。で、最後に悪く言われるのは、やっぱり俺らなわけよの。

お姉ちゃん、これってどこかおかしくないかね」

結局、農作物の被害に遭《あ》う立場の人々を除き、誰も有害駆除なんかやりたくないのだ。

たとえばそう、相馬たちOHNの助けを借りたらどうだろう。小さな自治体が奥山放獣に踏み切れない最大の原因は、お金とノウハウがないからに違いないと思う。それを補うものとして、OHNの存在はうってつけなのではないか。

それでは、そこまではよしとしてみる。山北町で奥山放獣を取り入れ、ある程度効果があったとして、その先どうなるか。

奥山、つまり熊田の周辺の山々で、ツキノワグマの数が増えることになるはずだ。あそこであれば、麓《ふもと》の住民たちと違って、クマが増えても騒ぎ立てはしないだろう。クマは自分たちの獲物であるから、かえって歓迎するかもしれない。

そこで年に何頭か、滝沢たちがクマを仕留めたとして、それくらいは容認してやってもよいのではなかろうか……。

ちょっと、都合がよすぎるアイディアではないかと自分でも思う。奥山放獣されたクマのすべてが、おとなしく熊田周辺に棲《す》みつくわけでもないだろう。だが、スプレーでお仕置きされた経験を持つクマには、たとえ人里に近づいても、人目に触れようとはしなくなる傾向があると、相馬や小川は言っていた。

考えれば考えるほど、今の時点では、これに勝る解決策はないような気が、美佐子にはした。

「よし」と、美佐子は声に出して呟《つぶや》き、牙のかけらを握りしめた。

滝沢たちに追い立てられるクマは少々可哀相《かわいそう》だが、ぎりぎりの妥協点であると思う。もしかしたら、これが「山は半分殺してちょうどいい」という言葉の、二十一世紀版の具現化とは言えまいか。

とりあえず、この方向で二本目の原稿は書いてみることにした。なにか大事なものを見落としている不安もないではないが、今のところ、この線で原稿を仕上げるしかなさそうだ。

美佐子は再びパソコンに向かい、原稿を打ちこみはじめた。

いい感じだ。さっきまでの迷いが消え、澱《よど》みなく文章が流れていく。

原稿が半分ほど進み、ぬるくなった紅茶に手を伸ばしたところで、用事を思いだした。

パソコンのツールバーに出ている時刻表示に目を向ける。まだ十時前だ。この時刻なら、札幌に戻っている吉本に電話を入れても大丈夫だろう。

用件は、次の取材についての打ち合わせだった。

先週末、創心社のオフィスで一本目の原稿の入稿中に、軽井沢の小川から電話をもらった。

聞いてみて、すぐに乗り気になった。

ひと月後、九月の半ばに、岩手県の盛岡市で『ツキノワグマを考える会』というイベントが開かれ、自分も発表者のひとりとして参加するのだという。よかったら、おいでになりませんか、という誘いだった。

さらに詳しく尋ねてみると、仙台と盛岡の事務局が中心になり、宮城県と岩手県で、毎年持ち回りで開催されており、今年で九回目を迎えるとのこと。

クマの保護に携わる関係者だけではなく、研究者や行政担当者、さらには地元の猟師さんから一般の参加者まで、幅広く出席者を募り、ツキノワグマの現状を勉強するとともに、自由なディスカッションをする場なので、取材に来て損はないですよ、と小川は語った。

もちろん、ふたつ返事で参加を申し込んだ。

自分の周囲に、しだいにネットワークが広がっていくことに、美佐子は満足を味わっていた。こうして人の縁が広がり、深まっていくことこそが、フリーライターとしての醍醐味《だいごみ》に違いなかった。

携帯電話を取りあげ、コール音に耳を傾けていると、繋《つな》がった直後に女性の声がした。

「はい、オヤマダです」

びっくりして電話を切りそうになった。番号を間違えたと思ったのである。しかし、メモリーに記憶させている番号を呼びだしてプッシュしたのだから、かけ間違うはずがない。

「あの、すいません、夜分失礼いたします。私、ライターの佐藤という者ですが、そちらに、吉本憲司さんはおいででしょうか」

とりあえず訊《き》いてみる。

すると相手の女性は、「吉本でしたらおりますので、少しお待ちください」と言って、電話を離れた。

聞こえてくる保留のメロディに耳を傾けながら、あれこれ想像を巡らす。

声の感じからいって、三十代後半くらいの印象だ。極端に年配だったり若かったりということはなさそうに思える。

なぜか聞きそびれて、熊田では吉本が独身か既婚者かの確認をしなかった。というより、指輪もはめていないし、吉本自身が口にすることもなかったので、たぶん独身なのだろうと、勝手に思いこんでいた。所帯持ち、という雰囲気がぜんぜんしないこともある。

結婚して苗字《みようじ》が変わっているお姉さんか妹さんが、たまたま遊びに来ている？　いや、それだったら、あらたまって「吉本でしたら――」などと言わないと思う。やはり彼の奥さんなのだろうか。だとしたら、なぜ違う苗字を口にしたのだろう。最近の流行《はや》りで別姓を使っているのか、それとも……。

「お待たせしました」

突然聞こえてきた吉本の声に、今度は携帯電話を取り落としそうになった。

耳に当て直し、口を開く。

今の方はどなた？　と尋ねないでしまう。

「あ、えーと、次の取材の件なのですが――」

事務的に用件を話し、吉本の了解を取ってから、「――では、詳しくは近くなってからということで」と言い添えて、電話を切った。

暗くなった携帯電話のディスプレイを見て口にした。

「なによ、ばかっ」

言ってから自分で驚いた。

何に対しての「ばか」なのか……。

「吉本憲司の、ばかっ」

フルネームで言ってみた。そして、腹を立てた。またしても自分に。

さっきの女性は、吉本の同棲《どうせい》相手に決まっている。絶対そうに違いなかった。

――いったい私は、なにを期待しちゃってたんだろう。

美佐子は、ディスプレイに浮かぶ書きかけの原稿をぼんやりと眺めながら、心のうちで呟いた。

トラックパッドに置いた指先をくるくる回すのに伴い、ポインターが画面のなかを、行く当てもなくあちこち彷徨《さまよ》う。

意識が、原稿の内容から、完全に離れてしまっていた。

「あなたは、あいつが好きなの？」

声に出して自分に尋ねた。

周りに人がいないと、時々これをやる。

子どものころからの、へんな癖だ。頭のなかが混乱しているとき、他人になって自分に問いかけると、気分が落ち着くのである。

「それはないと思う」

「なぜ？」

「だって、高城康祐と別れたばかりだし」

「そんなの、理由になってないな」

傍から見たら、頭がどうかしていると思われそうな独白が続く。

「人を好きになるのに、時間は関係ないでしょ」

「それはそうだけど――」

「じゃあ、認めてみたら？　そのほうが、気分がすっきりするかも」

「でも、あいつには相手がいるんだよ」

「奪っちゃえばいいじゃん」

そこでいやになった。いい歳《とし》の女が、これでは少女漫画の世界と一緒だ。声に出しての独白が、いつもうまくいくとは限らない。今回は、かえって混乱が増してしまったみたいだ。

「美佐子、しっかりしろ」

もう一度だけ声に出し、トラックパッドを軽く叩いて、スクリーンセイバーが動きはじめていたディスプレイを元に戻す。

つづきを書こうとして、結局、あきらめた。原稿のファイルを保存したあと、ウィンドウズを終了させる。

プツンという微《かす》かな音とともに、ディスプレイが暗くなった。

目の前から文字が消えたせいか、別れ際の吉本の顔と声が蘇《よみがえ》ってしまった。

「美佐子さんは田舎の人間が嫌いなのかと思ってたんですが、そうでもなかったんですね」

熊田からの帰り、村上市までパジェロで送ってくれた吉本が、意外だったなあ、と苦笑したあとで、そう言った。

吉本の何気ない言葉を耳にしたとき、ぎくりとした。自分の内側を見透かされたような気がしたのだ。

「なぜ、そんなふうに——私が田舎の人を嫌いだと思っていたんですか」

村上駅の前に停《と》められたパジェロのなかで、ドアノブに伸ばしかけた手を止め、美佐子は尋ねた。

あらたまって訊かれて困ったという顔をしながらも、吉本は説明してくれた。

「いやー、なんというか、『マタギの集い』のときもそうでしたけど、熊田入りしたあともね、田舎の人間に対してなじめない、いや、違うな、自分からなじもうとしないという、頑《かたく》なに拒絶するような雰囲気が、見ていてあったんですよ。それがね、あそこで飲んで、翌日山を歩いてから、きれいに消えた感じがした。だから、ああ、特別に嫌っていたわけでもないんだな、と思ったんです」

私ってそんなふうに見えていたんですか、やだなあと、おどけて笑ってみせはしたが、美佐子は、カメラマンという人種の観察眼の鋭さに、内心では舌を巻いていた。

ある意味、吉本が言ったことは、的を射《い》ていたのである。しかし美佐子は、「それは吉本さんの思い違いですよ」と言ってから、つけ加えた。

「だって、私自身は東京生まれですけど、父の実家は岩手なんです。小学生のころ、少しですが、向こうで暮らしていたこともあるし」

へえ、と吉本が驚きの声をあげた。

「そうだったんですか。岩手の、どちらです？」

「雫石町《しずくいしちょう》の南の外れ、山奥と言ってもいいくらいのところです。田茂木野《たもぎの》という集落の近く」

「ああ、あそこね。なるほど」

「ご存知なんですか」

「取材で何度か近くを通っています。そうか、あのへんがご実家だったんですか」

「父のですけどね。父は次男なので家を出ましたから、私の実家となると、やっぱり東京ということになっちゃうかな」

「小学生のとき、どうしてそちらに？」

「父の仕事の関係です。小学校三年生のとき、一年間通っただけでしたけど」

答えた美佐子は、胸のなかで小さなしこりが疼《うず》くのを感じた。

幼いころのあの一年間は、蓋を被せてしまいたい日々だったのである。

美佐子の父、洋二は、ずっと建築設計畑を歩いてきた人だった。いつの間にか、あと一年で定年退職を迎える歳になっていた。勤め先は、都内にある中堅どころの設計事務所で、テナントビルの設計部門において、十名ほどの部下を持つ部長として勤めている。

特別な出世もしなかったが、窓際族に追いやられることもなく、定年を間近にしたサラリーマンとしては、そつのない人生を送ってきたと言えよう。荻窪《おぎくぼ》に建てた家のローンも完済しており、定年後は温泉めぐりをしながら、学生のころに好きだった山登りを再開するのだと言って、最近は会社帰りにアウトドアショップに足繁《あししげ》く通っている。

そんなだから、定年後になにも目標がなくなり、とたんにがっくりいってしまうような、猛烈な会社人間でもなかったことになる。

だが、そんな父も、若いころはそこその野心家だったらしい。美佐子がまだ幼稚園に通っていたころ、最初に勤めていた会社から独立して、友人と一緒に自分の設計事務所を起こしたことがあるのだ。

当時の美佐子は幼かったし、その後も詳しいことは聞いていないので詳細は今でもわからないが、父は、自分が作った会社を三年ほどで潰《つぶ》してしまった。

つまり、美佐子が岩手県の雫石町で暮らしていた時期というのは、父が事業に失敗し、実家に身を寄せていた期間だった。

当時、母の幸子は、美佐子より四つ下の由梨絵が幼稚園に入り、子育てに手がかからなくなったのを機に、幼稚園勤めに復帰していたはずだ。父の収入が途絶えても、なんとか生活はできたと思うのだが、それでも、一家で田舎に引っこんだのだから、もしかしたら、借金を抱えた夜逃げだったのかもしれない。たぶん、そうなのだろう。

もちろん美佐子は、そんな事情は知らなかった。荻窪の小学校でできた友だちと別れるのは寂しかったけれど、しばらくの間、祖父母や従兄弟《いとこ》たちと一緒に暮らすのだと聞いて、期待に胸を弾《はず》ませたくらいだった。

その期待が、ひどい形で裏切られることになった。

新たな土地で通いはじめた小学校で、いじめに遭ってしまったのである。

昔も、今と変わらぬ陰惨ないじめがあった。自分が身をもって体験したのだから間違いない。

そういえば、と美佐子は、パソコンの黒いディスプレイを凝視しながら思った。

ひとりでいるときの妙な独白は、あのいじめがあったころから身についてしまった癖のような気がする。

はじめは、クラスの子どもたちから歓迎された。ちやほやされた、と言ったほうが正確かもしれない。すぐにたくさんの友だちができたと、美佐子は錯覚した。

今になって思えば当然だ。自分で言うのもへんだが、東京からやって来た可愛《かわい》らしい女の子となれば、放っておかれるわけがない。八歳の子どものことであるから、明確な意図を持ってではないにせよ、美佐子の周りに群がりながらも、ある種の品定めをしていたことは事実のようだ。自分たちの仲間に受け入れるべき相手か、そうでないかの。

いじめのきっかけを作ったのは、リョウちゃんと呼ばれていた体格のよい男の子だった。

いわゆるガキ大将というやつだ。今とは違い、あの当時の田舎には、子分を引き連れて学級を牛耳る子どもが、まだまだ健在だった。

そのリョウちゃんが、美佐子が喋《しゃべ》る言葉、つまり標準語を、生意気だと言ってからかいはじめたのだ。

これが、同じ東北地方でも、もっと都市部であれば違う展開になっていたかとも思う。美佐子にとってはどうしてもなじめない、というより理解不可能なきつい訛《なま》りを解し、土地の子どもと同じように喋ることを強要された。昔とはいえ、すでにアイドルやアニメの全盛時代である。田舎の子どもではあっても、その気になれば標準語を使えるはずなのに、なぜあれほどしつこくからかわれ、攻撃の標的になってしまったのかわからない。

ともあれ、幼いころから気が強かった美佐子は、はじめ、リョウちゃんのからかいに正面から対抗した。口では負けなかった。あんたのような田舎者は大っ嫌いだと言ったはずだ。よくまあ細かいことまで覚えていると自分でも不思議だが、あんたみたいな、でぶっちょで洟垂《はなた》れで、ずーずー弁丸出しのみっともない田舎っぺは、東京にはひとりもいないんだから、とまでやりこめたはずだ。しかも、クラスのみんなの目の前で。

その瞬間、美佐子は、学校のなかで完全なよそ者となってしまった。自分にも非があったと思う。だが、当時の美佐子は、自分のふるまいを省みられるほど大人ではなかった。

いったんよそ者のレッテルが貼《は》られてしまうと、あとは急な坂を転げ落ちるのと一緒だった。それまでは仲良くしていた女の子たちも、急に態度がよそよそしくなった。日に日にエスカレートするリョウちゃんたち男の子によるいじめを、ただ黙って傍観するだけ。誰も美佐子の味方をする者はいなかった。

いじめられる側にも非があるとは、時おり耳にする理屈だが、いったん本格的ないじめがはじまってしまえば、そんなことは関係ない。いじめそのものが目的化してしまうのだ。言葉による嘲《あざけ》りや暴力。氷のような視線だけが突き刺さる無視。それだけではなかった。上履きや靴を隠されたり、教科書を破られたり。給食の盛り付けをわざと飛ばされるなどというのは茶飯事で、三日に一度は異物を入れられた。

そこで音をあげ、泣きじゃくってしまうくらいに自分が弱ければ、むしろよかったのかもしれない。だが、へんに意地っ張りで気丈であるだけに、担任の先生はおろか、親にも助けを求めずに、ただじっと耐えることが日常となってしまった。今ならば不登校という選択肢もあろうが、登校拒否という言葉さえも、やっと都市部で囁《ささや》かれはじめたころで、学校を休むことが罪悪視されていた時代である。幼い美佐子のなかに、その選択肢はなかった。結局、孤立無援の状態を自ら作り出していたようなものだ。

これでは、どんなに気丈な子どもでも、やがて心が壊れてしまう。

おそらく、あとひと月も遅ければ、心身症に陥るかなにかして、どうしようもない状態になっていたに違いない。

それが、三年生を終える間際、父の仕事が見つかり、東京に戻ることになって救われた。あのとき、どんなにほっとしたことか。思いだすと、今でも涙が零《こぼ》れそうになる。

心の奥に巣くう、田舎の人間に対する嫌悪は、すべてそこから来ているのだと、自分でも思う。

――盛岡か……。

小川に誘われた『ツキノワグマを考える会』が開催される盛岡市は、雫石町とは隣り合わせだ。存命中の祖母を訪ねるのを口実に足を伸ばしたら、自分のなかでなにかが変わるだろうか。

ふと頭をもたげた思いに、美佐子のなかに新たな迷いが生じていた。

20

盆休みの最終日、滝沢は新潟から酒田《さかた》に向かう下り特急『いなほ』の車中にいた。松戸からの帰りだった。

しかし、滝沢の傍には、妻や子どもの姿はない。

隣にいるのは、新潟駅を発《た》つや五百ミリリットルの缶ビールを二本空け、そのまま鼾《いびき》をかいて寝てしまった、見知らぬ年配の男だった。

男が食い残したサキイカの匂《にお》いが、口が開いたままになっている袋から漂ってくる。気が滅入《めい》っているせいか、男が吐き出す酒臭い息と一緒になって、やたらと鼻を突く。手を伸ばして袋を取りあげ、ゴミ箱に捨てるか、荷棚の上にある男のボストンバッグのなかに押しこんでしまいたくなる衝動を、滝沢はさっきからずっと堪《こら》えていた。

それほど、今の滝沢は苛立《いらだ》っていた。

思うに任せなかった翔子との話し合いに、深い挫折《ざせつ》と怒りがごちゃ混ぜになり、そのへんにあるものを手当たり次第に蹴《け》りつけたかった。

昨日、滝沢は翔子に会うために、列車で松戸に向かった。車を使わなかったのは、考えごとでぼうっとした状態で運転するのはまずいと思ったからでもあるが、いちばんの理由は、滝沢自身が列車を使いたかったからだ。

結婚前、互いに列車に乗って遠距離恋愛をしていたころのように、車窓からの景色を眺めながら翔子のことを考えたかった。そして帰りには、家族四人で同じ列車に乗っている情景を思い描いていた。

それなのに今、隣にいるのは、アルコールとイカの匂いをぷんぷんさせ、高鼾をかいて足を投げ出している迷惑なオヤジである。情けないことこのうえなく、こんなんだったら車にすればよかったと後悔していた。

松戸に到着したのは、夜も遅くなってからだった。

事前に連絡はしなかった。出かける前に拒絶される可能性を考えると、電話はできなかった。

滝沢は、お盆休みに入ってうら寂しいくらいになっている松戸駅の構内から、あえて公衆電話を使って、翔子の携帯電話に直接かけてみた。相手が誰か、公衆電話であればわからないからだ。

しばらく呼び出し音が続き、やはり出る気はないのかと諦《あきら》め、公衆電話のフックに手を伸ばしたところで、回線が繫がった。

「俺だ。今、松戸の駅にいるんだけど」

電話に出た翔子に告げると、しばらく間を置いてから彼女が言った。

「そう――来ちゃったの」

自分を迎えに来てくれたという安堵《あんど》や嬉《うれ》しさが見いだせない妻の声に、滝沢の胸を不安が掠《かす》めた。

「これから、そっちに行ってもいいかな」

翔子とふたりだけで話すときは、なぜか標準語になる。初めて会ったときからの習慣ではあるのだが、こんなとき、こんな場面で自分の口から出る標準語には、かえってよそよそしさを感じてしまう。

また少し、間が空いた。

「ごめんなさい、家には来ないで」

「でも――」

「やっと俊介を寝かせつけたところだし」

一度しか見てない息子の名前を耳にして、滝沢の心が痛んだ。

「じゃあ、外ででもいい。会って話がしたいんだ」

再び電話が沈黙する。

やがて、軽いため息とともに翔子の声が返ってきた。

「このまま追い返すわけにもいかないものね、わかったわ。でも、今夜はだめ。明日でもいい？」

なんでだよ、近くにいるんだぜ、と出かかった言葉を呑《の》みこみ、滝沢は公衆電話の受話器を強く握りしめた。

「明日のいつ、どこで」

すると翔子は、「北千住《きたせんじゅ》駅の――」と言ってから、二十四時間営業のファミリーレストランの名前を挙げ、そこで朝の十時ごろではどうかと尋ねた。

「なんでわざわざ北千住なんだ？　ここにだってファミレスくらいあるじゃないか」

「お願い。それだったら会いに行けるから」

いったい翔子のやつなにを考えているんだと思いながらも、滝沢は頷《うなず》いた。

「わかった、それでいい」

「ありがとう」

「あ、それから――」

「なに？」

「真奈美と俊介の顔が見たい。連れてきてくれないか」

「俊介はまだ外に出すのは無理よ」

「じゃあ、真奈美だけでも」

しかし、はっきりした返事のないままに、待ち合わせ場所の確認だけで電話が切れた。

滝沢は、松戸駅前のビジネスホテルに部屋をとり、寝つけない夜をすごすことになった。

歩いても三十分とかからないところに妻と子どもがいる。そう考えただけで、ベッドから飛び出して翔子の実家に走りたくなった。実際に一度、ホテルの浴衣を脱ぎ捨て、ズボンとシャツを身につけてエレベーターに乗った。ロビーまで降りたところで我に返った。夜中の二時すぎだった。こんな時間に押しかけたのでは、すべてがぶち壊しになる。

部屋に戻り、備え付けの冷蔵庫から取りだした日本酒の力を借りて、ようやく眠りに就いたときには、窓の外がうっすらと白みはじめていた。

浅い眠りから覚め、朝食を摂《と》らずにホテルをチェックアウトした滝沢は、松戸駅の改札口で、朝の八時前から二時間近く、翔子が現れるのを待ちつづけた。真っ直ぐ、約束した北千住に行く気には、どうしてもなれなかったのである。

ふだんなら通勤と通学で溢《あふ》れ返るはずの改札は、軽装の家族連れや若者たちが通り抜けるだけで、いくら待っても翔子は姿を見せなかった。彼女の携帯電話を呼び出しても、まったく繋がる気配はない。

結局、ぎりぎりまで待ってから、滝沢は上り電車に飛び乗った。

翔子は電車を使わずに北千住に向かったのではないかと考え、少しだけ期待が膨らんだ。たぶん、真奈美や俊介と一緒にタクシーに乗ったのだ。だから、改札口には現れなかったに違いない……。

しかし、滝沢の期待は裏切られた。そればかりか、約束したファミリーレストランに駆けつけて店内を見回したとき、窓際の席にひとりで座っている女性が翔子だとは、最初、気づかなかった。

見覚えのない花柄のワンピースを身に着けていたということもあるが、髪の毛が、あの取材に来たライター、佐藤美佐子のような、明るい茶色に変わってしまっていたのだ。

「どうしたんだ、その頭」

努めて平静を装い、座席に体を滑りこませながら、滝沢は訊いた。あらたまって挨拶《あいさつ》するのも、約束を守って来てくれたことに礼を言うのも、どちらもできなかった。

「あなたとはじめて会ったときもこんな色だったはずだけど、もう忘れちゃった？」

少し寂しげに、翔子は微笑《ほほえ》んだ。

もう忘れちゃった？　という翔子の言葉に、滝沢は胸が抉《えぐ》られる思いがした。

そうだった。熊田に嫁いできてからの翔子は、髪の毛を含めていつも質素な身なりでいたが、最初に会ったころ、まだ東京でＯＬ生活をしていたときは、こんなふうに明るく髪を染め、派手ではないが、そこそこお洒落《しゃれ》に金をかけていた。

翔子にはそんなつもりはないのだろうが、あなたと結婚して田舎に引っ込んで、すっかりお洒落から遠ざかってしまったのだと、責められているような気がした。

運ばれてきたコーヒーをスプーンでかき回し、言葉を探している滝沢に、翔子のほうが先に謝った。

「子どもたちを連れて来ないでごめんなさい。真奈美や俊介がいたら、ちゃんとした話をするのは無理だし、私自身、くじけそうになっちゃうから」

子どもたちに会えるかもしれないという期待を裏切られた落胆は大きかった。ほんとうは、なりふりかまわず翔子をなじりたいところだった。

だが、滝沢は我慢した。この件に関しては、このところずっと我慢ばかりしているが、短気は絶対にまずいと、松戸に来る前から心に決めていた。

うん、と頷き、翔子に尋ねる。

「その、くじけそうになっちゃうって、どういうことなんだ。まだ、向こうに戻る気はないってことか」

翔子の顔が泣き笑いの表情になった。

「あなたって、相変わらずせっかちなのね」

「自分では、そうは思わないけどな」

「ううん、その、白か黒かはっきりさせないと落ち着かないっていうところは、ぜんぜん変わらない」

「悪いことじゃないだろ」

「そう――よね。確かに悪いことじゃない。あなたは悪くない。悪いのは、私なんだから」

「じゃあ、戻ってくれるのか」

「ほら、そこがせっかちなの。私が悪いと言ったのは、そういう意味じゃないの」

じゃあどういう意味だ、と言いかけたところで、滝沢は声を詰まらせた。俯《うつむ》きかげんの翔子の目から、ひとしずく、涙が零れたのだ。

目尻《めじり》の涙を拭《ぬぐ》いながら、翔子が顔をあげた。

「ほんとうにごめんなさい。実は、あなたとつき合っていたころ、まだ、前の男と切れていなかったの」

はじめて聞かされる翔子の告白に、滝沢はただただ呆然《ぼうぜん》とし、悪い夢を見ているような気分になった。

自分との交際がはじまる前、翔子が別の男とつき合っていたことは知っていた。ただし、商社マンというだけで、具体的にはなにをしているどんな男なのかは知らなかったし、知る必要もなかった。だから、どういった経緯で二人が別れることになったのか、詳しいことは滝沢にはわからない。二年ほど続いたところで、その男は別の女性と結婚したと聞いただけだ。翔子がはじめて熊田を訪れ、滝沢たちが主催する『残雪のブナ林を歩く会』に参加したのは、その直後のことだった。

翌春の、二度目の歩く会への参加をきっかけに、滝沢と翔子の交際がはじまった。ところが、半年ほどして、男のほうからどうしても会いたいと言ってきたのだという。

それを撥《は》ねつけてさえいれば、こんなことにはならなかったと、翔子は語った。男の懇願に負け、都内にあるホテルのロビーで会ってしまったのである。

今の妻との結婚は間違いだったと、男は言った。別れる覚悟なので、よりを戻してくれないかと。そのとき翔子は、ばかにしないでと罵《ののし》って、席を立つことはできなかった。一度は真剣に愛した男だった。男の姿があまりに惨めに見えて同情を寄せてしまった。そうして、深い罪悪感に苛《さいな》まれながらも、滝沢と結婚する直前まで、ずるずると密会をつづけることになった。結局、熊田に嫁ぐと決意したのは、すべてを清算し、自分自身に決着をつけるためでもあった。もちろん、あなたを深く愛するようになっていたことがいちばんだけど、と翔子はつけ加えた。

そこまで話を聞いた滝沢は、結果として二股《ふたまた》をかけられていたことへの怒りとは別なものが、頭のなかで暴れまわるのを感じた。

この感じはなんだろうと懸命に考えているうちに、ふいに冷水を浴びせられた思いがした。声を落として、滝沢は言った。

「おまえ、まさか——真奈美は——真奈美はそいつの——」

それを聞いた翔子が怒りだせば、どんなによかったことか。

しかし翔子は、俯いたまま首を振った。

「わからないの、ほんとうにわからないの。誰にも言えずにずっと悩んでいたの。ごめんなさい——」

娘があなたとの子だと信じている。しかし、どうしても絶対だとの自信が持てず、ずっと悩みつづけていた。ほんとうはこんなことを告白するつもりはなかった。でも、これ以上は耐えられないところまで来てしまった。この先どうしたらよいか、ひとりで考えたくて熊田を離れた。

涙声で翔子はそう言った。

頭が半分麻痺《まひ》したまま、滝沢は口を開いた。

「真奈美がほんとうに俺の子かどうか、血液型を調べればわかるはずだ」

「彼の血液型はあなたと同じO型なの。だから、血液型ではわからない」

「じゃあ、ほら、DNA鑑定とかっていうのがあるだろ。それなら——」

「あなたって、どうしてそうなの」

翔子が滝沢の言葉を遮《さえぎ》った。

「どうして、そうして白黒をつけたがるの。それであの子が、あなたの子だとはっきりすれば満足なの？　もし、違っていたらどうするの。俺の子じゃないって放り出してしまうの？」

「誰もそんなことは言ってないだろっ」

思わず荒らげた声に、混み合いはじめていた周囲の席で、一瞬会話が途絶えた。

声を潜めて言い直す。

「そんなつもりで言ったんじゃないんだ。それでおまえが悩んでいるのなら、結果がどっちに出ようと、思い切ってはっきりさせたほうがいいんじゃないかと、そういうことだよ。どんな結果が出ようと、真奈美は俺たちの娘に変わりない。だろ？」

そう言いながらも、滝沢は、これは果たして自分の本音なのだろうかと、不安を抱いていた。もし、真奈美が違う男の子どもだったら、俺は今までどおり、娘を愛することができるだろうか……。

滝沢の不安は、翔子にも伝わったに違いなかった。

「ごめんなさい、やっぱり言うんじゃなかった。あなたが私を許せないのなら、大丈夫、私ひとりであの子たちを育てるから」

「なんで、いきなりそうなるんだよ」

言ったあとで、なぜか思ってもいなかったことを口走ってしまった。

「翔子――まさか、俊介も――」

しまった、と思ったときは手遅れだった。

滝沢を見つめる翔子の目が見開かれた。

数秒間、そうしたあとで、彼女の瞳《ひとみ》からすっと表情が消えた。

そこまであなたが私を疑うとは思ってもみなかった――瞳と同様、表情が消えた声で、そう翔子が呟いたあとの会話は、何の進展もなく終わってしまった。そしてひとりで、帰りの列車に乗ることになった。

この先、いったい俺たちは、俺たちの家族は、どうなってしまうんだろう。

府屋駅に近づく列車に揺られながら、滝沢の思いは堂々巡りをするだけだった。

今の滝沢のなかで、翔子という存在は、昨日までとは違ったものになっていた。妻を愛する気持ちに変わりはない。彼女の過《あやま》ちを、過去のものとして許すこともできると思う。だが、理屈ではどうしようもないものの、どうしても割り切れないものが、自分のなかで燻《くすぶ》りつづけている。それがともすれば、翔子に対する怒りに転化してしまいそうでやるせない。

こんなことは、ずっと秘密にして黙ってくれていればよかったのに。あるいは、どうせ告白するのなら、あんなふうにではなくあっけらかんと、そう、あの大酒飲みのライターのように、からっと打ち明けてくれたほうが、よっぽど気が楽だったかもしれない……。

気づくと、滝沢が乗った『いなほ』は、府屋駅に停車するために減速をはじめていた。

21

相変わらず気持ちよさそうに鼾をかいている隣席の男に一瞥《いちべつ》をくれ、滝沢は荷棚の上から自分のバッグを下ろした。

知った顔がいないことにほっとしながら改札を出て、駅前の駐車スペースに青空駐車させていた自分の車に乗りこむ。

親父《おやじ》とおふくろには、なんと説明したらいいだろう。ほんとうのことなど言えるわけはないが、なにか辻褄《つじつま》のつく説明をしないことにはまずいくらいに、時が経っている。

暗澹《あんたん》たる気分で車を出し、中継《なかつぎ》の集落の手前にさしかかったあたりで、前方から一台の車が猛スピードで向かってきた。

見覚えがある車に、滝沢は目を凝らした。

パールホワイトのワゴン車は、悟のレガシィだった。

向こうも滝沢に気づいた。

すれ違う直前、パッシングとともにけたたましくホーンを鳴らし、急ブレーキをかける音がつづいた。

どうしたんだろうと思い、滝沢もブレーキを踏みこみ、車を停めた。

後ろを振り返ると、停車したレガシィが、今度はえらい勢いでバックしてきた。

バックしてきた悟のレガシィが、滝沢の車の真横で停まった。

サイドウィンドウを下ろして、首を出す。

「どうしたんね、泡食って」

滝沢が訊くと、同様に窓から首を突き出した悟が、息せき切って答えた。

「ユキエ婆さんがクマにやらった！」

顔から血の気が引いた。

「いつや」

「二時間ばかり前だ。ミズを採りによ、沢のほうに行ったみてえなんだ」

「死んじまったのか」

「いや、頭の皮がべろっと剝《は》がされたけど、命は大丈夫だ。自分で歩いて家に帰ったくらいだからな。救急車で村上の病院に運ばれて、息子夫婦が付き添ってる」

「クマは」

「逃げてしまった。爺やたちが山狩りするべって集まってる」

「無理だべ、今の時期では」

「たぶんな。んでも、やるだけはやってみるべってことになった」

「おめえはどこさ」

「駆除の申請出しに役場に行くのさ。帰りにトラック借りて、檻を運んでくる」

「手伝うか？」

「こっちは大丈夫だ。それより、おめえ早く村に戻れや。急げば山狩りに間に合うべ」

「わがった」

「気ぃつけろよ」

頷き、滝沢はアクセルを床まで踏みこんだ。

ホールスピンして暴れる車体を、ハンドルで押さえこむ。

――なんてことだ。

はやる気持ちをなだめながら、滝沢は舌打ちした。

今まで、クマが原因で、死人はもとより、怪我人《けがにん》ひとり出したことがないというのが、熊田の集落の密《ひそ》かな誇りであり、自慢でもあった。少し惚《ぼ》けがきている婆さんゆえ、うっかりクマと鉢合わせになったのかもしれないが、それにしても、あってはならないことが起きてしまったと言うしかない。

自分の家族と同じように、熊田の集落にも、どこからか破綻《はたん》の足音が近づきつつあるように思えてならなかった。

本来は、書面によって有害駆除の許可が下りるまで、駆除の実施は待たなければならない。また、夏グマの駆除は捕獲檻の設置によって行うのが常であるから、猟銃を持ってのこの時期の山狩りは、法に照らし合わせてみると、かなり微妙なところだ。

滝沢とてそれは十分承知しているが、今回の場合、そういう問題ではなかった。

村人が襲われたということは、熊田の住人にとって、ある意味、クマから挑戦状を突きつけられたのと同じだ。

村の周囲にクマがいるのはいい。

畑の作物が少々やられようと、それくらいはクマの取り分だと割り切れば、どうということもない。

猟の際に反撃され、たとえ命を落とすことになっても、クマのほうがうわ手だったのだと諦めることができる。

ただし、ひとつだけ許せないことがある。

丸腰の村人を襲うということは、互いに結んでいる暗黙の了解を、クマのほうが破ったことになる。

それが、法律ができる以前からの、奴《やつ》らと俺たちとの間の掟《おきて》であると、滝沢たちは考える。

掟と法律のどちらが優先されるか、この村では、誰に聞くまでもなく明らかだった。

それから三十分後、集落の外れ、簡易宿泊施設の建物の前に、爺やと滝沢をはじめ、銃のケースを背負った総勢七名の男たちが集まっていた。

「ユキエさんには悪いが、お盆の時期でいがったな」

　爺やが言い、皆が頷いた。

　その言葉にはふたつの意味があった。

　ひとつは、ふつうの時期とは違い、マスコミが嗅《か》ぎつけるのが遅れるだろうということ。もうひとつは、宿泊所に外部からの泊まり客がひとりもいないということ。

　誰もが、この山狩りが、密猟として摘発されてもおかしくないことを知っているのだ。

「爺や、どこから攻めるべ」

　滝沢が訊くと、「今年から、おめえが親方だべ」と爺やが笑った。

　頷き、少し考えてから滝沢は言った。

「んでは、ユキエ婆さんがやられた沢を、いつもと同じく下から巻いてみるべ。誤射が怖いから、鉄砲方《てっぽうがた》は本待場《ホンマチバ》に俺ひとりでいい。爺やは、見通しが悪いだろうけど、向棚《ムコダナ》に着いてけろ。残りはぜんぶ鳴り子だ。巻くのは一回。それでだめなら仕方ねえ」

　よし、と男たちが重々しく頷いた。

　しかし、夏場に繁茂する深い茂みが、結局はクマに味方した。広葉樹が葉を落としている残雪期であれば、滝沢たちの巻き狩りは成功していただろう。巻いた猟場《クラ》に最初からクマがいなかったのか、ブッシュに紛れて逃げおおせてしまったのかは定かでないが、一度だけと決めて行った巻き狩りは、一発の銃声を聞くこともなく空振りで終わった。

　予想はしていたことなので、大きな落胆はなかった。山から下りた滝沢たちは、ユキエが襲われた沢筋に、悟が運んできた捕獲檻をその日のうちに設置した。

真夏の時期、たいていのクマは、湿った沢筋についてセリ科の植物を採食していることが多い。それを知らない都会のキャンパーやハイカーたちは、夏のハイキングで好んで沢筋を歩いたりテントを張ったりするが、クマの巣に自分から踏みこんでいるようなものだ。

案の定、捕獲檻を設置してから二日目の夕方、体重が五、六十キロ程度の若い雄グマがかかった。滝沢は、ちょうど手が空いていた悟と一緒に檻へ向かった。

「こいつじゃないんじゃねえか」

クマを見ながら悟が漏らした。

たぶん違うクマだと、滝沢も思った。

ユキエ婆さんが襲われた付近に残っていた足跡は、あまりはっきりしたものではなかった。だが、ヌシとはいえないまでも、もう少し大きなクマであったことは確かな気がする。

「かかった以上は始末せねばな」

「そのあとどうする」

「焼いたことにして食うか」

「夏グマはあまり美味《うま》くねえぞ」

「焼き捨てるほうが可哀相《かわいそう》だべ」

「それもそうだな」

滝沢は、ケースに入っていた猟銃を取り出して、薬室に弾丸を装填《そうてん》した。

鉄格子の隙間《すきま》に銃口を入れ、呟いた。

「悪いな、運がなかったと思って諦めてけろ」

硝煙の匂いを伴い、沢筋に銃声が轟いた。

クマの最期を見届けてから悟が言った。

「うちの婆やが言ってたんだけどよ、ユキエさんが襲われたのは、あの人のせいでんあんめえかってな」

「あの人って」

「美佐子さんさ。あの人がここに来て、山の神さまが怒ったんだって言っている」

「まさか」

言いはしたが、滝沢の胸には、得体の知れない不安が広がっていた。

22

東北新幹線を利用して盛岡に向かうとき、美佐子は、空きがあれば必ず通路の左側、窓際の席を予約することにしている。

盛岡が近づくにつれ、窓の外に、雄大な岩手山《いわてさん》が見えてくるからだ。

南部富士とも呼ばれるコニーデ型の山影は、いつ見ても、息を呑むほどに美しい。雪に覆われ、銀色に輝く季節が一番だとは思うが、雪がない季節であっても、裾野《すその》から頂上に向かって微妙に色彩を変えていく山肌は、いくら見つづけても飽きがこない。そんな山塊に常に抱かれるようにして佇《たたず》んでいるからだろうか。こぢんまりとしているが、実に落ち着いた情緒が盛岡の街並みにはある。東北の都市のなかでは、東京のようにせかせかしていて、コンクリートで街を埋め尽くすことに腐心しているかのような仙台より、ずっと好きかもしれない。

都市というものは、最終的にはそこに暮らす人々の精神性がダイレクトに反映されると、美佐子は思っている。

あの岩手山をいつも見あげて暮らしていれば、しょせん人間はちっぽけな存在なんだという、よい意味での諦観《ていかん》が人々の心に生まれ、育まれていくのではなかろうか。

その盛岡で開催された『ツキノワグマを考える会』の取材は、誘ってくれた小川が言っていた通り、実り多いものとなった。

市内の私立高校を会場とし、二日間にわたって行われた研究発表とディスカッションだったため、グラビア記事ということを考えれば、映像的には少々もの足りなかった。だが、内容が実に面白かったのである。特に、プログラムの最後を締めくくった、ある大学教授による、講評を兼ねた講演がふるっていた。

ゲストとして喋ったのは山岸哲生《やまぎしてつお》という七十年配の人物だった。さまざまな立場や役職の者が参加するとは聞いていたが、まさか、美佐子でさえ耳にしたことがある高名な宗教学者が講師を務めるとは、会場に入るまで予想もしていなかったので、ほんとうにびっくりした。

その彼が、開口一番こんなことを口にしたのである。

「最近、自然との共生という言葉をよく耳にしますが、共生という言葉が、私は大嫌いなんです。共に生きるなどという、いかにも耳あたりがよい部分に、胡散臭《うさんくさ》さとまやかしを感じてしまうのです」

多方面からの参加を募っているとはいえ、百名ほどが集まった会場で、やはり最も多いのは、自然保護や動物保護の関係者と、それに一方ならず関心のある一般参加者である。二日間にわたり、さかんに飛び交っていた「自然との共生」というキーワードを、真っ向から否定するような言葉が、最後の最後になって、いきなりゲストの口から飛びだしたのだ。講演の内容については、山岸教授に完全にお任せで、事前のすり合わせはなかったのだろう。司会者の顔が青ざめるのが、後方にとった美佐子の席からでもわかった。会場自体も、水を打ったように静まり返った。

まったく意に介した様子もなく、教授はつづけた。

「共に生きる前に、厳然として我々に突きつけられている大事な事実を忘れちゃいませんか、と言いたいのです。生き物は、ほかの生き物を殺すことで生きながらえている。互いに殺し合うのが生き物の本質なのです。死を見つめるという部分が抜け落ちた議論は、なんの意味もない。他者を殺す覚悟と、自己が殺される覚悟。このふたつの覚悟がはじめにあっての共生の思想であれば、私にも頷ける。いかにして共に生きるかの前にあるべき、いかにして共に死ぬかの思想、いわば『共死』の思想とでも申しましょうか。これに真正面から向き合わない議論は、あまりに空虚です。ところが、このところ巷《ちまた》に溢れている『共生』という言葉には、最近流行りの『癒《いや》し系』にも似た心地よさと、それに便乗した清浄なイメージばかりが先行している。どろどろと汚れた部分、生身の生き物が生きていくうえで避け得ない部分が、すっぽりと抜け落ちている。言葉は悪いですがね、そんな議論は、私としては、ちゃんちゃらおかしいと言わざるを得ない。よろしいですか、はじめにありきなのは、『共生』ではなく『共死』なのです。それを忘れてもらっては困るのです」

こうしてはじまった山岸教授の熱弁は、二十分間という予定の枠を大幅に超えて、倍の四十分近くもつづいた。

はじめ壇上に立ったときには、どちらかといえばしょぼくれたお爺さんとしか見えなかった教授が、終わりのころには、目に見えるのではないかと思うほどに強烈なオーラを発していた。そのオーラに当てられてしまったのだろうか。彼が喋り終えてさっさと演壇から引っこんだとき、会場を埋めた聴衆は、拍手すらも忘れて呆然《ぼうぜん》としているばかりだった。

『ツキノワグマを考える会』が終了した日の夜、盛岡市内の飲食街、大通にある焼き鳥屋のカウンターで、美佐子は吉本と一緒に、串《くし》焼きをつまんでいた。

「そろそろ、いらっしゃると思うな」

吉本が自分の腕時計に目を落として言った。

時刻は八時を少しすぎたところ。美佐子たちが入店した一時間前にはまだ疎《まば》らだった店内は、ほぼ満席という盛況ぶりだ。

カウンターの奥では、店長とおぼしき法被《はっぴ》に鉢巻姿の男が、備長炭《びんちょうずみ》に落ちた肉の脂がもうもうと煙をあげるなか、汗だくになって串を返している。他に三名いる従業員も、次々と寄せられる注文をさばくのにてんてこ舞いで、よくまあこれで注文を間違えないものだと感心するくらいだ。

吉本が口にした、いらっしゃる、という敬語は、山岸教授に対して向けられたものだった。会の終了後、ちょっと待ってててと言って、吉本が教授のところに行き、なにやら親しげに話しかける様子を目にしたときも驚いたが、戻ってきた吉本に「今夜、山岸先生と話をする時間がとれましたよ」と告げられたときには、もっとびっくりした。

どんな知り合いなの、と会場でも焼き鳥屋に入ってからも尋ねたのだが、まあいろいろとね、と悪戯《いたずら》っぽくかわすだけなので、美佐子の不安は膨れあがるばかりだった。

「高名な先生との待ち合わせに、焼き鳥屋なんかで、ほんとうにいいのかしら」

美佐子が尋ねると、吉本は塩焼きにした鳥皮を食いちぎりながら答えた。

「先生のご所望なんですよ。なんでも、自宅では奥さんの目が厳しくてね、脂っこいものや肉類が満足に食べさせてもらえないらしくて、こうして外に出たときは、焼き肉屋か焼き鳥屋ばかり選ぶそうです」

妙だというか、微笑ましいというか、それでもなんだかありそうな話ではある。

主催者との会食につき合わなくてはならないから、遠慮なく先にはじめていてくれとのことなので、こうして飲み食いしているが、ほんとうに真に受けていいのだろうか、気分を害されてしまいやしないだろうかと、美佐子は落ち着かなかった。

「いらっしゃい！」

威勢のよい従業員の声が店内に響き、美佐子は吉本と同時に首をねじって、入り口へと目を向けた。

講演が行われた会場で発していた、周囲を圧倒するようなオーラは消えていた。

吉本と美佐子を見つけ、にこにこして近づいてくるスーツ姿の山岸教授は、ふらりと飲み屋に立ち寄った好々爺《こうこうや》といった風情だ。

立ちあがって名刺を差し出した美佐子に、教授は自分の名刺を渡すと「まあまあ、そんなに畏《かしこ》まらずに」と気さくに声をかけ、空けてあった吉本の隣の椅子《いす》に尻《しり》を載せた。

フレームレスの眼鏡を禿《は》げあがった額の上にずらし、店員から渡されたお絞りで顔を拭《ふ》きながら、吉本に言う。

「レイコくんは元気かね」

「相変わらずです」

「そうかそうか、それはよかった。で、どうなんだね、そろそろ結婚はしないのかね」

「今のほうが、お互いに気が楽なもんで」

苦笑して答える吉本の向こうで、山岸教授が乾いた声で笑う。

ふたりのやり取りを耳にして、美佐子は軽い嫉妬《しっと》が疼くのを感じた。先月、吉本に連絡したときに電話口に出た、あの女性の話に違いなかった。

彼女は誰なのと、吉本には尋ねていなかった。今度の場合、聞きそびれたというより、訊けなかったというほうが近い。

吉本が教授に尋ねた。

「お酒にしますか、それともビールを」

「ビールは前の店でじゅうぶん飲んだから、冷酒にでもしてもらおうか。それと──」

山岸教授は、ナンコツ、レバー、シロ、カシラ、ハツと、次々に串焼きの種類を口にし、

「──これが楽しみだったからね、さっきの会食で出された料理は、ほとんど若い者に食わせてしまったんだよ」と嬉しそうにした。

つきだしと一緒に冷酒の瓶が置かれると、山岸教授は、吉本くん、と言ったあと、眼鏡の奥で目を細めた。

「きみも気が利かん奴だなあ、こんな美人を端っこに座らせておくとは。さっさと席を替わりなさい」

「これは失礼しました。じゃあ」

生ビールのジョッキを手にして立った吉本と入れ替わろうとして、美佐子は躊躇《ためら》った。

「あの、先生、どうぞ真ん中にお座りになってください。私が端に座りますので」

「いや、きみが真ん中に座りなさい。そこのむさ苦しい男を、私から遠ざけてくれたまえ」

大真面目《おおまじめ》に言われ、はいと頷いて、美佐子は吉本が座っていた椅子に腰をおろした。

「先生、むさ苦しいのは仕方ないとして、遠ざけてくれはないですよ」

吉本が、ぼやきながら美佐子の取り皿を滑らしてよこした。

その皿に目を落とした山岸教授が尋ねた。

「美佐子くんと言ったかな、きみが食べているのはネギマかね」

「あ、はい、そうです」

「美味しいかね」

「ええ、とても」

突然なんだろうと、美佐子は、食べかけのネギマと教授の顔を交互に見比べた。

「それは豚のバラ肉だね」

「はい」

「きみは、その豚がどこでどうやって育てられ、誰が殺して解体したのか、そういったことをいちいち考えながら食べているのかな」

「いえ、あらたまってそこまでは――」

「まあ、それが普通なのだがね。こうして美味しいネギマがきみの口に入るまでには、誰かがそうした仕事をする必要がある。それを忘れてはいかんのだよ」

「確かに――そうですね」

「しかし、それだけではまだ足りない。その豚そのものが、どう生まれ、どういう豚だったのか。たとえば、ひどく内気な豚だったとか、けっこうやんちゃな豚だったとかね。そして、そんな彼らが、日々なにを思いつつ生きて、最後にどんな思いで殺されたのか。そこまで想像を巡らして食べてやることが必要だとは思わんかね」

昼の講演を聴いたあとだったので、教授がなにを言わんとしているのかは理解できた。

だが……。

「おっしゃることはわかりますが、でも、そこまで考えていたら、豚肉に限らず、牛肉も鶏肉も、簡単には食べられなくなってしまいます」

「そう。だから普通、我々はそんなことを考えずに肉を食べている。無意識に目をそむけていると言ったほうが正確でしょうな。現代の日本人の、いちばんだめなところです」

簡単な言葉を使ってはいるのだが、ひと言ひと言が、いちいち重い。

美佐子が頷いているだけなのを見て、山岸教授は、再び自分から話しだした。

「ところで、美佐子くんはしばらく仙台で暮らしていたそうだね。仙台の北に色麻《しかま》という町があるのだが、そこにある『ライス厨房《ちゅうぼう》』というレストランをご存知かな」

「色麻は知っていますが、レストランまではちょっと――」

美佐子が首を傾《かし》げると、山岸教授は冷酒をひと口含んでから言った。

「機会があったらぜひ行ってみるといい。自家栽培の古代米を出してくれる面白い店なのだが、そこの鴨肉《かもにく》料理がなかなか美味でな」

――なに？　急にグルメの話？

話の先が見えずに、美佐子はひねっていた首をもう一段階、傾げてみせた。

「四十代半ばのオーナーが奥さんとふたりでやっている店なのだがね、米に限らず、ほとんどの食材を自分で育てたり、山から採ってきたりして料理を作っている。もともとは農家の長男に生まれたのだが、農家がいやで首都圏に出てね、しばらく教員をしていたそうだ。で、詳しい事情はわからないが、リタイヤしてから実家に戻って農家を継いだ。その際にだね、無農薬で米作りをしたいということで、合鴨農法をはじめたのだな」

「田んぼの雑草を合鴨に食べさせるというやつですね」

「そう。有機栽培流行りの昨今では、さほど珍しくなくなってきているが、雛《ひな》の段階で田んぼに放した鴨は、一年しか働けないのを知っていたかい？」

「いえ、それは知りませんでした」

「親鳥になると、雑草だけでは賄《まかな》いきれなくなって飼料を撒《ま》かなくてはいけなくなったり、排泄物《はいせつぶつ》の問題が出てきたり、かえって逆効果になってしまうらしい」

「つまり、そのレストランで出している鴨肉って、田んぼで働いていた鴨っていうことですか」

「そう、その通り。合鴨農法をはじめてみて、オーナーは考えたそうだ。自分たちのために労働してくれた鴨の最期は、自分でしっかり看取《みと》ってやる義務があるのではないかとね。最後に料理となって人の口に入るまでを見届けなくてはだめだと。それがためにレストランをはじめたようなものですと、少し寂しげに、だが、なんとも穏やかに笑っとったよ。いや、泣けたねえ。美味い鴨を口にしながら、ほんとうに泣けた。自分なりの美学をしっかり持っている男だと、私は感服した。だがね、よく考えてみれば、しばらく前の日本では、ごくあたりまえのことだった。どこの農家でも、飼っている鶏を自分で潰して食っていたからねえ。いつのときからか、我々は大事なものをなくしてしまったんですよ」

「おっ、来た来た」と手を叩き、焼きあがったレバーに、嬉々《きき》としてかぶりつきはじめた山岸教授を見ながら、美佐子は考えた。

自分が今手にしているネギマに使われている豚は、いったいどんな豚さんだったのだろうと。

想像を逞《たくま》しくしてみるが、なかなか明確なイメージが湧《わ》いて来ない。

諦めて肉片を口に入れた。変わらず美味しいが、美味しさの質がさっきまでとは少し違っているような気がしないでもない。

「そうそう」と言って、串を置いた山岸教授が美佐子に笑いかけた。

「きみが書いた記事を、吉本くんから見せていただきましたよ」

頰《ほお》がカッと熱くなった。

左側に首をねじり、吉本を睨《にら》む。

吉本は眉《まゆ》を少し上げて見せただけで、なにくわぬ顔でビールをすすっている。

「一回目の軽井沢の記事は平凡だが、二回目のものは、なかなかよいですねえ」

ますます頰が火照《ほて》った。

盛岡へ向けて発《た》つ前に最終チェックを終えた二本目の記事は、三日後に店頭に並ぶ。初校ゲラは吉本にも送ってあったのだが、それを勝手に見せてしまったらしい。しかし、日本を代表するほどの高名な宗教学者からの称賛である。穴に入ってしまいたくなる恥ずかしさはあったが、素直に嬉しかった。

「今の時代、あそこまで書くのはなかなか勇気のいることなんだがね、大切なことから目を逸《そ》らしていない気迫が伝わってきた」

「ありがとうございます。かなり悩んだのですが、これしかないって、勢いで書いたようなものです。それを、そんなふうに仰《おっしゃ》っていただけると、ほんとうに光栄です」

美佐子は、あらたまって頭を下げてから、吉本にちらりと顔を向けた。

「吉本さんのおかげなんです。私ひとりでは取材そのものが無理だったかもしれません」

はっはっはっ、と山岸教授は愉快げに笑った。

「そこのむさ苦しい男、見てくれはこうだが、なかなかのものでな。最も大事なことを体でわかっている数少ないカメラマンのひとりだ」

「よしてください先生、そんなふうに持ちあげられたんでは、あとが怖い」

困ったという顔つきで吉本が漏らした。

「あのう、最も大事なことを体でわかっているって、具体的にはどういうことなんですか」

尋ねた美佐子に「おや、聞いていなかったかね？」と言ってから、山岸教授はつづけた。

「この男はね、五、六年ばかり前に、二度も死に損なっているんだよ。しかも、北海道でヒグマに襲われかけてな」

初耳だった。眉を寄せて吉本を見やる。

吉本は、よけいなことを、とでも言いたげに顔をしかめた。

「昼の講演で私が言った『共死』の思想が吉本くんは体でわかっている。実際にヒグマに襲われ、自分も動物に殺されるかもしれないという覚悟が、必然的にできたのでしょうな。マタギたちと一緒ですよ」

吉本が持っている匂《にお》いの秘密が、やっと解けた気がした。そんな怖い目に遭って、それでもなおカメラでクマを追いつづけるには、確かにそこまでの覚悟が必要だと思う。

「今の時代では、彼のように特別な体験をした人間か、生業《なりわい》でクマを獲ってきたマタギたちにしか実感がないと思うがね。美佐子くん、きみはひとりで山や森に踏み入って、得体の知れない怖さを感じたことはありませんか」

「すいません、ひとりだけで山歩きをしたことはないもので――」

「そうですか。試してみなさいとは言わないがね、ひとりでいる森というものは、怖いものだよ。不思議な怖さだ。だが、いやな怖さではない。畏怖《いふ》といったほうが正しいでしょう。それがどこから来るものか、言い当てられますかな」

「孤独感、ということでしょうか」

美佐子の答えに、教授は静かに首を振った。

「この設問に、吉本くんなら答えられるでしょう」

なに？　と美佐子は、目だけで吉本に尋ねた。

手にしていたジョッキを置き、真面目な顔になって吉本が言う。

「動物たちに、いや、木々を含めて森の生き物すべてに、自分が見られている、常に見張られている、という怖さですね」

満足そうに山岸教授は頷き、美佐子に対して諭《さと》すように言った。

「そう、その感覚を現代人は忘れているということです。今の仕事をつづけていれば、いずれきみにも実感としてわかるでしょう。迷いながらでかまわない。これからも頑張って、せいぜい、よい仕事をすることです」

焼き鳥屋のあと、美佐子と吉本は、「きみい、盛岡に来たら、最後は盛岡冷麺《れいめん》で締めなくちゃあ」と子どもみたいに駄々をこねる山岸教授につきあってから、冷麺屋の裏手にあるシティホテルまで教授を送り、再び映画館通りを横切って、自分たちのビジネスホテルに戻った。

隣合わせにとった部屋の前で、吉本が訊いた。

「明日は、真っ直ぐ仙台でいいのかな」

一日置いた明後日、『ツキノワグマを考える会』の会場で直接アポイントがとれた取材先を訪ねることになっていた。場所は仙台市の南西に位置する蔵王山麓《ざおうさんろく》だ。

「実は、私用で申し訳ないですが、明日、行きたいところがあるんです。ですから、盛岡でもう一泊してから向かいたいんですけど、かまわないですか」

「いいですが、どこに？」

「雫石に」

なるほど、と頷いてから「送りますか？」と吉本が言った。

「いえ、ひとりで行きたいので」

「了解、じゃあ僕は適当に写真を撮ってます」

「わがままを言ってすいません」

「なあに、このあたりは被写体の宝庫ですから。じゃあ、今日はお疲れさまでした、おやすみなさい」

「お疲れさまでした――あの――」

自分の部屋に入りかけた吉本が、半開きになったドアを押さえたまま美佐子に顔を向けた。

「なんです？」

「あ、いえ――なんでもないです。おやすみなさい」

軽く手をあげ、美佐子は自分の部屋に体を滑りこませた。

オレンジ色のルームライトに浮かびあがる侘《わび》しげな室内を見回して、溜め息をつく。

今日になって苗字と名前の両方が判明した、オヤマダレイコという女性のことを、また聞きそびれてしまった。

山岸教授から含蓄《がんちく》のある話を聞いたばかりでそんなことを尋ね、下世話なやつだと思われるのがいやだった。

いや、と誰も見ていないのに、美佐子はひとりでかぶりを振った。教授と吉本の会話で、自分の予想がほぼ当たっていたことがわかった。それを直接吉本の口から聞くのがいやだった。たぶん、こちらのほうが自分の本音だと、美佐子は思った。

23

「あんれ、まあ」

美佐子が、父の実家の玄関先に立ったとき、奥から出てきた祖母のトシエは、腰を抜かさんばかりの顔をした。

無理もない。この家の敷居をまたぐのは、祖父の葬式以来だ。美佐子が高校生のときだったから、今から十五年以上も前になる。

美佐子の家では、お盆の時期か正月のいずれか、年に一度は雫石に里帰りしていたが、美佐子は中学を卒業してからは、なんだかんだと理由をつけて、一度も一緒に帰省していない。それ以前も、いやいやながら仕方なくだった。言うまでもなく、小学校三年生のときの、あの辛《つら》い体験があったからだ。

上掛けの布団を外すことでテーブルに変身する、昔ながらの掘り炬燵《ごたつ》に足を入れ、美佐子は、祖母が注いでくれたお茶をすすりながら、天井を見あげた。

「前は、こんなじゃなかったよね。梁《はり》が剝《む》きだしで、黒っぽく煤《すす》けた屋根裏が見えていた」

「んだす」とトシエは、皺くちゃの顔で微笑んだ。

「あのころは、囲炉裏があって萱葺《かやぶ》きだったすからな。屋根を瓦《かわら》に葺き替えたときに、囲炉裏も潰《つぶ》してしまったすな」

「そうか――ところで、伯父ちゃんと伯母ちゃんは仕事？」

「んだす、今ごろは牛《べご》っこさ、餌《えさ》を食《か》せでるとこだべし」

伯父の洋一と伯母の静子は、何軒かの酪農家が共同出資して作った農場で、息子夫婦と一緒に働いている。

はじめは家族経営で細々と営んでいたのだが、それでは時代に乗り遅れるということで、十年ほど前に仲間と一緒に合資会社を設立した。父、洋二の話では、そこそこ経営は順調らしい。

「お祖母《ばぁ》ちゃん」

「なにね、あらたまって」

「死んだお祖父《じい》ちゃんとは、どうやって知り合ったの？」

「あら、やんだ。いきなりそすたなことを訊がれたら、恥《しょ》すいで、はぁ」

祖母が目を丸くした。

八十を幾つか超えている歳のはずだが、突然の孫の問いにうろたえる様子は、とても微笑ましく、そして可愛らしかった。

「なして、そんたなこと、訊きたいんだえ？」

うん、と頷いて、美佐子は説明しだした。

雑誌の取材で新潟の山奥の村に行き、そこに住む猟師の人から、自分の家の昔のことを聞かされたの、と美佐子は、県境が望める高台で滝沢から聞かされたことを祖母に語った。

「――それで思ったんだ。お母さんの実家のことは埼玉だからよく知っているけど、お父さんの実家、つまりお祖母ちゃんの家のことについては、ほとんどなにも知らないなあって。前はそんなこと考えもしなかったけど、自分の家のルーツっていうやつ？　それが気になって仕方なくて。これって、そんなことを考えるような歳に、私もなっちゃったってことかな」

「はあ、あんだの歳で、いい歳もなかんべな。おらの半分も生きてねえくせに」

顔を見合わせ、どちらからともなく、くすりと笑う。

「ところで、その、るーつってなはぁ、なんのことだえ」

真顔になって尋ねるトシエを見て、美佐子は笑みを大きくした。

「えーとね、簡単に言えば、ご先祖さまのことかな。ねえ、お祖母ちゃん、お祖父ちゃんって婿養子だったんだよね、確か」

「んだす」

「どこの出身の人だったの」

「秋田だすな」

「秋田のどこ？　どうやって知り合ったの？　お見合い？」

美佐子の立てつづけの質問に、トシエは困ったような顔をした。

「お祖母ちゃん」

促されたトシエは、はあ、とひとつため息を漏らしてから、ようやく口を開いてくれた。

「秋田に、阿仁というところがあるすべ。そっちのほうの人だったんでがす」

驚いた。阿仁といえば、六月に訪ねたマタギの里ではないか。自分の祖父が阿仁の生まれだとは、今の今まで知らなかった。なんだか、因縁めいたものを感じてしまう。

「もしかして、お祖父ちゃんって、マタギだったの」

「うんにゃ」と、トシエはかぶりを振った。

「阿仁に比立内《ひたちない》というところがありすてな、そこの旧家の長男坊だったんでがす」

「ちょっと待って、長男なのにどうしてお婿さんなんかに」

「あまり人さは喋っていないことなんだけんど、あの人、自分の家を捨てた人だったのす」

またしても意外な言葉に、美佐子は唾《つば》を呑んで、トシエの顔をまじまじと見つめた。

「可哀相《かわいそう》な人だったんでがす」

そう言ってトシエは、遠い記憶を掘り起こしながら、訥々《とつとつ》と喋りだした。

祖父の幸之助《こうのすけ》は、阿仁の比立内で、古くは肝煎《きもい》りをしていたほどの名家に、長男として生まれたという。だが、父親は実の父ではなかった。母親が結婚前に好きになった男との間にできた子どもだったらしい。それでも結婚に至ったのは、幸之助の父が婿養子だったからとのこと。要するに名家だったのは、母の家のほうで、ひとり娘であったために婿をとる必要があったのだ。

そのへんの細かい事情は、トシエ自身も幸之助からは聞いていないらしい。尋ねはしたが、捨てた家のことだからと、重い口を開かなかったそうだ。鴨居《かもい》の上に架かる祖父の遺影を見あげて、美佐子は、そうだったのだろうなと納得した。小学生のとき、わずかな間ここで暮らしただけだが、祖父はほんとうに無口な人だった。怖いわけではなかった。しかし、いつもにこにこしていて世話好きなトシエとは違い、どことなく近寄りがたさがあった。

ともあれ、そういう形で生まれたとはいっても、長男であることには違いなく、名家の跡取り息子として幸之助は育てられた。

だが、妹のあとで弟が生まれたことにより状況が変わった。幸之助の父にしても、やはり実の息子のほうが可愛かったのだろう。当主——幸之助の母の父——が没したあと、家督は弟のほうにすると、急に言いだしたらしい。幸之助が、旧制中学を卒業する間際のことだった。

そのとき、幸之助は、はじめて自分の出生の秘密を知ることになった。そして、家を出た。自分から親との縁を切り、ほとんど出奔《しゅっぽん》同然だったらしい。その幸之助が、あちこち転々としたあとで、知り合いを頼って流れ着いたのが、雫石町の隣にある沢内村《さわうちむら》だった。そこで杣夫《そまふ》をしたり、マタギではないものの猟師から手に入れたクマの胆《い》の行商をしたりしながら、なんとか暮らしを立てていた。

「はじめてあの人に会ったのは、おら家《え》さ、クマの胆を売りに来たときでな。食うものもろくに食ってなかったんだすべなあ。おら家から帰ろうとしたときに、ばたっとはぁ、倒れてしまったんでがす。そら、魂消《たんまげ》だでばぁ。慌てて助け起こして、飯《まんま》ば食《か》せでやったのしゃ懐かしげに、トシエは目を細めた。

「へえ、すごーい。それがお祖父ちゃんとの出会いだったわけね、なんだかドラマみたい」

美佐子の感嘆に、トシエは少女のように顔を赤らめた。

そうして幸之助と知り合ったトシエは、彼が行商に来るのを心待ちにするようになり、やがて結婚を考えるようになったのだという。

「周りからも親からも、ずいぶん反対されたんだけんど、この人との結婚を許してけねば心中するって騒いで、所帯を持つことになったのしゃあ。おらも、あのころはおぼこだったから、そんな無茶なことが言えたんだべなあ」

丸めた背中をいっそう小さくして言葉を切った祖母の姿に、美佐子は深い感動を覚えていた。歳を重ね、すべてを悟りきったみたいに見える祖母にも、聞いただけで目眩《めまい》がするほどの情熱を抱いた娘時代があったのだ。

「ねえ、お祖母ちゃん。お祖母ちゃんは、お祖父ちゃんの生まれた家がどこか、具体的には知ってるの」

「苗字が片岡っていうことだけは知ってるすけど、あとはなんも知ゃねがす。あの人も、実家を訪ねることは、一度もしなかったすな。ほんとは、死ぬ前にいっぺんくらいは行きたかったんだべけんど、そんなこと口にする人ではなかったすなぁ」

「お祖父ちゃんと結婚して幸せだった？」

「そらぁ、好ぎあったどうしだもの」

「いいなあ、私もお祖母ちゃんのような、情熱的な恋がしてみたい」

「やんだ、お恥《しょ》すい、こんなことを喋るとは思ってもいなかったではぁ」

柔和に微笑む祖母の顔を見ているうち、涙が零れそうになってきた。

その後、祖父のことや父の子ども時代のこと、様々な苦労話や笑い話に耳を傾けているうちに、あっという間に時間はすぎた。

ゆっくりして泊まっていきなさいと引きとめるトシエに、仕事があるので今日は無理だけど、今度来たときは必ず泊まるからと約束して、美佐子は暇乞《いとまご》いをした。

庭先に停めておいたレンタカーに乗りこみ、祖母に見送られて父の実家をあとにする。

山に挟まれた集落の佇まいを目にしながら、美佐子は、雫石に足を運んでよかったと本心から思った。あれほど毛嫌いしていた片田舎の村が、これまでとは違ったものに見えていた。

24

祖母の家を訪ねた翌日、朝早く盛岡を発った美佐子と吉本は、真っ直ぐ蔵王山麓に向かった。『クマの畑』の取材である。

『ツキノワグマを考える会』の二日目の発表に、興味を引くものがあった。蔵王山麓の宮城県側に位置する川崎町《かわさきまち》と蔵王町に、クマによる農作物――おもに家畜飼料用のデントコーン

——の被害防除の実験として、五年ほど前からクマ用の畑を作る試みがなされているのだという。地元の農家から借りあげた土地にデントコーンを植え、クマが食べてもよいエリアを作って、直接農地が被害に遭わないようにしているとのことだった。

この取り組みは、仙台に本部を置く市民団体の手になるもので、その代表である高梨《たかなし》という男が発表者だった。彼の話では、『クマの畑』のことは、おりに触れ、メディアでも取りあげられているということだったが、美佐子はまったく知らないでいた。

参加者中、知らなかったのは自分だけみたいで、最初、美佐子は恥ずかしい思いがした。だが、耳を傾けているうちに、ひとつの問題に気づいた。この会のなかでは周知の事実も、ひとたび世間一般の常識に照らし合わせれば、知らないほうが普通なのだ。時おり、マスコミに取りあげられたとしても、ほとんどの人間にとっては素通りに違いない。

理由は明らかだと、美佐子は思った。世間一般の関心を集めるだけの事件性がないからである。たとえクマに襲われても、怪我《けが》がなければニュースにならないことも多く、死亡事故といった大事件でもない限り、人々の耳目を集めることはない。あるいは、クマと格闘して勝ったとか。要するに、日常では考えられない刺激性や、極端な面白さがなければ、人の関心を集めることができない時代になっているのだ。

相馬や小川、そして高梨のような、地道な活動で忙殺されている人たちに、広い啓蒙《けいもう》活動まで押し付けては無理がある。メディアに直接関《かか》わることのできる、私たちライターがしっかりしなければだめなのだと、美佐子は決意を新たにした。

高梨の発表と配られた資料で、『クマの畑』の概要はわかった。だが、二十分間という限られた時間だけでは、十分な情報を仕入れたとは言えなかった。そこで美佐子は、休憩時間に小川に紹介してもらい、高梨から取材の同意を取りつけたのである。

「厳しい批判があるのは承知のうえなんです」

既に今年の役目を終えた『クマの畑』に佇み、高梨は、銀縁の眼鏡の奥で、苦渋の色を目に浮かべた。

年のころは四十代の半ばといったところだろうか。ふだんは仙台市内で会社勤めをしているという中肉中背の高梨は、スーツでも着せれば、どこからどう見ても普通のサラリーマンと映るに違いない。ただし、眼鏡の奥でくりくり動く瞳だけは、好奇心で溢れんばかりの少年みたいだ。

本人の話では、もともとはアフリカに行って野生動物の保護活動に携わるのが夢だったという。だが、十五年ほど前、機会があって参加したフォーラムで、日本におけるツキノワグマの危機的な現状を知り、自分たちの足下を見つめることこそが大事だと考え、ツキノワグマの保護を目的とした市民団体を立ちあげた。そのなかで、現状を打開するためのひとつの問題提起になればと、五年前にスタートさせたのが『クマの畑』だった。

酪農家が多い蔵王山麓では、飼料用のデントコーンがあちこちで作付けされているのだが、これを狙《ねら》うクマが頻繁に出没するのが、作付け農家の悩みの種だった。当然、人が襲われる危険があるということで、出没すれば即時に駆除という形がずっと続いてきた。

クマが畑を荒らす最大の原因は、奥山の開発が進み、山のなかに彼らの食物が乏しくなっているからだと高梨は言った。このまま駆除が続けば、宮城蔵王山麓のツキノワグマはすぐにも絶滅してしまう。『クマの畑』以前からツキノワグマの保護活動を展開していた高梨たちは、変わらぬ現状に焦りを感じていた。

そんなおり、本来の農地と山裾との中間地帯に、クマが食べてもお咎《とが》めなしの畑を作れば、そこより下までクマを下ろさないための防波堤になるのではないかと、高梨に相談を持ちかけてきた者が現れた。

「実はその人、有害駆除の駆除員をしてきたハンターさんなんです。箱罠《はこわな》で捕らえたクマを何頭も殺しつづけて、ほとほと嫌気がさしていた。それをしないですむようになるならばと、自分の土地を使わせてくれたんです」

山北町で罠にかかったクマを撃った、あの初老のハンターの顔が思いだされた。全部が全部そうとは言えないにしても、檻のなかのクマを撃つのは、ハンターにとっても決して気持ちのよいことではないのだろう。

高梨たちがはじめた『クマの畑』には、当初から賛否両論があった。未だに侃侃諤諤《かんかんがくがく》したなかでの活動らしい。

反対派のなかでも、最も強硬に異議を唱えているのは、宮城県内の別な自然保護団体だと高梨は説明した。

クマの餌付《えづ》けを行い、家畜化するのと同じではないかという主張だ。

たとえある程度の効果が認められ、農作物の被害が減少したとしても、『クマの畑』は永久に続けられるものではない。いったん『クマの畑』が中断すれば、農作物の味を覚えたクマは、再び農地を荒らしはじめるだろう。そればかりか、人間の作物に頼りきり、本来の採食行動ができないクマを作り出すことになりはしないか。やるべきことは、山に本来の自然を取り戻し、クマの食料を増やすことであって、クマに餌を与えて野性を失わせることではない。従って『クマの畑』は小手先の対症療法である以上に、根本的に間違った対策だという主張である。

「それは私も十分にわかっているんです」と高梨は言う。

以前とは違い、最近では様々な自然保護団体が、奥山に自然を取り戻そうとブナやクリの植林をはじめていて、そうした運動には、高梨たちの団体も積極的に関わっているとのことだ。

「ですが、それまで待っていたんでは、ここのクマは絶滅してしまうんです。『クマの畑』は、山が蘇《よみがえ》るまでのいわば緊急避難であるし、いちばん大事なのは、都会に住む人間ではなく、地元の農家の人たちが発案して、私たちと一緒に取り組んでいるということなんです」

そう言ったあとで、高梨は続けた。

「でもね、正面から批判してもらえるのは、かえってありがたいことなんです。しょせんは他人事という無関心が、最も憂慮すべきことですから。それもあって、できるだけ多くの人にクマのことや自然のことを考えてもらう問題提起になればと、こうしてやっきになっているという側面もあります。幸い、最初は寄付金だけに頼っていた活動でしたが、最近になって、WWFジャパン、世界自然保護基金の日本委員会から助成金をもらえることになりまして。なんとか頑張って、模索しながらこの活動を続けていきたいと思っています。クマを残すということは、クマが暮らせるだけの豊かな自然を私たちの子孫に残すのと同じですので」

山稜《さんりょう》へ向けてカメラのシャッターを切っていた吉本が、フィルムを交換しながら、ぼそりと言った。

「高梨さん、自然て、なんなんでしょうね。人の手が入らない生態系を自然と言うのなら、それほど心配する必要はないと思いますよ」

「どういうことです？」

高梨が吉本を見て首を傾げた。

「確かに今は端境期《はざかいき》かも知れませんが、ほうっておいても、あと百年もすれば、この国は野生動物の天国になると、僕は思うな」

美佐子も高梨と同様に首をひねった。

ふたりの顔を交互に眺めやった吉本が、よけいなことを喋っちゃいましたね、と言いながらも説明した。

「経済のグローバル化のせいで、日本の林業は既に立ち行かなくなっている。林業だけじゃなく、山村での生活が不可能になりつつあります。あちこちの山奥で、離村、廃村となる集落が続々と出ているのが現状でしょう？　奥地開発も安易に許されない時勢になってきているし、そもそも日本の人口そのものが減少していく。今後は、人がいなくなり、放棄された農地に、荒れるに任せた森や林がどんどん拡大してくるでしょうね。でも、人の目には汚らしく見える雑木林というのは、動物たちにとっては天国ですよ」

「私はそうは思いませんね。一度破壊された自然は、容易に元には戻らない」

「人間の短い寿命で計ればそう見えるでしょうね。なにをもって自然とするかの見方もある。この国の湿潤な気候風土であればこそですが、日本の森の再生力には凄《すさ》まじいものがありますよ。空から見ると森だらけです。なにも、ブナの原生林だけが自然じゃない」

「なにが言いたいんです？」

「人が暮らさない森をいくら増やしたって仕方ないと思うだけです。都会に住む自然愛好者のために森があるわけではないでしょう」

　ここまでむきになってものを言う吉本を、美佐子ははじめて見た。そのことに吉本自身も気づいたようだ。頭をかいて苦笑しながら、高梨に向かって、ぺこりと頭を下げた。

「すいません。別に高梨さんの取り組みに文句があるわけではないんです。むしろ、自然保護を感情的に訴える連中よりもずっといい。まったく個人的な問題なんですが、自然保護という言葉そのものが、性に合わないもんで」

「吉本さんでしたっけ。あなたの言われたことも、一応覚えてはおきますよ」

複雑な顔つきで、高梨が肩をすくめた。

25

『クマの畑』の取材を終えた美佐子と吉本は仙台駅にいた。

美佐子が乗る上りの『やまびこ』が発車するまで少し時間があったので、コンコースの二階にあるコーヒーショップでテーブルを挟んでいた。

「高梨さんに、どうしてあんなことを言ったんですか」

美佐子の問いに、吉本が渋い顔で頷いた。

「彼らの取り組みがどうのということじゃなくて、西欧系の自然保護思想というのが好きじゃないんです。で、つい口を挿《はさ》んでしまった。大人げなかったですね、やっぱり」

「どこが嫌いなの」

「西欧文明は、自らの都合で自然を破壊し尽くしてしまったという過去を引きずっている。近いところであげれば、クジラの問題なんかは最たるものです。鯨油をとるためだけにさんざんクジラを乱獲してきた。ところが、石油製品による代替が可能となったとたん、一転して保護を叫びだした。これってへんだと思いませんか？　あまりにご都合主義だ」

「そういう見方もあるかもしれないけれど、偏りすぎじゃないかしら。そういった過去の過《あやま》ちへの反省があるからこそ、今の保護活動があるわけでしょう？　決して間違ったことをしているわけじゃないんだし」

「確かに、そういうことでは評価してもよいと思います。しかし、僕がいやなのは、なにを根拠にして保護への転換が図られているかという部分なんです。美佐子さんも、最近のアニマル・ライトという言葉は知っているでしょう？　簡単に言えば、すべての動物には、人間と同様に生きる権利があるという思想です。山岸先生の影響というわけじゃないんですが、僕にはどうしても胡散臭《うさんくさ》く感じられる」

「でも、突き詰めて考えれば、それもまた、間違った考えではないと思うけど」

「そこなんです。今の時代、アニマル・ライトを突きつけられれば、真っ向から反論することなどできない。誰だって、そりゃそうだろなと思ってしまいます。つまり、例外は認められない雰囲気ができることになる。それって、実はひどく危ういことだとは思いませんか？　排他的な差別思想が生み出される危険がある。僕はね、思うんです。動物の命の尊さは、自分の手で動物を殺すことでしかほんとうにはわからないのが人間なんだって。それ以上の存在ではない。だから、その部分に蓋を被せた議論は信用できないんです」

「吉本さんの言うこともわからないではないですけど、一方で、人間の欲望って限りがないですよね。それくらい強く訴えなければ、乱獲や密猟は、いつまでたってもなくならないと思うな」

美佐子の反論に、吉本の顔がいっそう渋くなった。

「痛いところをつきますね。悲しいかな、それも現実です。僕には行き過ぎとも思える今の保護運動も、高梨さんの『クマの畑』じゃないですけど、緊急避難的な措置としては意味があると思う。ですが、彼らの目的がいつか達成されたとして、その後、我々はどこに向かうんでしょうかね。すべての動物たちと仲良く暮らす心穏やかな未来ですか？　葛藤も相剋もない、愛に溢れた自然との共生ですか？　僕は、そんな世界は面白くもなんともないな」

なにがこれほど吉本を依怙地《いこじ》にさせるのだろうと、美佐子は心を曇らせた。

「吉本さんがそこまで言うのには、なにか特別な理由があるように思うんですが、なんなんですか。どうしても聞いておきたいです」

渋かった顔が、今度は困った顔になった。

「話したくないなら、かまいませんけど」

美佐子の譲歩が、吉本の口を開かせた。

「山岸先生がばらしちゃったんで喋りますけど、北海道の渡島《おしま》半島にある大千軒岳《だいせんげんだけ》で、一頭のヒグマと山刀《ナガサ》一本で向かい合ったことがあるんです。ヒグマに殺される覚悟ができたと同時に、自分が生き延びるためには、こいつを殺さなければとも思った。その瞬間、目の前のヒグマのほんとうの野性の美しさに打たれたんです。それまでも会社勤めのかたわら動物写真は撮っていましたけど、野性の本質をなにも見ていなかったんだと気づきました。それからでしょうね、こんなことを考えるようになったのは」

凄まじすぎる話に、溜め息すら出なかった。理屈を越えたところで、吉本という男の核心部分をかいま見た気がする。

ごくりと唾《つば》を飲み下し、美佐子はためらいがちに尋ねた。

「あの、そのヒグマはどうなったんですか」

「僕と一緒にヒグマを追っていた人が、危ういところで射殺してくれました。けど、あのとき自分は死んでいたんだと、今でも思っています。こうして生きていられるのは、殺されたヒグマに命を貰ったからだと思っています。だから僕は、今も彼らの写真を撮りつづけているのかもしれない」

気まずくはないが、ふたりの間に落ちてしまった沈黙を、吉本が「そろそろ時間じゃないですか」と言って拭《ぬぐ》い去った。

エスプレッソ二杯ぶんの支払いは先にすませていたので、カップとトレイを返却台に戻し、美佐子は三階にある新幹線の改札口へと上った。

ベネトンの旅行カバンを運んでくれた吉本が、荷物を手渡しながら微笑んだ。

「じゃあ、僕は、また友だちの家に車を預けてから、明日の飛行機で札幌に戻りますので」

「いろいろお世話さまでした。来月の取材については、またあとで連絡します」

言ってから少し迷った。迷ったあとで、思い切って尋ねてみた。

「取材とはぜんぜん関係ないことなんですけど、焼き鳥屋で山岸先生とお話しされていたオヤマダレイコさんという方、吉本さんとはどういう関係なんですか」

わざとフルネームを口にした。

「ああ、あれ」と吉本。

――とぼけたってだめなんだから。

重ねて訊いた。

「吉本さんの恋人なんでしょ。同棲《どうせい》してらっしゃるの？」

「同棲ですか、いや、まいったな。そういうわけでもないんだが――」

「じゃあ、なに？」

「同居人みたいなものですよ。僕のアパートが機材で一杯になっちゃったんで、転がりこませてもらっているんです」

「嘘《うそ》」

「嘘と言われてもなあ――確かに親しくはしてるけど、恋人って感じでもないし」

「ふうん、で、なにをなさってる方なの」

「動物学者です。北大でヒグマの生態調査をしてるんですよ」

「ということは、もしかして、さっきの、一緒にヒグマを追っていた人って、その人？」

「そう、彼女です――でも、どうしたんです？　急に」

訝《いぶか》しげな顔をしている吉本をひと睨みし、美佐子は踵《きびす》を返した。改札を抜け、数歩ばかり歩いたところで振り返ってみると、吉本が笑顔で手を振ってきた。

あっかんべーをしてやりたいところだったがぐっとこらえ、美佐子はそっけなく手を振り返してからエスカレーターに乗った。

――なによ、この鈍感男！

胸のなかで悪たれてやった。

東京駅に向かう新幹線の車中で、美佐子は、吉本憲司に対して十回以上は悪たれた。

まったくなんて奴だ。いい歳の男と女が一緒に住んでいながら、ただの同居人だって？そのうえ、恋人って感じでもないしなんて、よくもまあ、あんなふうに奥歯にものが挟まった言い方ができるものだ。あいつ、やっぱり根本的にどこかおかしいんじゃないの？　そうだ、動物ばっかり追いかけてるから、へんになっちゃったに違いないんだ。

さんざん胸のなかで悪態をつきながらも、そんなへんな男に、すっかり参りかけている自分がいるのもわかっていた。

そうです恋人なんです、彼女とは同棲中なんです、と言ってもらったほうがまだましだった。あんな中途半端な言い方をされたのでは、こっちだってどうしたらいいのかわからなくなる。私に気を持たせるために、わざとあんな言い方をした？

しかし、どう考えても、そんな手管《てくだ》を使えるような男には思えない。言ってることがほんとうだとしたら、やっぱりどうしようもないほどへんな男だ。吉本だけじゃない。オヤマダレイコという女の人もへんんだ。私だったら、つき合ってもいない男を同居させるなんて、天地が逆さになっても考えられない。

とそこで、その彼女のほうは吉本が好きなのに違いないと思いあたった。そう考えるのが自然だった。

はっきり言って悔しい。恋人であろうがなかろうが、ふたりは北海道の山中で、命を賭《と》してヒグマに向き合った仲なのだ。他の者には決して踏み込むことのできない、ぎりぎりの場面を共有したことがある者どうしなのだ。その事実を考えれば考えるほど、美佐子の気持ちは萎《な》えそうになった。

あらためて、三十三歳という自分の年齢を思ってみる。今の時代では三十代の独身女性は珍しくないとはいうものの、だからといって、なぜ？　という好奇の視線が存在しないわけではない。吉本に対して、へんな奴と悪たれてはみたが、恋人もいない独身女の自分に対し、こいつには妙な性癖があるのだろうかと思ってしまう男だって、世のなかにはいっぱいいるのではないだろうか……。

それ以上考えると涙が出そうに思え、美佐子はなんとかして眠ろうと、狭い座席のなかで丸くなった。

26

取材の疲れが溜まっていたらしい。

寝られやしないだろうと思っていたのに、東京着を告げる車内のアナウンスで美佐子は起こされた。

眠ったおかげで、いくぶん気分は晴れた。

――今の私には仕事が恋人なんだ。

歯の浮くような独白を胸のなかで呟きつつ、新幹線のホームに降り立った。

中央線に乗り換えて荻窪の自宅へ帰ろうとしたところで、今日が『ムーサ』の発売日であることを思いだした。見本が刷りあがる前に取材に発ったので、実物はまだ手にしていなかった。

急ぐ必要はぜんぜんないのだが、すぐにも雑誌を手にしたかった。なにせ、山岸教授に誉《ほ》められた取材記事である。書店で手にしてページを捲《めく》り、ほら、この記事は私が書いたのよと、ひとり満足感に浸りたいと思った。

カラーのグラビアが多く、どっしりした装丁で差別化を図っている『ムーサ』は、残念ながらキヨスクや駅の書籍売り場には置いていない。少し迷ったあと、重い荷物が邪魔だったものの、美佐子は在来線の改札口も抜け出て、八重洲《やえす》ブックセンターへと向かった。

地階の雑誌コーナーに近づくにつれ、胸がどきどきしてきた。一本目の軽井沢の記事のときもそうだった。仙台で『みらい』を作っていたころ、必要に迫られて自分の署名記事を載せたり、頼まれて他のタウン誌にエッセイを書いたりしたこともあったが、こんな気持ちになることは一度もなかった。しょせんは地方の出版物で、発行部数など知れている。数で優劣をつけるつもりは毛頭ないが、数千の読者を対象としたものと、数万、いや数十万の人々の目に触れるのとでは、重みがまったく違う。

しかも今回の連載は、グルメや温泉巡りといった使い捨ての記事ではなく、社会的にも意義あるものだ。連載がひと区切りついたら、これをベースにして一冊にしようと、最近の美佐子は思うようになっていた。内容さえよければ、花房千秋がバックアップしてくれるはずだ。学術書や啓蒙書《けいもうしょ》がメインの創心社からの出版は無理でも、大手出版社の編集者たちと顔が繋がっている千秋は、美佐子にとっては心強い味方である。

いつか、というより近い将来、自分の名まえが背表紙に入った本を書店で目にするときのことを想像すると、子どもみたいに胸がときめいてくる。

女性雑誌のコーナーで会社帰りのＯＬたちに挟まれ、美佐子は『ムーサ』を手にした。

——あれ？

ページをざっと捲ってから眉をひそめた。

もう一度最初からページを繰ってみた。

眉間《みけん》に皺が寄った。

自分の記事が見当たらないのである。

——私ってば、なにを慌てちゃってんだろ。

眉間の皺はそのままに、口許《くちもと》に少し苦笑を浮かべ、今度は、目次のページを開いて目で追った。

『ムーサ』が細かく震えている。震えているのは、雑誌を支えている手のほうだった。

それでも信じられず、別の『ムーサ』と取り替えて、しつこいくらいに丁寧に、最初から最後まで一ページずつ追っていく。

やはり、どこにも美佐子の記事はなかった。

店内を照らす蛍光灯の白い光が、自分の周囲だけぐにゃりと歪んだ。

思考停止の状態から抜け出すのにしばらく時間がかかった。

なにかの手違いだと思うほど、美佐子は無知ではなかった。土壇場になってボツになり、他の記事に差し替えられたのだ。そして、その指示を出したのは、千秋以外には存在しない。美佐子が『みらい』で何度か行ってきたのと同じ選択を今回は彼女がしたということ。

問題は理由だった。

なにかの都合、たとえば、特集や他の記事との関連で、次号へ回されるということは、雑誌の世界ではままあることだ。だが、日数を数えてみると、今回の差し替えは、ほんとうに間一髪、ぎりぎりのタイミングで間に合うかどうかの綱渡りだったはずだ。編集部内が、上を下への大騒ぎになっただろうことは容易に想像できる。

最終的には編集長の判断だとしても、千秋自身の意思によるものとは思えなかった。それならば、原稿に目を通した段階で書き直しを命じられていたはずだが、そんな素振りは少しもなかった。となると考えられることはひとつ。誰かが圧力をかけて差し止めたのだ。

いったい、どこの誰が？

唯一思いついたのは、山北町の板垣だったが、約束どおり、原稿の下書きの段階で了解を取っていたから、それはあり得ない。

頭のなかが、カーッと熱くなった。

『ムーサ』を棚に戻した美佐子は、荷物を抱えて走りだしていた。

電話で千秋の在席を確認することが頭に浮かんでこないほど、美佐子は動揺していた。それればかりか、タクシーを拾うことや、荷物を駅のコインロッカーに放りこむことさえ思いつかずに電車に飛び乗り、重いバッグを抱えたままで、創心社のオフィスに駆けこんだ。

いつものデスクに千秋はいた。

まだ残っていた編集部員たちが、息を切らせて飛びこんできた美佐子に、一斉に視線を向けてきた。が、それも一瞬のことで、ひと声もかけずに、すぐに自分の仕事に戻っていく。明らかに美佐子を避けていた。

ずかずかと千秋のデスクに歩み寄り、ぶら下げていたバッグを、どすんと床に置いた。

「いったいどういうことですか」

美佐子が詰め寄ると、千秋は、やれやれという表情を浮かべて気だるげに言った。

「どういうことって、そういうこと。ボツにした時点であんたに連絡しなかったことについては謝る。けれど、ボツ自体は珍しいことじゃないでしょ」

「誰が圧力をかけてきたんですか」

「圧力？」

「ええ、どう考えてもそれしかあり得ません。いったいどこの誰が、なんと言って圧力をかけてきたのか教えてください」

「教えたら、どうするっていうの」

「それは——」と美佐子は口ごもった。

応接スペース以外は禁煙であるにもかかわらず、千秋はパッケージから煙草《タバコ》を抜き出して火を点《つ》けた。

「あんたが知る必要はない。確かに圧力めいたものがあるにはあった。だけど、最終的に判断したのはあたしだ。編集長として冷静に検討して、今回のあんたの記事はまずいと思い直した。それだけさ」

「千秋さん、いえ、編集長は、そんな簡単にひよってしまう人だとは思いません。よほどの圧力がない限り、こんなことはしなかったはずです」

「おやおや、今度はあたしにお説教かい？」

「いえ、そんなつもりじゃないんです。納得できる理由があってのボツなら、私も文句は言いません。ですが、知る必要がないなんて言われては、はいそうですかとあっさり引き下がるわけにいかないじゃないですか。ちゃんとした理由を教えてくれない限り、私はここから動きません」

「相変わらず頑固ちゃんねえ。仕方ない、理由だけは教えてあげる」

千秋が、まだ長いままの煙草をジュースの空き缶にねじ込んだ。

「うちの人間なら、よけいな詮索《せんさく》をするなと叱《しか》り飛ばして終わりにするところだけど、あんたはまだそうじゃないし、今までのつき合いもあるからね、要点だけは教えてあげる」

そう言って千秋は、椅子の背にもたれかかって腕組みをした。

「今回のあんたの記事、最終的には、春の出グマ猟だっけ？　それを認める内容になっているだろ。有害駆除のひとつとして行われているから問題なのであって、法律を変えて伝統的な狩猟として存続させるよう考えることも必要ではないか、というのが論旨だったよね」

頷いた美佐子を見て、千秋は続けた。

「ついこの間、平成十一年に審議されて十二年の四月から施行された狩猟法の改正の際に、いろいろとすったもんだがあったのは、あんたも知っているだろ。その火種がまだくすぶっているときにこの内容は、やっぱりまずい」

「問題提起として一考に価すると思ったからこそ書いたんです。それがだめと言うなら、言論の自由はどうなるんですか」

「なに、青臭い寝言を言ってんの。あたしの仕事は雑誌を売ることなんだ。だいいち、クマ狩りを認めましょう、なんて記事をうちの読者は求めていないっての」

「だったら、なんで最初に言ってくださらなかったんですか。原稿に目を通したとき、これ面白いじゃん、ってご自分で仰《おつしや》っていたことを忘れちゃったんですか。やっぱり、圧力が怖くなって腰が引けただけじゃないですか」

「誰に向かってそんな口を利いてるんだ」

千秋の目がすっと細くなった。はじめて見る冷酷な眼差《まなざ》しに、美佐子の身が竦んだ。

「あんたさあ、少しのぼせあがってんじゃないのかい。いっぱしのジャーナリスト気取りってわけ？　冗談じゃない、ただの無名なライターじゃないか。そんな小娘との心中を覚悟するほど、うちの雑誌はお人好しじゃないっての」

涙が込みあげそうになった。弛《ゆる》もうとする涙腺《るいせん》を必死になって押さえつける。

編集部内から雑音が消えていた。ふたりのやりとりに、誰もが息を呑《の》んで耳を傾けている気配が、美佐子の背中に突き刺さった。

ここで泣いたら負けだと思った。

震えそうになる唇をこらえて千秋に言った。

「すいませんでした、さっきの言葉は取り消します。では、直しを入れたら、次号で掲載していただけますね」

「悪いね、それも無理だ」というのが千秋の答えだった。

「今回の連載は打ち切りと決まった。もちろん、あんたには期待を持たせて悪かったと思っている。だから、渡した取材費を返せとは言わないし、今回ボツにした記事のギャラも払う」

「そんな――」

唇を噛んで立ち尽くしている美佐子を見て、千秋の瞳が心もち柔らかくなった。

「かわりにと言ってはなんだけど、薬膳《やくぜん》料理のシリーズ、次号から書いてもらえないかな。担当してたライターが、旦那《だんな》の仕事で急にオーストラリアへ行くことになっちゃってね。人気のコーナーだから、ちゃんとしたものが書ける人間が欲しかったんだ」

「そんな記事、書きたくないです」

組んでいた腕をほどいた千秋が、デスクの上で頬杖《ほおづえ》をついた。

「いいかい、ここからはあんたの友だちとして言うからね。確かに今のあんたは無名のライターだけど才能はある。実際に書かせてみて、それがよくわかった。だからね、あんたがライターの道に進みたいと言うなら、無理にうちの編集に押し込まなくてもいいのかなとも思うんだ。そりゃあ、うちとしては、あんたが編集スタッフに入ってくれたほうが嬉しいよ。けどね、あんたはライターのほうが向いてると思う。今の出版不況は、フリーのライターにとっては受難の時代だけどさ、昔と同じで、才能があって努力を怠らない人間だけは、生き残っていける。でも、焦ってはだめだ。注文仕事をこなしながら、もっともっと顔を売らなきゃ。そうして足下を固めてから、ほんとうに書きたいことに挑戦したほうが、結局は近道だよ。あたしもできるだけ力にはなる。だから、今回はあたしの言うとおりにするのが間違いないって。いつまでも、子どもみたいにすねてないでさ」

それでも美佐子が黙っていると「ほんと、やれやれだね」と千秋は肩を竦めた。

「じゃあ、明日からでも、さっそく編集に回ってもらおうか。当面はバイト扱いになるけど、あんただって、自分の食い扶持《ぶち》くらいは稼がなくちゃならないだろ」

千秋の顔から目を逸《そ》らし、足下に視線を落とした。トレッキングシューズの爪先《つまさき》に、『クマの畑』でついた泥が残っていた。

「すいません、いろいろお世話になりました」

顔をあげて、美佐子は千秋に言った。

「お世話になりましたって、どういうことよ」

表情を曇らせた千秋に頭を下げる。

「今回はあれこれご迷惑をかけて申し訳ありませんでした。私はこれで失礼します」

それだけ言い、旅行カバンを手にして、美佐子は回れ右をした。

ちょっと！　という千秋の声を背に、オフィスの外へ飛びだした。エレベーターで一階まで降り、夜の雑踏を歩きはじめる。

千秋のきつい叱責《しっせき》は、自分のことを考えてくれてのことだと重々わかっていた。その後の思いやりを含んだ言葉も、いちいち心に沁《し》みた。しかし、彼女の前で自分の汚れた靴を見たとき、なにかが違うと思った。ぴかぴかに磨きあげたブランド物のパンプスではない、土に汚れたトレッキングシューズが、さっきの言葉を口から出させた。

だが……。

ひとりであがいてどうなるものではないことも事実だった。千秋の力を借りずに、この世界で道を切り開いていけるだけの蓄積はなにもない。無力な三十過ぎの独身女、しかも、仕事を失ったライターもどきの役立たずがいるだけだった。

わずか二月前、この同じ通りを大股《おおまた》で闊歩《かっぽ》していたのはいったい誰だったのかと情けなくなる。

気づくと、涙が頬を伝っていた。

右手のベネトンのバッグと、左腕に抱えたパソコンのキャリアケースのおかげで、涙を拭《ふ》くこともできない。

歩道の端に寄り、バッグを降ろして、ジーンズのポケットからハンカチを取りだした。ハンカチを目に当てたとたん、かえって大量に涙が溢れだした。そのまま歩道にしゃがみ、ハンカチに顔を埋めて唇を震わせる。

いつから自分はこんなに泣き虫になってしまったのだろう。仙台にいた四年間、泣いたことなど一度もなかった。いや、高城に裏切られていたことを知ったあの夜だけは別だった。あれがあってから、涙腺の調子が狂ってしまったみたいだ。

自分の弱さに嫌気がさし、ますます涙が止まらなくなる。

誰かに傍にいてほしいと切実に思った。

吉本の顔が脳裏を掠めた。

唇の隙間《すきま》から嗚咽《おえつ》が漏れだした。

道行く人々が好奇の視線を落として歩き去るなか、街頭の明かりに照らされた美佐子の肩が、小刻みに震えつづけた。

27

十月に入ったばかりの土曜日の午後、山北町役場の一室は重苦しい空気に包まれていた。

窓から見える外の陽気は、室内の澱んだ空気とは裏腹に、あくまでも快適である。深緑の季節と、山々が赤く萌《も》える季節の狭間《はざま》にある、どこまでも澄んだ秋晴れの空が清々《すがすが》しい。

だが、色づく前の山北町の森林が、見た目とは裏腹に、密《ひそ》かに爆弾を抱えていることを、滝沢は見抜いていた。今年は、これからの季節、山の生《な》り物《もの》が極端に不足しそうなのが明らかだった。特にブナの実の出来が悪い。

ブナという木は不思議なもので、七年ごとに大量に実をつける年が巡ってくる。滝沢たちは経験で昔から知ってはいたが、三年前に熊田で『マタギの集い』があった際、参加していた森林総合研究所の職員が言っていた。

通常の年、クマをはじめとした野生動物の食料としてのブナの実は、彼らの消費量プラスアルファあたりで微妙にバランスをとりながら推移していくのだという。それが七年に一度、子孫の拡散を図るため、動物が食べきれないほど大量に実をつけるサイクルが、自然にできあがったのではないかとのことだ。

しかも、全国のブナ林で同時に当たり年がやってくるのではなく、地域ごとにサイクルがずれているというのだから面白い。まるで、植物どうしがテレパシーかなにかで意思の疎通をしているのではないかと思うくらいだ。

ともあれ、熊田の奥山をはじめとした山北町周辺の山々は、去年がブナの実の当たり年だった。クマにとっては、きわめて贅沢《ぜいたく》に暮らせた日々だったに違いないが、それが爆弾となってしまう可能性があるのだ。

要因はふたつある。

ひとつには、当たり年の翌年は、極端に生り物が減るということ。つまり、これからの冬ごもりに向けて大量に必要となる堅果類が不足する。

もうひとつは、去年の豊かな食料事情で、かなり多くの雌グマが子グマを産んでいるだろうということだ。クマは越冬中に子どもを産むのだが、食料が乏しい年には、たとえ受胎しても着床せずに流産させてしまう。

したがって今、この界隈《かいわい》の山林では、人口密度ならぬクマ密度が上がっているにもかかわらず、彼らを賄《まかな》いきれるだけの食い物がないという状態にあり、信管の抜かれていない爆弾が転がっているのと同じなのである。

滝沢が憂えていた爆弾の破裂が、今の山北町で現実のものとなりつつあった。盆の前後くらいから、例年に比べて異常とも思えるほどにクマの出没が頻発しており、母子で同時に罠《わな》に掛かったケースもかなりある。

それでも、奥山にクマが溢れているだけならば、ここまで深刻な事態にはならなかっただろう。問題なのは、クマたちが海岸沿いの集落付近、というより、町の民家周辺にまで出てきて徘徊《はいかい》をはじめていることだ。これでは、農作業もおちおちできたものではなく、なにより、登下校中の子どもたちが襲われはしまいかという不安が、子を持つ母親たちを極端なまでに神経質にさせていた。

クマが出ても当たり前で、なにをそんなに騒ぐ必要があるんだと、麓の住民を内心嘲笑《あざわら》っていた熊田の集落でさえ、ユキエ婆さんが襲われてからというもの、女たちは神経を尖らせている。

なあに気にすることはねえと、口では呑気《のんき》にしている滝沢たちマタギの面々も、内心では、やっぱりこれはどこかおかしいんじゃないかと首を傾げていた。

ひと昔前とは、クマの気質が変わってきているように思えてならないのだ。

ユキエ婆さんの畑に出てきたヌシとおぼしきクマの場合もそうだったが、このところのクマはかなりずうずうしく、人を恐れない個体が増えているように思える。先週の日曜日、滝沢は自らそれを経験していた。

その日滝沢は、冬場の薪の確保に備えて、ナラの切り出しのために山に入っていた。山といっても、すぐ傍に舗装道路が通っているような里山の麓である。

そろそろ弁当を広げようかとひと休みしたとたん、沢の上流のほうからひとりの若者があたふたと駆けてきた。服装から釣り人だとすぐにわかったが、どうも様子がおかしい。

切り株に腰をおろしている滝沢を見つけて、はあはあぜいぜいと息を切らしつつ「ク、クマが出たんです」と青い顔をして訴えた。

いかにも都会風の、茶色い長髪をパーマで膨らませた若者の慌てぶりがおかしくて、滝沢はわざとのんびりした口調で言った。

「そりゃあ、あんた、このへんでクマが出るのはあたりまえだよ」

すると若者は、ぷるぷると首を振り、つかえながらなおも訴えた。

「で、出ただけじゃなくて、ぼ、僕のリュックが、クマに捕られちゃったんです」

「リュックを捕られただって?」

滝沢は若者の顔をまじまじと見つめた。

がくがくと大きく首を振り、彼は説明しはじめた。

「僕、仙台から泊まりがけで釣りに来てたんですが、ここから一キロばかり上流の河原にテントを張ってたんです。それで、そろそろ昼飯にしようかと思ってテントに戻ったら、なかにクマがいて、僕のリュックを開けようとしてた。それでびっくりして逃げてきたんです」

「食い物が入っていたのかい」

「ええ、パンとかソーセージとか、他にチョコレートなんかも」

「テントは入り口を閉じてた？」

「あ、うーん、どうだったか——閉めていたとは思うんですけど」

「そう——ところであんた、走って逃げてきたけど、車はどこ」

「バイクなんです。テントの隣に横付けしてたんで、とてもじゃないけど近づけなかった」

「なるほど」

「なるほどって、あの、僕はどうしたらいいでしょう。麓の交番に助けを求めようと思って逃げてきたんですけど、よく考えたら、ここからじゃ二十キロ以上あって——」

ずいぶん慌てていたようだが、リュックサックを奪われたのでは無理もない。

広げかけていた弁当を包み直し、滝沢はナップザックを背負って立ちあがった。右手には仕事で使っていたチェーンソーを携える。

「そんじゃまあ、行ってみようか」

「どこに――ですか」

「あんたのテントにだよ」

「えっ」

「大丈夫だって、今ごろはいなくなってるさ。いても追っ払えばいいしな。でも、リュックは諦めたほうがいいかもな。貴重品は入ってたのかい？」

「財布とカード類はポケットなんで、特には」

「そりゃよかった。クマって奴はさ、一度手にした物は自分の所有物だって考えるからね。取り戻そうなんて思わないほうがいい」

「そ、それはいいですけど、戻ってもほんとうに大丈夫かな――」

不安そうに滝沢のチェーンソーに目を落とした若者へ笑いかけてやる。

「クマのことはクマ捕りが一番よく知っている。心配することたねえ」

聞いた若者の両目がまん丸に見開かれた。

全部がそうではないにしても、釣り人という人種にはマナーの悪い人間が多く、滝沢は彼らのことが好きになれない。

焚《た》き火《び》跡をそのままにして帰ってしまうだけならまだしも、食い物の始末をせずに散らかし放題にしたり、ひどい場合は、絡んだ釣り糸を平気で捨てて引きあげてしまったりという跡を、今までに幾度も目にしている。

そういえば、『マタギの集い』で、青森から参加した仲間がぼやいていた。白神《しらかみ》山地の立ち入り禁止区域に平気で入りこみ、イワナを釣っている輩《やから》がずいぶんいると。一度現場を目撃し、注意をしたら、おまえはなんの権利があってそんなことを言うのだと、逆に凄《すご》まれてしまったという。

だが、クマにリュックを奪われた青年は、外見とは違って、意外にマナーをわきまえた人間だった。

河原脇の高台に張ったテントの周囲はきちんとしており、勝手に焚き火をしてもいない。こういう者だけなら問題ないのに、と思いながらテントに近づいた滝沢は、入り口の隙間から見えた黒い影にぎくりとして足をとめ、そろそろと後ずさりした。

テントのなかに、とっくにいなくなっていると思っていたクマがまだ居座り、リュックサックを抱えていた。しかも、テントの傍に置かれたラジオが、鳴りっぱなしなのにもかかわらずである。

リュック荒らしによほど夢中になっているのだろう。クマは、こちらの存在にまったく気づいていない。ただし、これはクマの習性のひとつでもある。あれだけ人の気配に敏感なクマも、気に入った食べ物を夢中で採食しているときだけは別で、おうおうにして人が襲われるのは、彼らが食事中で互いに気づかず、ばったり出くわしたときが多い。

それにしても、ずうずうしいクマだった。

安全な位置までテントから離れ、「ほーい！」と声をかけたのだが、ちらりとこちらを見ただけで、すぐにリュックサックとの格闘に戻ってしまった。ばかりか、チェーンソーを動かして騒音をまきちらしてやっても、いっかな逃げようとしないのである。

ようやくクマが去ったのは、リュックサックのなかの物をすべて食べつくしてしまってからだった。これには、さすがの滝沢も呆れ果てるしかなかった。

登山やハイキングのときは、鈴を身につけたり、携帯ラジオをつけっぱなしにしたりして人の存在を知らせるというのが、ひと昔前までのクマ除《よ》けの定石だった。ところが最近、それが通用しないクマが増えつつある。

これもまた『マタギの集い』でのことだが、ラジオをつけているとかえってクマを呼び寄せてしまうと、冗談交じりに嘆いていた者がいた。クマが、ラジオの音イコール美味しい食べ物、と解釈してしまうらしい。加えて、木材伐採が奥山まで進んでいる地域では、騒音に慣れてしまうのか、チェーンソーの音がしても、どこ吹く風とばかりに黙々と採食をしつづけるクマもいるという。

明らかに、クマの性質が変わりつつある。

それが、この熊田においても例外ではないということなのか……。

「あまり口外してほしくないことなのですが――」

会議の進行役を務めている板垣の声で、滝沢は我に返った。

このひと月あまりで、ますます頭が薄くなったように思える役場職員は、見るからに疲れきった表情で言った。

「実はこのところ、うちの課に有害駆除に対する抗議や中傷の電話やファックスが、山ほど寄せられているんです。ほとんどが匿名で対処のしようがなく、なかには怪文書めいたものまであって、本来の仕事がまともにできないくらいで──」

「あんた、だからって駆除をやめると言うんじゃないだろうね。私らの生活を守るのがおたくら行政の仕事でしょう」

板垣の話を遮《さえぎ》ったのは、地元農家の代表として参加しているJAの理事だった。

「そうですよ、子どもの命に関《かか》わることなんですからね。ほうっておいて、まんいちのことがあったら、誰がどう責任をとってくれると言うのですか。冗談じゃありません。とにかく、一刻も早く人里からクマを一掃していただかないことには、子どもたちを安心して学校へ通わせることができません」

少々ヒステリックに声を張りあげたのは、PTAからの代表のひとりだ。

クマ問題対策連絡会と一応は名づけられた非公式の会議には、滝沢を含めて全部で十名ほどの人間が集まっていた。そのまとめ役を、立場上、板垣が仰せ付けられたわけで、古くからの友人ということを差し引いても、気の毒でならなかった。

三日前、猟友会の代表のひとりとしてこの会議に参加してくれと板垣から頼まれたとき、最初、滝沢は断った。熊田の集落では、ユキエ婆さんが襲われたあと、男たちで寄り合いを持って、今のところは現状維持、という結論が出ていたからだ。つまり、また怪我人《けがにん》でも出れば別だが、そうでない限り、集落付近にクマが出没しても駆除申請は出さないでおこうということになった。最も大きな理由は、この時期に駆除をしすぎて、来春の巻き狩りが出来なくなっては困るからである。

そういう事情だから俺が参加しても意味はないよと言ったのだが、そのとき板垣は、滝沢が思ってもみなかったことを口にした。

――この前、ユキエさんが怪我したとき、おまえたち、駆除の許可が下りる前に山狩りしたんだってな。

ある意味、これは脅しだった。銃刀法や鳥獣保護法の違反に問われてもよいのかと、暗にほのめかしているのと同じだからだ。

仕事の疲れ、おそらくは精神的な疲労で、下瞼《したまぶた》に隈《くま》が浮き、血走った目をしている板垣を見て、滝沢はいやな感じがした。あえてそれ以上口にしないところに、心のバランスを崩しかけている兆候があるように思えた。

なにが目的で会議への参加を強く求めているのかまでは見当がつかなかったものの、滝沢はしぶしぶ出席を承諾した。

それにしても、この会議にはなんの意味があるのだろうと首をひねりながら、滝沢は席についていた。確かに、異常とも思える今年のクマの出没には困ったものだが、だからといって、大きな方針転換を町が図ることはあり得ない。駆除の申請が出されれば、規定の手続きを踏んで許可を出し、該当地区の猟友会に委託して駆除を実施するだけだ。都会と違って、動物保護運動が盛んなわけではないから、それに文句を唱える人間もいない。

せいぜい、クマに対する警戒態勢を強化しましょう、という程度の話だろうと思いながら会議の成り行きを見守っていたのだが、さきほどの板垣の言葉で、そういうことかと、滝沢は頷いた。

前にもぼやきを漏らしていたが、放置しておけないくらいに、有害駆除に対する外部からの抗議や非難が殺到しているらしい。

といっても、それが俺たち熊田の者とどう関係するというのだろう。

相変わらず疑問を残したまま、滝沢は耳を傾けつづけた。

「ちょっと待ってくださいっ、駆除をやめてしまうとか、そういうことではないんです！ 発言はこちらの話をちゃんと聞いてからにしてくださいっ！」

混乱しかけた場を収拾すべく、板垣が声を大きくした。金切り声に近いうわずった声だ。

文句を並べ立てていた面々が眉をひそめて口をつぐむ。

バツが悪そうにひとつ咳払《せきばら》いをしたあと、板垣は続けた。

「町民のみなさんの安全と財産を守るのが最優先です。それに変わりはありません。ですが、このところの駆除に対する外部からの抗議は、黙殺できないくらいにまでなっているのも事実なんです。すでにマスコミも取材にきはじめておりまして、役場としても対応に頭を痛めている状況です。というのもですね、どこからそんなデマが出てくるのか理解しがたいのですが、なかには、駆除で捕まえたクマの毛皮とクマの胆《い》で得たお金を町の財源に充《あ》て、肉は町民に配っている、などという中傷があるくらいでして。最近では、インターネット上でもあらぬ噂《うわさ》が飛び交っていて、それを見た者から、町で運営しているホームページの掲示板にまで抗議の書きこみがあったりするんです」

「ばかなことを言ってもらっちゃ困るでの。仕方なく引き受けている仕事だで、それでは、わしらの立場がねえべな。そんなことを言ってるのはどこのどいつだ？　まったく胸くそ悪い奴らだの。こっちのほうから抗議してやるべ」

言ったのは、海岸沿いの地区で有害駆除を担当している猟友会のメンバーだ。

「その相手がわからないから、始末におえないんです。しかしですね、このままだと、こちらの事情などおかまいなしに、山北町の町民全体が悪者に仕立て上げられるのが目に見えています」

「観光にまで影響が出てはまずいですな。町のイメージダウンは困る」

観光協会の代表が渋い顔をする。

そちらを見やった板垣が、そうですすと頷いた。

「町としてもほとほと困っているのですが、ひとつ、打開策になるかもしれない提案がございます。それで、みなさまにお集まりいただいたしだいなんです。実際にどうするか決める前に、各方面のみなさまからご意見を頂戴《ちょうだい》しようということでして」

まずはこれをご覧になってください、と前置きをし、板垣がA４サイズのチラシのようなものを配りはじめた。

滝沢は、回されてきた紙に目を落とした。

『クマの被害でお困りになっている自治体のみなさまへ』というタイトルの下に『奥山放獣

をご存知ですか？』というコピーが続いている。

詳しい内容は省かれているが、有害駆除で捕らえたクマを殺さずに、彼らの棲息地《せいそくち》である奥山へ逃がす試みをしてはどうでしょう、と提案していることは理解できた。そのお手伝いを我々はしています、と締めくくり、連絡先として『特定非営利活動法人（ＮＰＯ）奥山放獣ネットワーク（ＯＨＮ）』の名まえと電話、ファックスの送信先や電子メールアドレスが記載されている。

「これ、電子メールで送られてきたものをコピーしたものですが、内容、おわかりになりますでしょうか」

首を傾げている者が多いのを見てとった板垣は、経緯から説明しはじめた。

それによると、最初に町のメールアドレスに送られてきたのは、今年、新年度がはじまってしばらくしてからのことだったという。その時点では特に気にも留めずにいたのだが、二週間ほど前、同じ発信者から、提案のご検討はしていただけましたか、というメールが入った。おりしも、クマの出没が頻発し、誹謗《ひぼう》中傷が殺到しはじめたころだった。

対応に困りきっていた板垣は、とりあえず話だけは聞いてみようと連絡をとってみた。詳しく尋ねてみると、検討する価値がありそうに思えたので、出張の許可をもらい、ＯＨＮの事務所がある東京まで出かけたのが一週間前。帰ってきてから町長や助役と相談した結果、まずは今日の会議を開いて関係者の意見を聞いてみましょうということになったらしい。

続いて板垣は、そもそも奥山放獣とはなんぞやというところからはじめ、『奥山放獣ネットワーク』なるＮＰＯが何をしてくれる団体なのかまで、ひと通り説明した。

しばらくひそひそ話の声がしたあと、ＪＡの代表が胡散臭《うさんくさ》げに発言した。

「だからって、またクマが戻って来ないという保証はないんでしょう」

「確かにそうです。ですが、各地での実施結果を見てみますと、かなり効果があるのも事実のようです。それに――」と言って、板垣はさらに続けた。

「いっさいの駆除をやめるという話ではありません。逃がすクマには電波発信機や標識をつけますから、懲《こ》りずに二度、三度と罠にかかるクマは特定でき、その際には従来どおり処分することになります。何度めでというのは、住民のみなさまのご意見を尊重して決めることになるでしょう。出没即処分ではなく、少なくとも一度くらいは執行猶予を与えてやってもよいのではないでしょうか」

「まあねえ、学校でも命の尊さということを教育しているわけですから、それもありかなとは思うんですけど、ほんとうに大丈夫なのかしら」とＰＴＡの代表者。

それを受けて板垣が頷いた。

「その点は先ほどから申していますように、絶対という保証はありません。ですが、子どもたちへの教育上のメリットは十分にあると思います。なにより、私たちの町は駆除一辺倒ではないんですよ、という外部に対するＰＲにもなりますし」

「クマ牧場でも作ってはどうかね。北海道の登別《のぼりべつ》とか秋田の阿仁でしたっけ？　あそこにあるでしょう」

「すいません、作るとなれば費用もかかるし、手続きの問題もありますから、それはまた別の問題ということにしてください」

「いいアイディアだと思うんだがなあ」と観光協会の代表が残念そうな顔をする。

「費用といえば、その奥山放獣をしてもらうったって、金がかかることなんだべ？　全部、町が負担してくれるんかの。そうだとしても、わしらの税金には違いねえべ」

「確かにただでとはいきませんが、同じことを町だけでやるよりも、ずっと負担が軽減されるのは、試算した結果明らかです。それと、この前の出張でもそのへんの事情、予算的にきついということを、ざっくばらんに先方にも相談しました。そしたらですね、とりあえず今年度は、試験ということで何頭か実施してみてはどうかという話でして。その場合、二頭ぶんまでは、サービスというのもへんですが、無料にしてもらえるそうです。それで効果が認められるということであれば、来年度の予算に正式に組みこめばいいでしょうとアドバイスされました」

なんだか出来すぎの話のように滝沢には聞こえたが、一同の顔を見回すと、さっきまでとは違い、前向きに考えてみてもよいのではないかという雰囲気が出てきている。

ただし大事なことに気づいていないと、滝沢は心のうちで呟きを漏らした。

滝沢の内心の呟きが何か、最初に気づいたのは、やはり猟友会の人間だった。

「板垣さん、あんたの提案はまあまあわかった。考えてみる価値はあると思う。んだけどな、捕まえたクマをどこに逃がすっていうんだ？　このところ出はってきてんのは、海岸べりが多いべや。近くの山さ帰しても、すぐに戻ってきてしまうど」

板垣自身は、その質問をあらかじめ予想していたのだろう。

「そう、どこに放獣するかが一番の問題なんです」と言いつつ、滝沢のほうにそれとなく目を向けた。誘われるようにして、皆の視線が一斉に滝沢に集まる。誰かが「なるほど」と声に出して漏らした。

板垣が、あれほどしつこく会議への参加を求め、しかも詳しい内容を口にしなかったのは、これがためだったのだ。

迂闊《うかつ》にも気づくのが遅れてしまった。場の雰囲気は、いやだと簡単には首を振れない状況になってしまっている。

助けを求めるべく何人かの知った顔に視線を向けてみたが、いずれも極り悪そうに目を伏せるだけで、誰も発言しようとしない。さすがに自分からは言い出せなくて、滝沢自らが「わかりました、それなら俺方《おらほう》の山に放してください」と頷くのを待っているに違いなかった。

「滝沢さん、なにかご意見がおありのように見えますけど」

板垣がすました顔で言う。

――この野郎、飲みに誘われても二度と一緒にいかねえぞ。

腹のなかで悪態をついてから、滝沢は口を開いた。

「みなさんが、うちらの村になにを期待してるのかはわかります。ですが、はいわかりました と二つ返事をするわけにはいかないです。うちらの山はクマ捨て場ではないですから、そこはわかってもらわないと」

「いや、なにも熊田地区にすべてを押し付けようということではなくて、とりあえず何頭か試験的に行ってみて、結果を見てからまた検討してみましょうということですよ。熊田地区の住民のみなさんは、昔からクマと共に生きてこられたわけですから、先行して放獣を試してみるには、熊田以上に相応《ふさわ》しい地区はないのじゃないかと――」

そうだそうだと頷く顔ばかりが、滝沢の目の前にあった。

結局、多勢に無勢で押し切られる形で、クマ問題対策連絡会なる会議は終了した。

さすがに、あの場で滝沢に即答を求めることは気の毒だと思ったのだろう。案件を持ち帰って寄り合いを開き、熊田地区の住民の意思を確認してもらいましょうという話になったのだが、事実上、おまえが説得しろと言われているのと同じだった。

田舎の人間の弱いところや悪いところが、如実に噴き出た会議だったと、滝沢はげんなりし、虚《むな》しさも覚えていた。

麓住民の大多数の本音は「クマなんかいなくたっていい」である。確かに、ふだんの生活において、クマがいて困ることがあっても得する部分はひとつもない。いてもよいという者があったとして、あくまでも悪さをしなければ、という条件付きでのこと。

だが、自分を含めてそうだと思うが、外の者、特に都会の人間から自分たちがどう見られるかということになると、ひどく敏感で見栄《みえ》っ張《ぱ》りなのだ。だから、駆除に対する外部からの批判に対しては、ああまでうろたえ、腰砕けになってしまう。

かといって、近くにクマがいるのはやはり困るし、自分の懐が痛むのも嫌。堂々巡りする損得勘定の矛盾のなかで、たぶん、彼らには熊田の集落の存在が、ひと筋の光明に見えたのだろう。

ＯＨＮなる団体の助けを借りれば懐の痛みは最小限で抑えられるし、都会の人間に対しても胸を張れる。面倒なところは他人に押し付けてしまおうとするあまり、熊田の住民もクマが増えてかえって喜ぶだろうなどという、短絡的な発想が出てきたに違いなかった。

会議の場でも言ったが、熊田はクマ捨て場ではないのだ。もともと熊田の奥山に棲《す》むクマを追っての猟であるから意義があるのであって、人の手によって連れてこられ、しかも発信機かなんだか知らないが、首輪をつけられたクマを撃っても意味がない。獲物と対等に向き合ってこその猟である。そのへんの微妙な心理が、猟をしない人間にはどうしてもわからないらしい。

だが、一方では、そんなことばかり言ってはいられない時代になりつつあるのだと、滝沢にもわかっていた。もしかしたら、自分や悟、貢の代で、熊田のクマ猟が終焉《しゅうえん》を迎えることになるのではないかという不安と寂しさが、滝沢の胸に去来していた。

28

どのみち家に帰ってもすることがなく、会議のせいで気分がくさっていたので、滝沢は真っ直ぐ自宅には戻らなかった。『笹川流れ』が見える海岸まで足を運んで車を停《と》め、ぼうっとした時間をすごしてから熊田に戻った。

それがかえってまずかった。

飽きることのない海と島々の景観を眺めながらも、浮かんでくるのは妻と子どものことばかりだった。

さすがにいつまでも黙っているわけにもいかず、親父とおふくろには、お盆がすぎてしばらくして、それとなく翔子の状況を伝えていた。だが、相手の男のことは口にしていないから、ふたりにとっては要領を得ない話だったに違いない。

――やっぱり、都会の人がここに住むのはきついのかねえ。

ぽつりと漏らした母の言葉が、しつこいくらい耳に残っている。

それもまた真実の一端なのかもしれないと、今の滝沢は思うようになっていた。翔子はひと言も口にしなかったが、彼女自身も気づいていない根深いところに、田舎の生活に対する嫌悪や拒絶があったとしても不思議ではない。

そもそも彼女と結婚したことが間違いだったのではないかという、ひと月前には浮かびもしなかった思いが、滝沢の胸を掠めるようにさえなっていた。

自宅に帰ったとき、すでに熊田の集落は麓の町よりひと足早い夕暮れどきを迎えていた。どんな季節でも、日暮れから夜への移行が駆け足でやってくるのは、谷間の村の宿命である。人によっては、こんなところにも閉塞感《へいそくかん》を覚えてしまうのかもしれない。

「宿泊所を覗《のぞ》いてみてくれんかの」

靴を脱ぐ間もなく、迎えに出てきた母の繁子《しげこ》に言われて、滝沢は首を傾げた。

「どうしたんね、いきなり」

「今日の昼すぎだったけどの、この前の女の人、美佐子さんだったけな、あの人がひとりで訪ねてきてしばらく宿泊所を使わせてくださいって言うんよ。役場の観光協会には申し込みをすませてあるって言うし、鍵を渡さないわけにもいかなかったでの。んだどもほれ、ユキエさんのことがあったばかりだべ――」

その先の言葉を繁子は濁した。

母がなにを言いたいのかは、説明されなくてもわかった。

「わがった。んだら、ちょっくら行ってくる」

滝沢は、脱ぎかけた靴を履き直そうとしてから足を引き抜き、汚れた靴下を脱いでサンダルをつっかけた。

いったいどうしたのだろうと首をひねりながら宿泊施設に向かう。また取材ということであれば、事前に連絡をよこすに違いなく、それなしで来たとなると、女がひとり旅で来るようなところではないのだが、単なる旅行ということだろうか……。

どちらにしても、今はタイミングが悪すぎる。

悟の婆やの弁ではないが、美佐子が取材で熊田に来てから、山北町のあちこちでわんさかクマが出没しはじめ、ついにはユキエ婆さんが襲われてしまったのは事実だ。単に偶然が重なっただけであるにもかかわらず、年寄りたちの間では、彼女の来訪が山の神さまを怒らせたのだという噂が囁かれている。

確かに美佐子は、言い伝えどおり山の神さまが醜い女の神さまだとすれば、嫉妬のあまり悪さをしてやろうと企《くわだ》てたくなるほどの美人である。しかも、ひと目でわかるほどに、都会の女性の華やかさやきらびやかさを身にまとっている。たとえ、そこらの娘と同じようなTシャツとジーンズ姿でもだ。そのへんが、同じ都会育ちでも、どちらかといえば地味な感じがする翔子との違いだった。

だから、彼女の存在が、こんな状況にある熊田の住民の意識を逆撫《さかな》でする恐れは十分にあった。美佐子には悪いが、事情を説明して、ほとぼりが冷めるまでここには来ないようにとアドバイスしてやったほうがいいだろう。

そう考えながら宿泊所の玄関を開け、奥から出てきた美佐子を見た瞬間、滝沢の胸がざわついた。

阿仁で会ったときとも、この前会ったときとも、彼女の様子が違っていたのだ。

着ているものは、グレーのトレーナーの上下で特別なものではなかった。だが、なんと言ったらよいのだろう。なにか投げやりな、崩れた雰囲気が全体にあり、あの溌剌《はつらつ》とした目の輝きがどこにもない。

「ちょうど夕食にしようと思ってたところなんです。この前のお礼と言ってはなんですけど、よかったら、ご一緒しませんか？」

型通りの挨拶を交わしたあとで言った美佐子の息に、微かにアルコール臭が含まれているのに気づき、胸のざわつきがさらに大きくなった。

誘われるままに宿泊所にあがり、ダイニングキッチンに足を踏み入れると、テーブルの上に料理の皿が幾つか並んでいた。

パスタや大盛りの野菜サラダを中心としたイタリアンというやつだろうか。いかにも美佐子が好みそうなものばかりである。

「久しぶりにお料理したせいで作りすぎちゃって、ひとりでは食べ切れそうになくて困ってたんです。お口に合うかどうかわからないですけど、どうぞ座って召し上がってください」

美佐子に言われ、滝沢は「はあ、それじゃ」と頷いて腰をおろした。

よく見ると、料理にはまだ手をつけていないにもかかわらず、半分ほど中身が減った白ワインのボトルが皿の隣に立っている。

「もう飲んでたんかい？」

「お料理に使ったついでに。安物なんですけど、味見してみたらけっこう美味《おい》しかったんでつい。ワインはお嫌いですか？　ビールも買ってありますけど」

「いや、なんでも飲むんで」

「そう、じゃあ、ぜひ一杯」

嬉しそうに言い、美佐子が白ワインを注いだグラスを滝沢の前に置いた。

乾杯したあとで滝沢は美佐子に尋ねた。

「ところで、どうしたんね、突然。来るなら来るって電話でもしてくれれば、晩飯くらいうちで用意しておいたんだけどの」

フォークとスプーンを器用に使い、取り皿に料理を盛り分けながら美佐子が微笑む。

「しばらくここに滞在するつもりだったんで、食料品を山ほど買い込んできたんです。山ごもりでもするんかねって、タクシーの運転手さんに驚かれちゃったけど。ですから気になさらないでください」

「いや、それはいいけど、滞在するってどのくらいかの。それに、どうして。また取材かの」

「取材ではないんですけど、いろいろ考えたいことがあって」

「考えたいことって？」

「まあ、あれこれ――それより、どうぞ食べてください。あ、お箸《はし》のほうがいいかな」

立ちあがった美佐子は引き出しから割り箸を取り出し、滝沢に手渡してから「あら、ワイン空いちゃいますね、もう一本抜きましょうか。今度は赤がいいかな」と忙《せわ》しげな口調で言い、冷蔵庫を開けて赤ワインのボトルを手にした。

「この赤、ライトボディだから少し冷やしたほうが美味しいんです。解禁日がまだ先なんで、今年のボージョレをどうぞというわけにはいかないですけど、我慢してくださいね」

そう説明してソムリエナイフでコルクと格闘をはじめた美佐子を見ながら、滝沢は、やはりおかしいと感じた。

忙しげな口調とは裏腹に、体の動作の端々に、緩慢ではないにしても、投げやりと言っていい気だるさがあり、そのくせ視線は落ち着かない。すでに彼女の胃に入っているアルコールのせいばかりとは思えなかった。

「美佐子さん、あんた、なにかあったんじゃないのかい」

しかし美佐子は、いいえ別に、と答えただけで、コルクを抜いたばかりの赤ワインをグラスに注ぎ、トマトソースのパスタと交互に口へ運びはじめた。

仕方ないと肩をすくめ、取り分けられた料理をしばらく味わってから、滝沢は箸を置いた。言うべきことは言わねばなるまい。

「ところで美佐子さんよ、あんた、ここにはあまり長居しないほうがいいと思うんだが」

フォークを動かす手をとめ、美佐子が不審げな顔をする。

「いや、実はさ――」

無意識に頭を掻《か》きながら、滝沢は事情を説明した。

「――というわけで、あんたのせいではないんだけど、年寄りや女たちが神経質になってるもんでの、奴ら、クマたちが、穴に入るまでは、ここに来ないほうがいい」

こんな話、美佐子の性格では怒りはじめるはずだと思い、滝沢はそれを覚悟で反応を待った。

予想したのとは違う反応を、美佐子はした。テーブルの上に、ぼろぼろと大粒の涙を零《こぼ》しはじめたのである。

うな垂れ、声を出さずに涙を流す美佐子を見て、滝沢はどうしたらいいかわからずにうろたえるしかなかった。

「どうして――どうして、こうなっちゃうの――」

震え声で美佐子が力なく首を振る。

「なあ、なにがあったか話してみなよ。俺でよかったら、話を聞くぐらいできるでの」

人に対して、このような優しい言葉をかけたのはいつ以来のことかと思いつつ、滝沢は美佐子を促した。

「みっともないところを見せてしまってすいません」

ティッシュペーパーで鼻をかんだ美佐子が、赤く腫《は》らした目で謝った。

滝沢が黙って頷くと、美佐子は心を決めたように、顔をあげて話しはじめた。

「この前取材でお邪魔したときの記事、掲載されたらお送りしますって約束してたのに、届いていませんよね」

そういえば、彼女の言うとおりだった。グラビアに滝沢の近影も入れることにしたいのですがいいでしょうかと訊かれ、少々照れくさかったものの承諾した。というより、全国版の雑誌に自分の写真が載ると聞かされ、田舎者の典型かもしれないが、内心は有名人になったみたいで嬉しかった。

「ほんとうは電話でお詫《わ》びすべきところだったのですが、あれ、ボツになってしまったんです」

「そう、ボツに――」としか答えられない。

「実は、それだけじゃなくて――」

美佐子が詳しい事情を説明した。

いったん話しはじめたことで心の枷《かせ》が外れたのだろう。気づくと、彼女の身の上話になっていた。

大学卒業後に勤めていた編集プロダクションから引き抜かれて仙台に移り、四年間ほどタウン誌の編集長を任され、それなりに充実した仕事ができたこと。いつの間にかそのタウン誌の発行人と恋仲になったが、予想もしなかった形で裏切られて東京に戻り、心機一転、フリーライターとして今回の仕事をはじめたこと。それが頓挫《とんざ》して仕事を失い、この先どうしたらよいのか、完全に目標を失ってしまったこと。そんなとき、今までにこれほど心を惹《ひ》かれたことがなかった熊田の山里を思いだし、ゆっくり自分を見つめ直そう、ここでならなにか答えが出せるかもしれないと考えて、再び訪ねてきた……。

「結局、自分から逃げているだけなんですよね。それはわかってるんです。でも、まさか私のことが、この村でそんなふうに思われているなんて考えもしなかったので、急に悲しくなってきちゃって――ごめんなさい、このところ、自分でもおかしいくらいに涙腺《るいせん》が弛《ゆる》んじゃってるんです」

最初に阿仁で会ったときの、やたら高慢ちきだった面影は、今の美佐子にはどこにもなかった。

「あんたも、あれこれけっこうたいへんなんだの。でも美佐子さん、こんなこと言っちゃ悪いけど、少々生意気なくらいが、あんたには似合ってると思うんだがの」

慰めにしては的外れかとも感じたが、美佐子は見せかけではない微笑みを浮かべてくれた。

「そうですよね。こんなふうにうじうじしてるのは、ほんとうの自分じゃないって思うんです。ただ、なんだか、いろいろなことに疲れちゃって」

「そんなときは、誰にだってあるもんさね」

「愚痴を聞いてもらってすいません。しばらく東京から離れて仙台に行ってたということもあって、学生時代の友だちとも疎遠になっちゃって。気づいてみたら、愚痴を言いあえる相手もいなくて、つい――」

「いいって、いいって。これくらいお安い御用ってもんだしの」

こくりと素直に頷いた美佐子の表情に、滝沢はどきりとした。

彼女の心の内に耳を傾けてしまったせいだろうか。ほんのりと頬を染めた美佐子をどうにかしてしまいたいという衝動が、体の芯で疼いているのに気づく。

盗み見るようにして胸の膨らみに視線を向ける。トレーナーの下には、下着をつけていないように見えてならない。

「あっ」という美佐子の声に、滝沢は慌てて妄想を振り払った。

「いけない、もうこんな時間。昭典さんの都合も聞かずに誘っちゃいましたけど、おうちで晩御飯のご予定だったんですよね。ごめんなさい、自分のことで頭がいっぱいで。奥さん、今ごろは気をもんでいますよね、どうしよう」

「いや、大丈夫だって、気にしなくとも」

「でも――」

「いいんだって、今、うちには女房はいないから」

「え？」

ついロから出てしまった自分の言葉にうろたえる。

いや、口にしたかったのだ、と滝沢は思った。親父とおふくろに喋りはしたが、自分の心情まで話したわけではなかった。心の底に鬱積《うっせき》しているものをぶちまけたくても、誰にも話せないでいた。美佐子の話を聞いているうちに、それを吐露してしまいたい気持ちが膨れあがってきたに違いなかった。

今度は、滝沢が身の上話をすることになった。

最初は、そこまでは、と思っていたにもかかわらず、結局、翔子の昔の相手のことや、長女が自分の子どもではないかもしれないというところまで、包み隠さず話してしまった。

滝沢が喋り終えたとき、しんみりした空気がふたりの間に落ちていた。

「悪かったの。せっかくあんたが元気になりかけたのに、こんな話をしてしまって」

「ううん、ちっとも。それで、昭典さんはどうなさりたいの？　やっぱり、よりを戻したいわけでしょ」

「まあね、それはそうだ。けどね、それでまたうまくやっていけるかどうかわからないというのも、正直なとこでの」

「元の鞘《さや》におさまったほうがいいと思う。おふたりだけならまだしも、お子さんがいるんですもの。それに、心待ちにしていた男の子が生まれたんだし、自分のあとを継いでもらいたいと思っていらっしゃるんでしょ？　いつかは、一緒にクマ狩りをしたいでしょうし」

「さあ、どうだか」

「そうはお望みじゃないんですか」

「最近思うんだけどの。もしかしたら、俺らの代で、この村の鉄砲撃《ぶ》ちは終わりかもしれねえ。俺らが子どものころとは時代が違いすぎるものなあ」

「なんだか寂しいですよね」

「まあね。俺がはじめてクマ狩りに連れていってもらったのは小学校四年生のときだった。といってもな、山の奥には入れねえから、引退した爺やたちに面倒をみてもらいながら、入り口の林道でみんなの帰りを待ってるわけさ。それが六年にあがれば、向棚《ムコダナ》っていう、猟場《クラ》が見渡せる位置まで行けるようになる。中学になれば今度は鳴り子さ。早く免許とって鉄砲が持ちたくてなあ、それがとにかく楽しみだった。クマ狩りのときは、公認で学校を休ませてもらったしよ」

「今の子どもたちもそうなんですか」

「いや、学校を休んじゃまずいってことになったもんでな。小さい子どもは連れて行けなくなったし、だいいち、子どもらが昔と違って興味を持たなくなってきてるものな。このままじゃあ、誰も継ぐものがいなくなるべ。そしたら、この村も終わりさ」

「終わりって、そんな――」

滝沢の言葉に、そう美佐子が顔を曇らせた。

「この前、俺家《おらえ》で飲んだとき、爺やが言ってたべ。俺らはクマ狩りでこの村を守って来たって。覚えてるかい？」

「なんとなく、ですけど。でも、どういうことか、今でもほんとうには理解できていないというのが、申しわけないけど、正直なところです」

「つまりこういうことさ。もし、鉄砲持ってクマ狩りしてなかったら、俺はとっくにこの村から出てたと思う。都会から旅行やなんかで来た人はよ、豊かな自然に囲まれて暮らすことができていいですねって言うけど、実際はそんなもんじゃねえ。街場で暮らしたほうが便利もいいし仕事もあるし、ずっといいに決まってるんさ。実際、同級生でクマ狩りをしない連中は、全部、外に出てしまってるしな。鉄砲持ってのクマ狩りが、俺や悟や貢をこの村にひき留めてきたっていうのが事実なんさ。それでかろうじて、この村は廃村にならずに持ちこたえているって言っても、言いすぎじゃねえ。それが現実だ」

なんと答えてよいかわからないのだろう。美佐子は、複雑な表情で口をつぐんでいる。

「そんなだからさ、女房や子どもたちのことを考えると、かえってどうしたらいいかわからなくなるんよ。俺自身は、今さらこの村を捨てて都会には行けねえし、かといって、女房や子どもに、この村での生活を押しつけていいものかっての」

しばらく沈黙が続いたあとで美佐子が尋ねた。

「もうちょっと、飲みます？」

少し考えてからかぶりを振って腰をあげる。

「いや、そろそろ帰るわ」

「そうですか、じゃあ」と頷いた美佐子は、玄関先に見送りに出たところで滝沢に言った。

「私、明日にでも東京に戻ることにします」

「悪いの、せっかく来てもらったのに。明日は休みだから車で送ってやるでの、遠慮なく声をかけとくれ」

一礼した美佐子に背を向け、すっかり暗くなった路地を、東の山稜《さんりょう》から顔を見せはじめた月明かりを頼りに歩いていく。

美佐子に抱きかけた欲情を露《あらわ》にせずにすんでよかったと胸を撫でおろす。一歩間違えれば、あの場で彼女を押し倒していたかもしれない。そんなことになったとしても、妻に対するあてつけでしかないことはわかっていた。そこまで堕《お》ちた人間にはなりたくなかったし、実際になれないのが、自分という人間だった。

29

階下で物音がしたような気がして、美佐子は目を覚ました。

薄暗い室内で枕元《まくらもと》に手を伸ばし、外していた腕時計を覗くと、午前五時を少しすぎたところ。まだ日の出前の時刻だ。

耳をすましてみたがなにも聞こえない。どうやら、夢でも見ていたらしい。

美佐子が布団を敷いているのは、宿泊所の二階の一室だった。隣の杉林にあるお墓のことを考えると、ひとりきりで一階に寝るのはどうしても嫌だったのである。

昨夜、滝沢が帰ってから、美佐子の自己嫌悪はますますつのってしまった。彼に身の上話をしたことで少しは気分が晴れた気もしたのだが、床に就くころには、逆に憂鬱《ゆううつ》は深まっていた。

今までのことを滝沢にあれこれ話していたとき、美佐子は、彼が自分に対して欲情していることに気づいていた。しかも、気づかないふりをしながら、それとなくこちらから誘いかけてもいた。

ワインで酔っていたからではない。最近会ったなかでは、最も地に足がついていて、それなりに充実した平穏な生活を送っている滝沢を翻弄《ほんろう》してやりたいという、かなり意地悪な気持ちがあった。すっかり受け入れてもらえたとばかり思っていた熊田の住民が、自分の来訪を歓迎していないと聞かされて、ひどく悲しくなるとともに、屈折した嫌らしい気持ちが出てきてしまったのだ。仕事にも恋にも行き詰まり、半ば自暴自棄になっている心が、どうにでもなれと囁いていた。

ところが、なんということか。その滝沢が家庭の崩壊に直面していたなんて……。

彼と妻との間にあったことを聞いたことで、なんて自分はいやな女なんだろうという嫌悪に、身の置き所がなくなるほど苛まれた。

自分を見つめ直したくて熊田に来たというのは嘘ではない。それなのに、来たばかりでこういうことになるとは、こんなだったら来るんじゃなかったと、布団に入ってから涙が止まらなかった。そうしているうちに、いつしか眠りに落ちていた。

しかし、そこそこ睡眠をとったにもかかわらず、体と心がばらばらになりそうな気分は相変わらずだ。

もう一度寝直そうと思い、頭を布団にもぐりこませたところで、再び階下で物音がした。がたんという椅子が倒れるような音。夢や空耳でないのは明らかだった。

——誰かいるの？

布団の上に身を起こして神経を尖らせつつ、戸締まりをしていたかどうか考える。滝沢を送りだしたあと、玄関は閉めたと思う。だが、施錠をしたかどうかまでは覚えていなかった。

早朝の薄明かりのなか、しばらくじっとしていたが、さっきのがたんという音を最後に、再び階下は静まり返っている。

美佐子は、トレーナー姿のまま布団から這《は》いでると、そっと襖《ふすま》を開けて頭だけ出し、薄暗い階段を見おろしてみた。

階段にも、その先の廊下にも、見える範囲に人影はない。

音も、やんだままだ。

裸足《はだし》の足をそろりと踏みだす。

ぎいと鳴った音に跳びあがりそうになる。

呼吸を静め、壁に手を当てながら一歩ずつ階段をおりていく。

あと二段残したところで、がしゃっと皿がぶつかる音がした。

左手にあるキッチンのほうからだ。

間違いない。キッチンに誰かいる。

いったい誰が、なんのために……。

怖くなってきた。怖いけれども、確かめずにはいられない。

意を決し、残りの二段をおりて、昨夜、滝沢と夕食を共にしたダイニングキッチンを覗いた。

こちらに背を向けて流しの前に立つ黒い影が美佐子の目に飛びこんできた。

はじめは正体がわからなかった。目を凝らして影を見つめることわずか。喉《のど》の奥から出かけた悲鳴を、口に手を当てて押さえこむ。

二本足で立ったツキノワグマが、シンクのなかに頭を突っこみ、夢中で残飯漁《あさ》りをしていた。

目にしたものが信じられず、現実感覚が失《う》せた状態で、しばらくの間、美佐子は立ちすくんでいた。

逃げなければということに思い当たるまで、ずいぶん時間がかかったと思う。

ツキノワグマが、美佐子には気づかずに、ぺちゃぺちゃと音を立てて一心に皿を舐《な》めつづけていることで、パニックに陥ることだけは免れた。体中が痺《しび》れたみたいでふわついた感じがするが、大声をあげることも、闇雲《やみくも》に走りだすこともせずにすんだ。それが美佐子の命を救うことになったのかもしれなかった。

逃げるとしたらどこへ。

ツキノワグマから離した視線をあちこちに飛ばす。

真っ直ぐ五メートル走れば、一度壁に突き当たり、右に折れたところが玄関だ。でも、そのためにはキッチンから丸見えの状態で廊下を突っ切らなければならない。

だめだ、絶対に気づかれるに決まっている。一階の別な部屋に逃げこむなど、もってのほか。

二階に戻るしか選択の余地はなかった。

そうだ、部屋に戻れば荷物のなかに携帯電話がある。それで、滝沢に助けを求めればいい。

床板が音を立てないように祈りつつ、息を止めて階段へと後ずさりする。

踵《かかと》が一段目の腰板にぶつかった。踵《きびす》を返して駆けあがりたくなる衝動をこらえ、一段ずつ後ろ向きで階段を上っていく。

いつになったら着くのかと泣きたくなったところで、ようやく階段が終わった。

もう一度階下の様子を窺《うかが》い、クマの姿が見えないことを確認してから、部屋のなかに体を滑りこませた。

襖を閉めてパソコンのキャリアケースへにじり寄り、携帯電話を手にしたところで思いだした。

この集落は、通話エリアから外れている。だから持ち歩かずに、パソコンと一緒にケースのポケットにしまいこんでいたのだった。

それでも祈る思いで電源を入れてみたが、やはり『圏外』の表示が美佐子を嘲笑うように浮き出ただけ。クマが去るまで、ここでじっとして隠れているしかないのか……。

いやだ。

脳裏に浮かんだ光景に、美佐子は首を振った。

軽井沢で見た、蜂《はち》の巣目当てにクマが壊してしまった、別荘の戸袋。

こんな薄っぺらの襖なんか、その気になったら簡単に破られてしまう。室内にあるのは玩《おも》具《ちゃ》みたいな卓袱台《ちゃぶだい》だけで、バリケードになりそうなものはひとつもない。

がたん、がしゃんと、階下のキッチンから派手な音がしはじめた。クマが、餌《えさ》を求めて再び動きだしたに違いない。

気配を嗅《か》ぎつけ、階段を駆けあがってくるクマの姿が瞼にちらつく。

そのとき、夜明けの明かりで白く浮きあがった窓に、美佐子の視線が張りついた。

あの窓からなら、キッチンとは反対側の軒下におりられる。窓の下には、洗濯機や灯油タンクを風雨から守るための庇《ひさし》が張り出していたはずだ。そこからであれば地面に飛び降りられるかもしれない。

一度思い浮かぶと、それ以外に考えられなくなった。

足音を立てないように畳を横切り、レースのカーテンと窓を開けた。サッシ窓なので、開けるときに音が出ないのがありがたかった。

思ったとおり、窓の下にはトタン張りの庇がせり出していた。

一足だけしか持ってきていないトレッキングシューズは玄関だが、この際、裸足でも仕方がない。

窓枠に手をかけたところで、手のひらが汗でぬるぬるしているのに気づいた。トレーナーに擦《こす》りつけて汗を拭《ふ》き、もう一度窓枠に手をかけて体を持ちあげた。

サッシをまたいで後ろ向きになり、両手で体を支えたまま、つま先で探る。

親指の先が、トタン板に触れた。

しかし、両腕を突っ張ったままでは庇におりられない。かといって、もう一度体を引きあげてやり直すのも無理だ。

思い切って腕の力を緩めた。

足の裏がひんやりとしたトタンに触れた、と思ったら滑った。

朝露で濡《ぬ》れたトタンと、足の裏に滲《にじ》んでいた冷や汗で、傾斜がついた庇の上を両足がずるっと滑った。とっさに窓枠にしがみつこうとした手が空を摑《つか》んだ。

なにがなんだかわからないでいるうちに、ふわりと体が浮き、あっと思った直後、腰に激痛が走り、目の前が暗くなった。

息が詰まって、うーとも声が出ない。

ちかちかしていた星が消え、ようやく息がつげるようになってから、自分が庇から落っこちて、草むらに尻餅《しりもち》をついていることがわかった。柔らかい草むらで助かったとはいえ、お尻が割れたみたいに痛くてたまらない。胸も苦しい。それでもうずくまってこらえていると、徐々に痛みが退《ひ》きはじめ、呼吸も楽になってきた。

恐る恐る立ってみた。

なんとか大丈夫みたいだ。

片手を尻に当てたまま、美佐子は、よたよたと滝沢の家を目指して歩きはじめた。

30

クマの話を聞いた滝沢は、すぐさま隣の家の爺やを叩き起こして現場に向かってくれた。戻るまでここで待ってろと言われたのだが、滝沢の顔を見た安堵のせいだろう、美佐子は好奇心を抑えられなくなり、しばらくしてから宿泊所へと足を運んだ。

ちょうど宿泊所の玄関から出てきた滝沢が、猟銃を手にしたまま言った。

「逃げちまったみたいだ、なかにはもういねえよ」

「ほんとうに？」

「全部確かめたから、間違いねえ」

「どこに行っちゃったのかしら」

「そりゃあ、クマに訊いてみなけりゃわからねえべ」

一緒に来た爺やが、やけにのんびりした口調でうそぶく。

それでも不安そうにしている美佐子を安心させようとしてか、銃をケースに戻しながら滝沢が笑った。

「大丈夫だって、そろそろ村の連中も起きだすころだしよ、人が煩《うるさ》いところにはクマは寄りつかねえから」

「しかし、昭典よ。ずいぶんずうずうしい奴だなあ。ここまで度胸のあるクマっこは初めてだな。この前、おめえが見たっていうのと一緒だべかの」

爺やに言われた滝沢が渋い顔で頷く。

「もしかしたら、そうかもしれねえ」

この前のって？　と美佐子が尋ねると、一週間ばかり前に釣り客のリュックサックを捕っちまったクマがいたんだと滝沢は説明した。

「この山のクマは、悪さをしねえのばかりだったんだがの、いったいどういうことだか」

頻繁なクマの出没については、昨夜、ある程度のことを滝沢から聞いてはいたが、ベテラン猟師の爺やまでが首を傾げるくらいなのだから、事態はかなり深刻らしい。

思いだしたように、滝沢が爺やと会話をはじめる。

「そうそう、それで爺やに話があったんだ。昨日の会議で決まったんだけど、今晩あたり寄り合いは開けねえかの」

「会議ではなんだってや」

「簡単に言うと、海っぺりに出たクマを俺らの山さ放したいってことでの。熊田地区の意見をまとめてくれって言うんよ」

「なんだってな、そしたら馬鹿なこと」

「だべ？　けど、簡単に断るわけにもいかなくての」

「そしたって、なんでまた、役場では急に方針を変えることにしたんだ」

「なんてったっけな――んだ、ＯＨＮとかいう保護団体がよ、山北町でも奥山放獣しねえかって持ちかけてきたらしいんだの」

「ＯＨＮですって？」と思わず美佐子は声をあげていた。

「美佐子さん、あんた、なにか知ってるのかい？」

滝沢に訊かれ、美佐子は頷いた。

「一番はじめの取材先が軽井沢だったんですが、そのときに奥山放獣の実務にあたっていたのがＯＨＮというＮＰＯだったんです」

「ほで、そいつらは、どんなことをしてるんかの」

爺やの問いに、美佐子は順を追って説明をした。

時おり質問を挿みながら美佐子の話を聞いていた二人は、説明が終わると、難しい顔をして腕組みをした。

しばらくして、爺やがぼそっと呟いた。

「臭《くせ》えの」

「んだの」と滝沢が同意する。

「臭いって、どういうことですか」

尋ねた美佐子に、滝沢が顔を向ける。

「その、OHNってのが何者かはわからねえけどよ、今回の騒ぎは、奴らが仕組んだんでないかってことだよ。嫌がらせの電話をさんざん役場にかけて困らせておいて、ここぞっていうタイミングで奥山放獣を持ちかけるわけだ。そうすりゃ、藁《わら》にもすがる思いでいた担当者にとっては、願ってもない提案になるべよ」

「ちょっと待ってください。私は実際に彼らに会っているからわかるんですけど、そんなことをする人たちじゃないですよ」

「ほんとうかい？」

「ええ」

「絶対って、言い切れるんかの」

「そこまで言われると困りますが、でも、妄信的でヒステリックな団体ではないと思います」

相馬や彼のスタッフたちの顔を思い浮かべながら美佐子は答えた。

うーんと唸《うな》った滝沢のかわりに爺やが言った。

「美佐子さんや、あんた、今日はひどい目に遭って災難だったとは思うけどの、私らはあんたらと違って、この先もずっとクマと一緒に生きていかなければならないわけそ。どういうクマをこの山に棲まわせるかつうのは、ここで暮らす私らが決めるべきことだからの。外の者に対して疑り深くなるのも無理はないのさ。そこはわかってもらわんとの」

朝を迎え、生活の音が聞こえはじめてきた集落を見渡しながら、確かに爺やの言うこともわからないではない、と美佐子は思った。

31

熊田の宿泊所で、野生のツキノワグマと遭遇したことがショック療法になったということだろうか。自己憐憫《じこれんびん》に浸ってなんかいられないと、美佐子は、自分でも不思議なほどに元気を取り戻していた。

熊田から東京に戻った美佐子は、すぐさま荷物をまとめ直して、札幌行きの飛行機のチケットを取った。吉本に会うためである。

荻窪の自宅に帰りついたときには、心は決まっていた。先がどうなるかわからなくとも、ひとつのことを最後までやり遂げてみようと考えた。

山は半分殺《の》してちょうどいい。

ほんとうに理解したとは、未《いま》だに自信を持って言えない言葉だった。

ある程度人が手を入れ、山の恵みを利用しながら暮らしていくことを指した言葉であるとは思う。

たとえば、マタギの人々のように、山菜や茸《きのこ》を採るにしても、すべてを採り尽くすのではなく、翌年に再生するために必要な量は残しておくとか、クマをはじめとした獲物の乱獲を戒めるための言葉。あるいは、最近叫ばれだしている里山保全のために必要な、選択的な木々の伐採と植林のサイクル。

だが、それだけでは、言葉の響きがどうしてもしっくりこないのである。

なぜ、わざわざ「殺す」という言い方でなければならないのか。そこには、どろどろとした情念や苦悩、切なさや怒りめいたものまでが込められているように感じられてならない。

思えば、阿仁の里で吉本の口から出たこの言葉が、すべてのはじまりだった。中途半端なままで放り出してしまったら、この先、なにをやっても私はだめだと美佐子は思った。

そしてまた、自分には、滝沢をはじめとする熊田のマタギたち、熊田の集落に対しての責任があるとも考えていた。

今回、山北町で持ちあがった、奥山放獣に関する一件のことだ。ボツになって人々の目に触れることはなかったとはいえ、記事のなかで自分が主張していたことが現実になりつつある。あの時点では、これに替わる妙案はないように思えたのだが、滝沢や爺やの話を聞いている限り、彼らにとって奥山放獣の実施はかえって迷惑なことらしい。少し考えが甘かったかもしれないと思ったところで、もしかしたら自分が種を蒔《ま》いてしまったのではないかという不安に行き当たった。

掲載が見送られたあの記事を、下書きやゲラの段階で目にした人間をあらためて思いだしてみて、美佐子は頭を殴られたようなショックを覚えた。

千秋をはじめとした『ムーサ』の人間を除けば、まず吉本と山岸教授があげられるが、二人は何の問題もない。

だが、他に三名、外部の人間がいる。

山北町役場の板垣、そして『ウッドペッカー』の小川と、OHNの相馬がそうだった。板垣とは約束だったから仕方なかったとして、小川と相馬にも、何かアドバイスをもらえればということで、下書きのファイルを電子メールで送っていた。

二人からは、特に問題はないと思いますよという返信があったので気をよくしていた。だが、よく考えてみると、山北町の有害駆除の実態を、彼らにもこと細かに教えたことと一緒である。

奴《やつ》らが仕組んだんではないかという、滝沢の言葉が現実味を帯びて蘇《よみがえ》った。

まさかそんな、とは思うのだが、今回の山北町で持ちあがった奥山放獣の一件を考えると、確かにタイミングがよすぎるような気がしてならない。

直接、相馬に確認することはためらわれた。

もし、ほんとうに滝沢の言うとおりだったとしたら、そうなんですと肯定するわけがないし、逆にまったくの濡《ぬ》れ衣《ぎぬ》だったら、ひどい言いがかりになってしまう。熊田から東京への帰路、電車のなかで考えあぐねた末、吉本に相談するしかないと結論を出した。

まずは、熊田とOHNに関する件を話し合ってみる。相談したところでどうにもならないかもしれないが、ひとりで思い悩んでいるよりはずっといいと思った。

そのうえで、あらためて仕事の依頼をするつもりだった。『ムーサ』を飛び出してしまった今、あらたな売り込み先が見つかったわけでもないから、すぐに金になる話ではない。ばかりか、取材費そのものもゼロ。そんな雲を摑《つか》むような話に乗ってくるカメラマンは、普通だったらいないと思う。だが、最近の吉本が追いかけているものを考えると、期待できそうな気がした。費用はどうにかして捻出《ねんしゅつ》しよう。貯金が底をついてもかまわない。ブランド物のバッグや小物、新しい洋服も金輪際我慢するのだという、少し前の自分ならあり得ない覚悟もできていた。

ただし、ひとつだけ不安なことがあった。

札幌に飛んで吉本を訪ねれば、オヤマダレイコという、名前だけしか知らない女性にも対面することになるだろう。

ただの同居人などと吉本はうそぶいていたが、やはり美佐子は信じていなかった。長く雑誌の仕事をしているので、世の中には、文字通りのルームパートナーとして、肉体関係を持たずに同居している男女が、けっこうな数、存在するのは知っている。実際、そういった男女にインタビューをしたこともあるくらいだ。

だが、どこかしら、彼ら彼女らの関係は不自然なのだ。少なくとも美佐子にはそう見えた。互いの微妙な関係を自虐的に楽しんでいるように見えたり、トレンディドラマの登場人物を気どっているように思えたり……。

そうした男女を見て眉《まゆ》をひそめてしまう自分が少々古臭いのかもしれないけれど、理解できないものを理解しようとしても生理的に無理である。

だから、オヤマダレイコには、会いたくないのではなく、むしろ、積極的に会ってみたいというのがほんとうで、どんな女性なのかこの目で確かめて、ひとつのけりをつけたいのが本音なのかもしれなかった。

ここで美佐子は、またしても自分のいやな部分を見てげんなりする。

新しい洋服やアクセサリーはもう買わないなどと決意したくせに、札幌に向かうために衣装ケースのなかから選んだ洋服は、手持ちのなかで最も高価で見栄えがよいスーツだった。ハンドバッグやネックレスにしても然《しか》り。化粧も、いつもの倍くらい入念にほどこしてきた。

出発前は特に意識してそうしたわけではなかったのだが、こちらがフル装備で武装して、そのうえで、オヤマダレイコという女性を値踏みしてやろうという意識の現れに違いなかった。

そして、美佐子の不安は、そこからこそ出てくるものだった。ここまでしても、あっさり負けを認めなくてはならないような女性だったら、自分は単なる道化になってしまう。

そんなことをあれこれ思い巡らせている間に、美佐子が乗った全日空機は、札幌、新千歳《しんちとせ》空港に向かって高度を下げはじめた。

新千歳空港からJR千歳線のエアポート号に飛び乗り、札幌駅に到着してから、吉本の携帯電話を呼び出してみた。時刻は午後の六時半を回っていた。

事前の連絡では翌日に会うことになっていたのだが、小樽《おたる》で急な仕事が入ってしまったと、すまなそうな声が返ってきた。朝一番からガラス工房の撮影があると説明したあとで、「動物を撮るだけじゃ食っていけないですから」そう吉本は苦笑した。

「小樽からの帰りは何時ごろになりそうですか」

「それが、その足で函館《はこだて》に行かなくちゃならないもんで、すいません、帰りは明後日の夜になってしまいますね。無駄に時間を潰《つぶ》させちゃ悪いですから、美佐子さんさえよければ、今夜会いましょうか」

「いいですよ、何時ごろ？」

「九時ぐらいになりそうだなあ——その時間でもよければ、どこかで飲みますか」

少し考えてから美佐子は言った。

「ご迷惑でなければ、ご自宅にお伺いしてもかまわないでしょうか」

「そりゃいいですけど、なんのおかまいもできませんよ。せっかく札幌に出てくるのだから、どこかに案内しようとは思っていたんですが」

「いえ、仕事でお疲れのところ、明日も早いのに無理なさらないでください」

「そうですか、助かります。じゃあ、九時には帰っていますのでお待ちしています。場所、大丈夫ですか」

「大丈夫です」

「わからなくなったら、電話ください」

「そうします」

「じゃあ」

切れた携帯電話をバッグに戻してから、美佐子は唇を軽く噛《か》んだ。

自宅にお邪魔しますとは、意図的に出た言葉だった。外で会ったのでは、オヤマダレイコと対面する機会を逃してしまう。やはり、ここまで来た以上、彼女には会って帰らなければ。自分でも首をひねりたくなるほど依怙地《いこじ》な気持ちが、そう言わせたのだった。

32

目についたイタリアンレストランで夕食をすませ、札幌駅前のビジネスホテルにチェックインしてから、美佐子は地下鉄に乗った。

地下鉄南北線の北二四条駅で降りて五分ほど歩いたところにマンションはあった。エントランスの表示を見ると、教えられた部屋番号の下に、小山田という名前を見つけた。吉本の名前はない。

ところが、美佐子が抱いていた気負いは、肩すかしを食った。夜の九時をすぎているというのに、マンションには吉本しかいなかったのである。

小山田さんは？　とこちらから尋ねるのは、かえって不自然な気がした。案内されるままにリビングのソファに腰を落ち着けて、コーヒーを淹《い》れにカウンター式のキッチンへ立った吉本を、さらに、室内のあちこちを、ぶしつけにならない程度に眺め回す。

かなり広いマンションに思えた。少なくとも４ＬＤＫはあるだろう。確かに、ひとりで住むには広すぎる部屋数ではある。

男と女がともに暮らしている匂《にお》いを嗅《か》ぎ取ろうとしてみるのだが、特にこれといったものは目につかない。たとえば、サイドボードのなかにペアのワイングラスとかマグカップ、あるいは、デザインが同じで色違いのクッションとか、ふたりで一緒に映っている写真立てなど。

そういったものはひとつも見当たらず、おや？　と注意をひくのは、パネルに引き伸ばして白い壁に架けられている、たぶん吉本が撮ったと思われるヒグマの写真だけだった。

奇妙なほどに整頓《せいとん》が行き届き、よけいな物がないリビングには、男と女が一緒に暮らしていれば自然に堆積《たいせき》してくるはずの澱《おり》のようなものは感じられず、自動車のショウルームにでもいるみたいに無機質だった。

コーヒーカップを持ってリビングに戻ってきた吉本に、それとなく尋ねてみた。

「ずいぶん立派なマンションですね」

テーブルの上にカップを置いた吉本が、L字型に配置されたソファの端に腰をおろして頷《うなず》いた。

「彼女、小山田先生のご両親が住んでいたマンションなんですよ。三年前にお父さんが他界されて相続したんですが、ひとりで使うには広すぎるってことなんで」

吉本は自分から彼女のことを口にした。先生という呼び方をしているくせに、話の内容が伝聞の形になっていないのが引っかかる。

「小山田先生のお母さまは？」

「その一年前にガンで。仲のよいご夫婦だっただけに、お父さんもあとを追うようにして亡くなられてしまった」

吉本の説明に、美佐子はすべてがわかったように思えた。大人であろうと、立て続けの肉親の死は身に応《こた》える。そんなとき、そばに誰かがいてくれれば、とは誰しも思うだろう。

「吉本さんは、いつからこちらに移られたんですか」

下衆《げす》の勘ぐりめいていてためらわれたが、訊《き》かずにはいられなかった。

「えーと、一昨年の春だったかな」

やっぱり、と美佐子は思った。小山田レイコが両親をなくしてから一年もたっていない時期ではないか。

「ずいぶん綺麗《きれい》にして使われていますね」

私ってなにを言っているんだろうと思いながらも、止めることができなかった。

妙な質問と感じたかどうかはわからない。吉本は特に気にした素振りも見せずに、髭面《ひげづら》を弛《ゆる》ませた。

「このリビングは共用スペースということにしてあるんで、私物を置いていないからですよ。僕が使わせてもらっている部屋は、足の踏み場もないくらいで、とてもじゃないけど人には見せられません」

レイコさんにも？　と危うく訊きそうになって言葉を呑《の》みこんだ。

「そういえば、小山田先生はご不在のようですけど、お仕事ですか」

「学会が近いんで、最近はかなり遅いようですね。美佐子さんがここに来ることは伝えましたから、今日はそれほど遅くならないと思いますよ。そろそろ帰ってくるんじゃないかな」

「いえ、そういう意味で訊いたわけでは――」

「会っておきたいでしょう？」

「えっ」

自分のなかの屈折した嫉妬心《しっとしん》を見抜かれたのかと思い、美佐子はうろたえた。

「彼女、美佐子さんに会いたがっていましたよ。マタギやクマを追いかけようとしている女性ライターに興味があるみたいだし、そもそもクマの専門家ですからね。美佐子さんも彼女に会っておいて損はないと思う」

「そうですね、ええ――」

こちらの勝手な勘違いだったようだ。

なんだか独り相撲をしているみたいで、馬鹿らしい気分になってきた。

気を取り直して、本題に移ることにした。

「すいません、よけいなことをあれこれ訊いてしまって。えーと、今日お邪魔したのは、電話でも簡単にお話ししましたが、どうしても——」

お願いしたいことがあって、と美佐子が言おうとしたとき、玄関の施錠が外れる音がした。

「遅くなっちゃってごめんなさい」と言いながら、アタッシェケースを抱えてリビングに入ってきた彼女を見て、美佐子の心は複雑に揺れた。

不思議な雰囲気を持つ女性だった。

年齢もよくわからない。

ブルージーンズにダンガリーシャツというラフな出《い》で立《た》ちのうえ、ボーイッシュな感じで髪をショートカットにしているということもあるが、顔の造りそのものが男性的だった。

肌の浅黒さはもともとのものらしい。それがかえって健康的に見える。一直線の長い眉の下で輝きを放っている黒い瞳《ひとみ》も、意志の強さをそのまま表しているようで、巷《ちまた》に溢《あふ》れている軟弱な男よりもずっと男っぽい。そのくせ体の曲線は豊かで、羨《うらや》ましいくらいに凹凸がくっきりしている。

そんなこんなが相まって、三十代の前半から四十代のはじめくらいまで、見方によってどのようにも取れるのかもしれなかった。

相手を値踏みしてやろうと身構えていたものの、最初から違う土俵に立っているような彼女の雰囲気に、戸惑いを覚えるしかなかった。

「あなたが美佐子さんね、はじめまして、小山田です。あなたのことは吉本さんから聞いていますよ」

差し出された右手を握り返してから慌てて名刺を取り出すと、彼女のほうも自分の名刺を手にして微笑《ほほえ》んだ。

「聞いていたとおりの素敵な方ね。お会いできて嬉《うれ》しいわ」

お世辞や悪意がまったく見いだせない声の響きに、ますます戸惑いが大きくなる。

相手に対して敵愾心《てきがいしん》がある場合、女性どうしだと直感的に感じ取れるものだが、彼女にはそれがなかった。

言葉通りにとってよいのか疑問は残ったが、美佐子は、肩書きの下に小山田玲子と横書きで印刷された名刺に目を落としながら、ソファに座り直した。

「私も一緒にお話をうかがっていいかしら」と尋ねる玲子に、どうぞと会釈する。中断していた会話に戻る前に、先にOHNの件に触れることにした。

「実は、吉本さんに仕事に関してのお願いをする前に、ご相談したいことがあるんです」

軽く眉をあげた吉本に、美佐子は山北町で持ちあがっている奥山放獣と、相馬のOHNとのかかわりについて説明しはじめた。

「先生、どう思います？」

美佐子の話を聞き終えた吉本が、隣に座っている玲子に首をねじって尋ねた。

――私の前だから、わざと「先生」なんて呼んでるのだろうか。

ふと浮かんだが、今はそんなことを考えている場合ではなかった。

「OHNか――なるほど――」

あいまいな相槌《あいづち》を打っただけで、玲子はなにやら考えこみはじめた。

少しして顔をあげ、形のよい眉の間にたて皺《じわ》を作る。

「そこまでは、いくら彼らでもしないでしょうね」

「いくら彼らでも、ってどういう意味ですか」

美佐子の問いに、玲子は眉根の間の力を抜いた。

「仕事がら、全国の自然保護団体や動物愛護団体のことについては、だいたいのところは知っています。特にクマ問題に絞れば、私の専門でもあるし、数も限られますからね。そのOHNの代表者も直接知っていますし、相馬くんでしたっけ？　彼とも二度ほど会っています」

「そうだったんですか」

「ええ。ひと口に保護団体といっても、あたりまえですが様々です。かなり学問的、学際的な活動をしているところがあるかと思えば、少々過激な行動も辞さない団体だってある。どちらかといえば、OHNは、実効ある行動こそが先決という、過激なグループに入るのは事実ですけど、法に照らして危うい部分までは踏みこまないはずですね」

「先生は、さっきOHNの代表の方を直接知っていると仰《おつしや》いましたが、どのような方なんですか。相馬さんや獣医の粕谷さん、それと若いスタッフの何名かとは面識があるんですが、代表の方とはまだお会いしていないんです。えーと、名前は確か——」

「水野俊哉《みずのとしや》。実は、教え子なんです。修士課程のときに私が担当教官でした。少し直情的なところがあるのは確かですが、生真面目《きまじめ》の裏返しとも言えますし、彼がそのようなことをするとは、ちょっと考えられませんね」

「OHNの内部に、なんというか、勝手に先走ってしまうようなメンバーがいるとは、考えられないでしょうか」

そう尋ねた美佐子の脳裏には、派手なバンダナを巻いた相馬の顔が浮かんでいた。

「水野くん以外となると、顔だけは知っている、という程度ですからね。その質問に答えるのは無理ですよ」

美佐子の問いに、あっさり玲子は首を振った。

ぶしつけな頼みに違いないと思いながらも、美佐子は言ってみた。

「もし可能ならでよいのですけど、代表の水野さんを通して、先生のほうから、それとなく探りを入れることはできないでしょうか」

「できないことはないわよ。でも美佐子さん」

「はい」

「あなたが、どうしてそれほど責任を感じなければならないわけ？　実際に活字になって、誰かに迷惑をかけたり損害を与えたりしたわけじゃないんでしょう？」

「それはそうなんですが――」と言葉を濁したあと、美佐子は自分の考えを整理するように、ゆっくりと話した。

「――私の取材がきっかけになったのだとしたら、やはり責任を感じます。もし、十分な議論や準備がないまま、なし崩し的に奥山放獣が取り入れられたとしたら、熊田で行っている春の出グマ猟もできなくなってしまうのではと思うんです。特定の集落だけに猟を認めるのはおかしいという批判が、今以上に大きくなるでしょうから。そうしたら、たぶん熊田の集落ではさらに過疎が進んでしまう。当然ですが、それは私の本意ではないんです。ですから、まんいちOHNが先ほど話したようなことまでしているのなら、社会的に許せないことだと思いますし、やめさせる必要があると思います。彼らがそこまでしているとは私も思わないですし、思いたくないのですが、事実ははっきりさせておきたいんです。疑惑を抱いたままでOHNの取材を続けることもできませんし」

「ずいぶん、熊田が気に入っちゃったみたいね」

ええ、と頷いて、美佐子は軽く微笑んだ。

「正直に言うと、はじめは、今の時代にクマを獲って食べるのが必要だなんて、この人たちどうかしてるんじゃないの、というスタンスだったんです。狩猟そのものに対しても、残酷だという嫌悪感がありました。でも、実際に熊田の集落に足を運んだことによって、一方的な見方をしているだけではなんの解決にもならないと実感しました。それだけ、あの村が、今の私にインパクトを与えたのは確かです――もうひとつ正直に言うと――」

美佐子は、そう断りながら、玲子と吉本を交互に見やった。

「私自身が、ひどくぶれているんです。クマの保護活動をしている人たちに会えば、地道な活動を一生懸命やっているんだなあと素直に感心する。かと思うと、熊田に行けば、やっぱりクマを獲るのも必要だと頷いてしまう。では、私、佐藤美佐子は、ひとりの個人として、あるいは物書きの端くれとして、どっちの側に立つのかというと、自分で答えが出せないんです。そんなふうに自分自身が定まっていないから、捕獲したクマを奥山に放してマタギの獲物にしたらどうか、などという発想が出ちゃったんだと思います」

「あら、そういう言い方をするということは、今は、それがまずいと思っているわけ？」

玲子が首を傾げた。

「ええ、あまりにご都合主義というか、短絡的だったと反省しています――」

ふーんと頷いていた玲子は、しばらくしてから小さく微笑んだ。

「どうしてそう、二項対立へ持って行こうとするのかな」

「え？」

「自然保護や環境保全と狩猟とは、決して対立するものではないのですよ。もちろん乱獲や密猟は論外ですけど」

「そうでしょうか。その部分、私も幾度となく考えました。その度に思うんです。生活の一部として、生きるための生業《なりわい》として狩猟が必要とされた時代だったらいい。けれど、今の時代は狩猟をしなくても、わたしたちは十分豊かに生きていける。だから、自分の楽しみで動物を殺すのは、やはり非難されても仕方がないと――」

「本来、狩猟という行為には快楽が伴うものですよ。だからこそ、狩猟という行為が成立すると言ってもいい」

「あの、あらためて訊いてもいいでしょうか」

「どうぞ」

「そもそも先生は、こういったことに対してどういう立場をお取りになっているんですか？お話を伺っている限りでは、狩猟行為を肯定しているように聞こえるのですが」

「人間が狩猟によってクマやウサギを捕らえて食べてもびくともしないだけの、豊かな自然の実現。それが私の理想です」

玲子の答えを聞き、美佐子は心のなかで、「あっ」と小さな叫びをあげた。目から鱗《うろこ》が落ちるというのは、こういうことを言うのかと美佐子は思った。

玲子が微笑みを大きくする。

「ね？　あなたは難しく考えすぎなの。といっても、それも無理はないんです。私たち、特に今の先進国の人間には、これまでさんざん自然を破壊し、略奪し尽くしてきたという事実に対する負い目がある。だから、自然保護や環境保全という話になると、自然のものの数を減らすことはすべて悪だという前提に立ってしまいがち。しかし、考えてみてください。ヒトという種がこれだけ繁殖してしまった今、手つかずの自然というものは存在し得ないんです。自然を守るためには人間の知恵が要る。その知恵やノウハウをこの国で最も大切にしてきた人々こそ、マタギと呼ばれる狩猟集団です。だから、彼らを排除することを前提とした自然保護や環境保全は間違っていると、私は思いますね」

じっと黙って耳を傾けている美佐子を見て、玲子は悪戯《いたずら》っぽい色を瞳に浮かべた。

「退屈でなかったら、もう少しレクチャーしましょうか」

「はい、ぜひお願いします」

「弁護するわけではないけれど、狩猟者という存在は、常にいいように利用されてきたという側面も忘れてはならないでしょうね。そもそもは、人類が農耕を覚えて一ヵ所に定住しはじめた時代まで遡《さかのぼ》ります。畑を耕し農作物を育てれば、当然、そこには農作物目当ての野生動物が集まってくる。それらの動物を排除するために狩猟民が雇われた、という図式が成り立つんです。やがて平地から野生動物が一掃されて、農耕民から見た狩猟民の存在意義が薄れてきた。すると今度は、特に近代に入ってからですが、軍需用としての毛皮が大量に必要になり、国が奨励してまで動物を乱獲することになった。こういった歴史的な推移のなかで、狩猟者は常に翻弄《ほんろう》されてきたという構図がある。それなのに、今になって、おまえたちは必要ないと一方的に言われてもねえ」

「なんとかして、よい関係を築くことはできないでしょうか。自然保護に携わる人たちと狩猟者の間で、という意味ですが」

「実際にツキノワグマの保護活動に携わっている人が、あるとき、こんなことを言っていましたよ。クマを保護するうえで、心を入れ替えてくれたハンターほど強力な味方はいないって。まあ、心を入れ替えたハンター、というのは、ちょっと偏った言い方かもしれないけれど――」

そう言って玲子は続けた。

「悲しいかな、特にわが国では、両者の間に、互いに対する不信感からくる深い溝が横たわっています。実際に、マナーが悪いハンターがいるのも確かだし、感情的になりすぎている保護団体が存在しているのも事実。そこをなんとかしようと、私も、そしてこちらの吉本さんも努力しているんですけどね。なかなか一朝一夕にはいかないのが現状です。だからあなたのような立場の方が味方になってくれればと、お会いするのを楽しみにしてたんですよ。こういった問題にもっと広く関心を持ってもらうためには、メディアの力が欠かせませんから」

「そう仰《おっしゃ》っていただけるのはありがたいんですが、そんな力は私には――」

「ないと言うわけ？　やってみなけりゃわからないでしょ。あなたは、そのためにこそ、わざわざ吉本さんに会いに来たのよね」

「確かにそうではあるんですけど、でも吉本さん本人がどうかは――」

美佐子が顔を向けると、吉本が微笑んだ。

「僕ならオーケーですよ。美佐子さんが札幌に来ると電話で聞いて、なにが目的かはすぐにわかりました。僕でよければ力になります」

「でも、あの、これからお話ししようとしてたところですが、十分なギャラをお支払いできるかどうかわからないんです。というのも――」

しかし、事情を聞いた吉本の答えは変わらなかった。

「世の中には、ただでもやりたいという仕事があるでしょう。野生動物と狩猟者の関係は、僕にとっても、このところの大きなテーマになっていますから、決してボランティアというわけではない。それに――」

一度言葉を切った吉本が、まともに美佐子の目を覗《のぞ》きこんで言った。

「仕事のパートナーとして、あなたとなら気が合いそうだ」

思わずどきりとする。そんなふうに見つめられたら、私は……。

内心の動揺を悟られまいと視線を落とし、美佐子は自分が直面している問題を口にした。

「ありがとうございます。けれどひとつ問題が出てしまって。私、熊田の集落には出入り禁止になってしまったんです」

経緯に耳を傾けていた吉本は、美佐子がクマと遭遇した場面になると、こらえきれないといった体《てい》で、噴き出した。

なにもそんなふうに笑わなくたってと、美佐子は頬《ほお》を膨らました。

「生きた心地がしなかったんですよ、ほんとに」

「いや、失礼、笑ってしまってすいません。美佐子さんがうろたえている姿が目に浮かんでしまったもので。でも、それがよかったんですよ。無闇《むやみ》に刺激を与えないというのが、食事中のクマと遭遇したときの基本ですから」

「はあ——あの、それは別にして、どうしましょう。取材拒否というわけでもないと思うのですが、ああ言われてしまったのでは、またすぐ熊田に行くわけにもいかないし」

「大丈夫ですよ、あそこの村は。マタギ集落と呼ばれる村のなかでも、外部の人間には開放的なところだし、女性に対しても鷹揚《おうよう》ですから」

「そうでしょうか」

「ええ。聞いてませんか？　あそこでは前にも一度、女の人をクマ狩りに連れて行ったことがあるんですよ」

「えっ、ほんとうですか？　知らなかった」

「村に分校跡があったでしょう。十年くらい前、あの分校がまだ使われていたころのことだそうですが——」

吉本の説明によると、分校に赴任していた教師のなかに、登山が好きな女性教師がいて、春のクマ狩りに同行させてほしいと、当時の親方、爺やこと滝沢鉄男に頼みこんだらしい。

結局、根負けした爺やたちは彼女の同行を認め、一緒にクマ狩りへと赴《おもむ》いた。残念ながらその日はクマを逃がしてしまい、別の日に獲れたらしいのだが、女だてらにクマ狩りに行くなんて、だからその日はクマが獲れなかったんだと、その女性教師はあとで散々文句を言われたという。

——やっぱり……。

美佐子ががっかりしていると、「でもね」と吉本が説明した。

「文句を言ったのは年寄りのお婆さんたちです。猟師連中はむしろ逆でね。あのとき俺《おれ》たちがクマを逃がしさえしなければ、女先生が悪口を言われることもなかったのにと、ひどく悔しがっていましたから。だから大丈夫、今のあそこの連中は女性をタブー視してません。あらためて頼めばなんとかなるでしょう」

美佐子と吉本のやり取りを聞いていた玲子が口を挿《はさ》んだ。

「女性の存在がタブー視されるのは、マタギに限ったことではなく、山仕事全般に共通したことです。男性社会による女性差別の典型という見方がされる場合が多いですけど、でもそれは、昔の山での仕事は、今とは比較にならないくらい危険を伴ったから、というのがほんとうのところでしょうね。ですから、今の時代、マタギ集落によっても差はありますが、女性に対する見方が、彼ら自身のなかでも徐々に変わりつつあります。そうね、そう——美佐子さん、あなたはやはり自分の目で実際のクマ狩りを見て、体験したほうがいいと思う。たぶん、それによって、あなたのなかのぶれも消えると思うな。どちらになるにしても、という意味だけど」

「どちらになるにしてもって？」

「クマ狩りに実際に同行して、これはやっぱりだめだと思うか、こういう世界があってもいいと思うか。どちらを選ぶことになるかはあなた次第ね。そこまでは他の人間が口を挿める ものじゃないですし」

あの熊田の奥山に踏みこんで、滝沢たちと一緒にクマを追う。

爺やから来春のクマ狩りに来なさいと言われはしたが、正直なところ、そこまでは考えていなかった。出猟する彼らを見送り、獲物を手にした猟師たちが帰ってくるのを村で待っているつもりだった。あのときはかなり酔っていて、どう言われたのか正確には思いだせなかったが、爺やもそのつもりで言ったのだろうと、勝手に解釈していた。

「吉本さん」

「なんです」

「あのー、あの宴会のときに、クマ狩りにおいでと爺やがわたしに言ったのは、一緒に連れて行くという意味だったんですか」

「そうに決まってるじゃないですか。違うと思ってたんですか？」

なにをいまさら、という表情で吉本から訊き返され、美佐子は言葉に詰まった。が、次の瞬間には、目の前がぱあっと開けたような、高揚した気分になっていた。

残雪を踏み、ブッシュをかいくぐって、マタギと一緒にクマを追う。その現場に身を置けるなんて、ライターとしてそれ以上は望めないチャンスだ。

その後の話で、互いの日程、といっても美佐子には差し迫った予定などなかったから、主に吉本の仕事を調整して、できるだけ早い時期に、熊田を再訪しようということになった。

一方、玲子は、それとなくＯＨＮの様子を探ってくれると約束してくれた。

ものごとは、悪いことばかりが続くわけではない。後ろ向きになればなるほど事態は悪化し、苦境のときでも自分が前向きであれば好転するのだと、あらためて学べた気分だった。

話が一段落し、時計を見ると、時刻は十一時にさしかかろうとしていた。

「まだ終電に間に合いますね。タクシーを拾うのでなかったら、地下鉄駅まで送りましょう」

そう言ってソファから腰を浮かした吉本を玲子が押しとどめた。

「私が送って行くわ」

「でも」

「大丈夫、吉本さんは明日の準備をこれからしなくちゃならないでしょう?」

「そうですね——では、お言葉に甘えて」

「じゃあ、行きましょうか」

促され、マンションを出た美佐子は、玲子と一緒に肩を並べて、街灯が灯《とも》る歩道を歩きはじめた。

なんとなく、というより、かなり気詰まりだ。玲子には尋ねたいことが山ほどあるのだが、どうしてもためらわれる。

前方に地下鉄駅の降り口が見えはじめたところで、玲子のほうが先に口を開いた。

「美佐子さん、あなた、さっきの件とは別に、私に訊くか、言いたいことがあったんじゃなくて? だからこうして送ってきたんだけど」

立ちどまり、街灯の薄明かりで陰影が縁取られた男性的な顔を見る。

唇に浮かんでいる微笑みと瞳の色合いで、玲子の言葉の意味はわかった。

やっぱりこの人には、私がこうして自宅を訪ねたもうひとつの理由はお見通しだったんだと、かすかに肩をすくめた。

数センチだけ、自分の目線より上にある玲子の瞳を真っ直ぐに見つめ、美佐子は言った。

「それじゃあ、遠慮なくお訊きします。先生と吉本さんは、実際のところどういうご関係なんですか。吉本さんには、ただの同居人だなんて適当にはぐらかされてしまいましたが、そんなことはないですよね」

「男と女の関係」

それだけ言って、玲子は美佐子の視線を撥《は》ね返してきた。

予想はしていた答えだった。

だが、これだけはっきり言われると、不思議にも落胆の気持ちは湧《わ》いてこなかった。むしろ、挑戦的な気分が頭をもたげてくる。

結ばれていた玲子の唇から緊張が解けた。

「――だったこともあるわ」と言って、肉感的な唇が笑いの形に広がる。

「なぜ、過去形なんですか」

「彼と知り合ってから、一年後くらいに男と女の関係になった。そして、それがつづいたのは、彼が私のマンションに移ってきて半年ほど。だから過去形なわけ」

「平気なんですか」

「なにが？」

「半年とはいえ、そのときは同棲《どうせい》という形だったわけですよね。なぜそれがつづかなくなったのかは知りませんが、どうして別れた相手と今でも一緒に住んでいられるのか、私には理解できません」

「べつに、別れたわけじゃないわ」

「え？　でも――」

「私は、男と女の関係と言っただけで、恋人として付き合っていたとか、別れたとか、ひと言も言ってないわよ」

「じゃあ、肉体関係だけの付き合いだったということですか」

「ううん」と玲子が首を振る。

「なにを仰りたいのか、さっぱりわかりません」

「美佐子さん」

「はい」

「あなたって真っ直ぐなのね。可愛《かわい》いわ」

「茶化さないでください」

「茶化してなんか――」と言って、玲子はガードレールに腰を載せた。

「座れば？」

頷いて、玲子の隣に腰を落ち着ける。

吉本が明日の準備をしているマンションの方角に目を向けて、玲子は話しはじめた。

「彼と私は、あまりにも似すぎているの。似たものどうし程度ならいいのよ。でも、それを超えてしまうと、相手のなかに自分の影がちらちら見えてしまって、息苦しくなってくる。お互いそれは最初からわかっていた。だから、お願いしますとあらたまって付き合いはじめたわけではないし、別れましょうと言って体の関係をやめたわけでもないの」

玲子の説明に、美佐子は、ますますわけがわからなくなった。

「ぜんぜん理解できないって顔ね」

「それはそうです」

「わからなくてもいいじゃない。たまにはそういう男と女の組み合わせもあるってことで。それともわかっておかないと困るのかな——美佐子さん、あなた、彼が好きなんでしょ？」

「はい」

あまりにもすんなり肯定の言葉が出て、自分でも驚いた。

「私に遠慮なんかしなくていいのよ」

「遠慮とかそういうことではなく、私は、吉本さんに対する先生の気持ちを確かめたかったんです」

「確かめてどうするの」

「そのうえで、自分の態度を決めようと」

「彼に対する？」

「ええ。もう一度、今度はストレートにお訊きします。先生は、吉本さんを愛していらっしゃるんですか」

するとと玲子は、ブランコから飛び降りるようにしてガードレールから身を離し、くるりと美佐子を振り返った。

「愛しているわ、たぶん。でも、もう一度今以上の関係に発展させようとは思わない。それは、彼のほうでも同じでしょうね」

玲子を見あげながら美佐子は呟《つぶや》いた。

「先生はへんです。先生だけでなく、吉本さんも」

「確かにへんかも。でないと、ヒグマの研究なんかしてないもの。彼もへんだから、あんな写真を撮っている。それは間違いないわね」

「先生、私、決めました」

首を傾げてみせた玲子に向かって、美佐子はきっぱりと言った。

「あれこれ考えていると、自分が馬鹿みたいに思えて仕方がないので、先生の存在は無視することにします」

「あら、勇ましいのね。それって一種の宣戦布告？」

「そうです」

「といってもねえ、こっちは最初から戦意がないんだから、宣戦布告にならないわよ」

「いいんです、ひとつのけじめみたいなものですから」

「美佐子さん、あなたと私って、いい友達になれそう。会えてよかった」

そう言って差し出された右手を、美佐子はためらいがちに握り返した。

再び玲子と肩を並べて、美佐子は地下鉄駅への降り口まで歩いた。

先ほどまでの気詰まりな感じはなく、言いたいことを言ってしまったせいか、奇妙なほどさっぱりした気分だった。

少し悔しいが、小山田玲子という女性には、同性としても素直に魅力を感じずにはいられない。吉本のことはどうあれ、確かに本人が言うとおり、この人とだったら気が合いそうだと思う。

階段の前に立ち、おやすみなさいと挨拶《あいさつ》をしようとしたところで、思いだしたように玲子が言った。

「そういえば美佐子さん、吉本さんから聞いたんだけど、あなたのお父さんの実家って、岩手県の雫石町なんですってね」

「そうですが、それがなにか」

急になんの話だろうと首を傾げた美佐子に、玲子はさらに言った。

「で、あなたのお祖父《じい》さんは、秋田の阿仁の生まれだったとか」

吉本は、そんなことまで玲子に話していたのかと思いながらも、美佐子は「ええ」と頷いた。

「時間があったら、あなたのお祖父さんのことをもっと調べてみると面白いかもよ」

「面白いってどういうことですか」

「雫石町の田茂木野や隣の沢内村って、秋田出身の旅マタギの人たちが流れてきて住みついた地域なの。もしかしたら、あなたにも彼らの血が流れているかもしれない」

「いえ、祖母が言ってましたが、私の祖父はマタギではなかったそうです」

「ふーん、そう――」と呟きながらも、玲子はまだ何か言いたそうにしている。

「先生は、なにかご存知なんですか」

美佐子が尋ねると、考え深げだった玲子の表情が笑みに変わった。

「ちょっと気になることがあってね。でも、確証があるわけじゃないし、もう少し調べてみないと」

「そう言われちゃうと、なんのことか、かえって気になります」

「ごめんなさい、あまり気にしないで。なにかわかったら連絡するから。じゃあ、私はここで。気をつけてね」

「はい――今日は、いろいろとありがとうございました。おやすみなさい」

会釈を返しながらも、玲子が口にした謎《なぞ》めいた言葉が、美佐子には不可解だった。

33

札幌から帰って二日目の昼下がり、美佐子は、暑さから逃れるため、神保町《じんぼうちょう》の三省堂書店に避難して、化粧室の鏡を覗き込んでいた。

そろそろ秋の気配が濃厚になってきた札幌と比べると、すでに十月に入っているというのに、東京の都心は辟易《へきえき》するほどの残暑である。

化粧を直しながら髪に指を入れてかきあげてみると、生え際の部分に黒い地毛がかなり目立った。そういえば、仙台から東京に戻った直後、髪を切って染め直してもらってから、美容院にはずっと行っていない。

都心のオフィス街を歩いているのに、ブルージーンズに綿の白いシャツ、これまた綿製のラフなジャケットという服装を含めて、少し前の自分ならあり得ないファッションだ。いや、この状態はファッションですらないと思う。

だが、今の美佐子は、こうしたラフな恰好《かっこう》が体に馴染《なじ》みはじめていた。今朝、自宅を出るとき、いつものタイトなビジネススーツに一度は袖《そで》を通したのだが、ひどく窮屈な感じがしてやめた。やめてみると、すこぶる具合がよかった。少しずつ、自分が変わりはじめている証拠かもしれず、こうした変化に新鮮な驚きを感じることはあれ、寂しさを覚えることはなかった。

ただし、気分とは裏腹に、現実はそうそう甘くはない。

神田《かんだ》から神保町界隈《かいわい》のオフィス街を、美佐子が汗だくになって歩いているのは、出版社や雑誌社への企画の売り込みが目的だった。

ノーギャラでも手伝うと言ってくれた吉本の言葉は嬉しかったが、現実問題として、売り込み先をできるだけ早く見つける必要があった。最近流行りつつあるような、自分史か何かを自費出版するのとはわけが違う。いずれ一冊の本にまとめるときは別として、まずは、自分の記事を載せてくれる月刊誌や週刊誌を見つけ出さないことには意味がない。

昨日、目星をつけた先に電話でアポイントを取ろうとしたのだが、ことごとく門前払いを食わされた。こうなったら当たって砕けろと、今日は、朝一番からあちこちの編集部回りをしているのだが、今のところ成果はゼロ。

あらためて千秋に頭を下げ、口を利いてもらえば状況が変わってくるのはわかっていた。しかし、なんとしても自力でこの局面を打開しなければ意味がない。

そうして歩きつづけ、ちょうど十社目を訪ねたときのことだった。

「こんなことを言っては悪いですが、売り込み先か、あるいは、取材対象をおまちがえなのじゃありませんか」

応接用のソファに身を沈めたままで、美佐子の面会相手、篠崎《しのざき》が言った。

「そもそも、どうしてうちの編集部に？」

残念ながらその話には乗れませんが、私でよければ相談には乗れますよ——そんな、いかにも紳士然とした声色で、篠崎は、今度は少しだけ身を乗り出した。

——下心ありありのくせに、フェミニストぶっちゃって。

顔には微塵《みじん》も出さずに、美佐子は心のなかであっかんべーをした。

午前中、ことごとく空振りに終わり、というよりは、まともに面会すらしてもらえない門前払いが続いていたところに、拾う神が現れたと最初は喜んだ。

一階の受付で用件を告げると、編集部へ案内された。エレベーターを降り、編集部のドアを開けてきょろきょろしている美佐子を目にした篠崎が、自ら席を立って、応接セットへと案内してくれた。

名刺交換をし、挨拶《あいさつ》を交わして腰を落ち着けるまでは印象がよかった。

名の通った大手出版社の月刊誌で編集長を任されているくらいなのだから、少なくとも四十は超えているはずだが、品のいいスーツに包まれた、贅肉《ぜいにく》がついていない引き締まった体つきに、スポーツマン風に短めに刈られた髪、眼鏡なしの彫りが深い日焼けした顔等々、三十代半ばで十分通る若々しさがあった。物腰も柔らかく、日々締め切りに追いまくられている雑誌編集者にありがちな、殺伐とした雰囲気もない。

そこまではよかったのだが「ちょっと失礼して上着を」と断り、篠崎が着ていたスーツをソファの背に載せたところで、美佐子は眉をひそめた。

アルマーニのロゴが入った内側のタグがわざわざ見えるように、上着を置いたのだ。

本人が意識せずにしたとは思えなかった。さらによく見ると、ネイビーブルーのドレスシャツとピンストライプのネクタイも、たぶん同じアルマーニブランド。ネクタイピンと揃《そろ》いのカフスはダンヒルで、篠崎がさりげなく目を落とした腕時計は、まがい物ではないロレックスだ。テーブルの下を覗き込むことはしなかったが、履いている靴も、有名ブランドのものに違いなかった。

少し前の自分なら、違った印象を持ったかもしれない。しかし、今の美佐子には、ブランド物に身を包んだ篠崎に惹《ひ》かれるものはなにもなかった。ばかりか、自分が話をしている間、胸の膨らみにちらちらと向ける篠崎の視線に、爬虫類《はちゅうるい》に対するものに近い嫌悪感さえ覚えた。

しかし、露骨に顔に出すわけにはいかなかった。仕事は仕事である。こうして面会に応じてもらえた以上、なんとしても売り込みを成功させたかった。篠崎のところで出している月刊誌は、今回の企画が売れそうな、数少ない媒体のひとつだった。

そもそも今、巷《ちまた》にはこれほど様々な雑誌が氾濫《はんらん》しているというのに、硬派なグラビア誌は皆無に近い。ファッションとグルメ、グッズや旅行、エンターテインメント系の情報誌といった、お手軽で軟派な雑誌は腐るほどあるが、硬いものといったら、パソコン関係かビジネス誌くらいのものだ。事実、昔から良心的な編集をしていた硬派なグラビア誌の多くが、売れないという理由で、ここ何年かの間に廃刊や休刊——実質的には廃刊と同じ——の運命を辿《たど》っている。

こうして見ると、千秋本人が「うちはヤクザな雑誌だからね」とうそぶいている『ムーサ』は、かなり硬派な部類かもしれない。

そんなことを思いながらも、篠崎の問いに、美佐子は熱を込めて答えた。

「先々月の特集を拝見して、私の企画を持ち込むなら篠崎さんのところしかないと思ったんです」

「ああ、あれですね、『癒《いや》しの森』の特集。あれ、気に入っていただけましたか。嬉《うれ》しいですね」

「ええ、たいへん素晴らしいと思いました。白神山地とか熊野《くまの》の森とか、いかにもという名が知られた対象に材を取るのではなく、ごくありふれた、我々の身近にある鎮守の森に焦点を当てたところに、はっとさせられるものがありました。グラビアも素敵でしたし」

ここまで誉《ほ》められて気を悪くする人間はいない。たぶん日焼けサロンででも作りあげたのだろう浅黒い肌に白い歯を見せ、篠崎はいっそう身を乗り出した。と同時に、柑橘《かんきつ》系のコロンが強く匂ってきた。

取材や校正の苦労話を、ユーモアを交えて披露しながらも、ソファから身を乗り出した篠崎の視線は、相変わらず美佐子の胸を彷徨《さまよ》いつづけている。しかも、こちらの目を覗き込んで熱心に喋《しゃべ》っているふりを装いながら、時おり視線を落とす際、明らかに、シャツの内側を覗こうとしている。薄く透けて見えている水色のブラが気になって仕方がないのだろう。

こんなふうに目で犯されることがわかっていたら、白のブラを着けてくればよかったと後悔する反面、いっそのこと暑いふりをして、シャツの二つ目のボタンも外して反応を見てやろうかという、意地の悪い考えが浮かんでくるくらいだ。左の薬指には結婚指輪が光っているが、こういうタイプは、絶対外に女性が、しかも複数いると確信し、会ってもいない篠崎の奥さんが気の毒になった。

「あ、これは失礼、こちらばかり喋っていてもしょうがないですよね。で、あの特集が気に入っていただけたことはわかりましたが、それがどうクマ狩りと繋《つな》がるんですかね」

美佐子の心のうちを少しは察知したのか、篠崎は乗り出していた身を再びソファに沈めて尋ねてきた。

そんなこともわからないのと、半ば呆《あき》れながらも、美佐子は努めて丁寧に説明した。半年前の自分だったら、同じように首を傾げただろうと思ったからだ。

「たぶん、鎮守の森というのは、昔の人々にとっては、道祖神などもそうですが、ウチとソトとの境界だったと思うんです。これは私の勝手な解釈にすぎませんが、ソト、つまり奥山からの異質な侵入者に対しての畏怖《いふ》があり、それを阻止してもらうために神様を祀《まつ》った。鎮守の森には、そんな結界《けっかい》としての機能もあったのではないかと思うんです」

「ほう――」

「で、ソトの者には、漂泊民をはじめとしていろいろなものがあったでしょうが、クマのような野生動物がいたり、山で暮らすマタギのような人がいたりもした。しかも、畏《おそ》れながらも決して没交渉というわけではなかった。だから考えたんです。せっかく鎮守の森に癒しを求めた特集を組まれたわけですから、そこからもう一歩踏み込んで、今度は、里人からは畏怖や不思議さを持って見られていた奥山の世界を特集してみれば、前の特集がもっと生かされるのではないかって。そこから見えてくるものがきっとあるはずです」

「ははあ、なるほど」

大げさに頷きながら篠崎は言った。

「確かに面白い着想だと思います。これはいけるかもしれませんね」

その言葉に、美佐子は胸のなかで「やった！」と喜びの声をあげた。

篠崎が続ける。

「じゃあ、こういうのはどうでしょうね。鎮守の森のさらに奥山には、人知れず佇《たたず》む巨樹がある。一見してただの巨樹にしか見えないものだが、それは、えー、そう、古来より奥山の人たちにとっては、精神的な支柱であった。それがすっかり忘れさられている現代、伝説の巨樹を追い、美しき女性ライターがマタギの助けを得て禁断の奥山に――」

「あのう、篠崎さん」と、美佐子は話を遮《さえぎ》った。

「なんです？」

「すいませんが、もう一度話を整理させてもらいますと、私がやりたいのはそういうことじゃないんです」

すると篠崎は「クマ狩りですか？」と言ったあとで「だめだめ」と手をひらひらさせた。

「民俗学会や猟友会の会報にでも寄稿するのならともかく、そんな血腥《ちなまぐさ》いものはだめです。動物愛護団体からなにを言われるかわかったものじゃない」

「そんな表面的なものではなく、もっと掘り下げたものにしようと考えているのですが」

「いや、だめです、やめましょう。それより奥山の巨樹で行きましょう。そこにこそ本物の癒しが見えてくるとのあなたの見方は、読者の共感を得るにはうってつけだ」

「私、そんなことは言ってませんが」

「いや、いいんです、そう書いてもらえばいいだけですから。なにより、あなたの容姿ならいい絵になりますよ。そうですね、思い切り髪をショートにしてもらって、ぴっちりした迷彩服にジャングルブーツ、ま、迷彩服は冗談ですが、そういったアクティブな装いをしてもらえば、うーん、実にいい絵になる。アウトドア系の女性ライターは多くないですからね、一躍人気が出るかもしれないですよ」

「篠崎さん」

「はい？」

「私がグラビアに出ても意味がないと思いますけど」

すると篠崎は、「佐藤さん、あなた、行く行くはエッセイ集とか出版したいでしょう？」と訊いてきた。

「それはまあ、ノンフィクションのライターであれば、ひとつの目標ですから」

美佐子の答えに、篠崎は「そうでしょう、そうでしょう」と、意を強くしたように頷いた。

「でしたら私に任せてください。ライターを育てるのも編集者の仕事です。ひと目見て、あなたには素質があるとわかった。私の直感はめったに外れませんからね、そう、三年、いや、二年であなたがエッセイストとしてひとり立ちできるまでにお手伝いします。そのスタートを切るものとして、巨樹の特集で佐藤美佐子を全面的に売り出しましょう。あ、でも、名まえ、変えた方がいいですね、洒落《しゃれ》たなかにも知性を感じさせるペンネームにしたほうがいい。佐藤美佐子では平凡すぎますからねえ。ご本人としては、なにか候補はありますか？」

いったいどうしてこういう話になってしまうのか……。

篠崎が冗談で言っているとも思えない。『ムーサ』を飛び出したばかりの自分だったら、この誘いに乗っていた可能性もある。

が、しかし、今の美佐子には、篠崎の下心が透けて見えていた。

こちらがうんと言えば、どれだけ赤が入れられるかわかったものではないが、たぶん、巨樹の特集なるものを書かせてくれるだろう。次の仕事も貰《もら》えると思う。ただし、いずれ体を求めてくるに違いなかった。そこで拒否すればすべては終わり、というわけだ。

安っぽいテレビドラマみたいなシナリオだが、篠崎の頭のなかでは、本気でそのシナリオが転がりだしているように思えた。

「すいませんが、ペンネームを考えるつもりはありません」

美佐子が言うと、篠崎は「いや」とかぶりを振って、またしても身を乗り出してきた。

「それはいけません。耳に残るペンネームは絶対に必要です。どうしても思いつかないようなら私が――」

「そういうことではないんです」

「は？」

「私はタレントじゃありません。あくまでも書いたもので勝負したいんです。この企画をこちらに持ち込んだのが間違いでした。貴重なお時間を割《さ》いていただいて申し訳ありませんでしたが、これで失礼します」

呆気《あっけ》にとられている篠崎を残し、ソファから立ちあがった美佐子はくるりと踵《きびす》を返した。

——あんな奴が牛耳っているから、今の出版業界はどんどん駄目になっていくんだ。

腹立ちを抱えて階下へ降りるエレベーターのボタンを押していると、美佐子の背後で「いやあ、お見事」という男の声とともに、ぱちぱちと手を叩《たた》く音がした。

振り向いた先には、がっしりした骨格をジーンズの上下で包んだ、三十代の後半くらいに見える男がいた。篠崎と話をしていた応接セットの近くで見かけたような気もする。ということは、ここの編集部員のひとりなのだろうか。

軽く会釈しただけで返事はせずに、扉が開いたエレベーターに乗り込む。男も、閉じかけている扉の隙間《すきま》に身を滑らせてきた。

「そんなに警戒しなくてもいいでしょう」

エレベーターが動きだしたところで男が言った。

無視を決め込むことにした。名も名乗らず親しげに声をかけてくる男に返事をする義理はないし、危険ですらある。

一階に到着し、開いたドアから先に出ようとすると、後ろからぽんと肩を叩かれた。

「なにするんですか」

振り返り、男の顔をきっと睨《にら》む。

男は、たじろいだ様子もなくにたにた笑いを浮かべている。

もう一度睨みつけ、逃げるようにしてエレベーターから飛び出した美佐子の背に、予想もしていなかった声がかかった。

「憲司とは会えましたか？　佐藤さん」

つと足を止め、またしても振り向いた。

「いま、なんとおっしゃいました？」

自分の名まえが呼ばれたことは別として、もうひとつは確かに「憲司」と聞こえた。吉本の名である。

「電話の声だけでは覚えてなくても無理ないか――」

そう苦笑したあとで、男は軽く頭を下げた。

「加賀美ですよ、『フィールドアウト』の加賀美直人《なおと》」

「あっ」

「思いだしたようですね、よかった」

目の前にいる男は、前に吉本の所在を摑もうとして連絡を取った雑誌社の、社主兼編集長に他ならなかった。

「こんな綺麗《きれい》な人なら早く会っとくんだったなあ。どうです？　その辺でお茶しませんか」

相変わらず笑みを浮かべたまま、加賀美が言った。

34

「所用があってあそこの編集スタッフとの打ち合わせに来てたんですがね、クマ狩りがどうのこうのと、うら若い女性が口にしているのを耳にすれば気になるじゃありませんか。それとなく聞き耳を立てていたら、あなたであることがわかったというわけです」

チェーン店に押されてめっきり少なくなった、昔ながらの風情を残している喫茶店のテーブル席で、加賀美は日に焼けた顔を綻《ほころ》ばせた。篠崎とは違って、本物の太陽光線を浴びたものに思われ、最初に抱いた警戒心は薄れていた。

「それにしても、あなたに肘鉄《ひじてつ》を食わされたあとの篠崎編集長の顔、見せてやりたかったなあ。文字通り鳩《はと》が豆鉄砲ってやつだった。少しはいい薬になったんじゃないかな」

「いい薬って、やっぱりそういう人だったんですか」

「雑誌の編集者としては、かなりのやり手なんですよ。嗅覚《きゅうかく》の鋭さは本物だ。でもね、女癖が悪いのは周知の事実でして、ころっと騙《だま》されてしまうライター志望の女の子があとを絶たない」

「そんなことが未だにまかり通っているなんて、げんなりです」

美佐子が顔をしかめるのを見た加賀美が、「いや、でもね」と言って首を振る。

「知っているでしょう？　佐藤さんも――」と、ある売れっ子の女性作家の名を口にし、

「彼女も最初はあれでスタートしたんですよ。まあ、本人に実力があったからここまでのしあがれたというのは事実にしても、篠崎編集長が手取り足取り、まあいろんな意味でね、育てあげた結果というのも半分は真実。ですからね、佐藤さんが彼に肘鉄を食わせたのは、傍から見てて痛快でしたが、ご自身にとっての大きなチャンスを逃してしまった、と言えなく

もないな」

「でも、ひとりの成功者の陰には、慰みものとして使い捨てられてしまった、何人もの女性がいるわけでしょう？」

挑むように美佐子が言い返すと、加賀美は、あはは、と愉快そうに笑った。

「さすが、クマ狩りを取材しようなどという突拍子もないことを考える人だ。いいですねえ、気に入りました」

答えに窮している美佐子に、加賀美が訊く。

「ところで、佐藤さんは企画の売り込み先を探してたんでしょ？　どうして最初に僕のところに来なかったんです？　これでもうちは、アウトドアの専門誌なんだけどな」

「すいません、いずれはお訪ねしようと思っていたんですが――」

言葉を濁した美佐子に、真面目な顔をして加賀美が言う。

「わかってます。まずは大手の出版社から。で、うちのような弱小出版社は後回しってわけだ」

「いえ、決してそんなつもりでは――」

そう答えながらも、加賀美の言葉は図星だった。

「大丈夫ですよ、ぜんぜん気にしていませんから。そんなことで愚痴をこぼしてたら、この世界ではやっていけない。うちのようなヤクザな出版社は、小判鮫《こばんざめ》になり切ることも処世術のうちです。でもね、小判鮫にも小判鮫なりのプライドはある」

なんと返してよいのか困った。

アイスコーヒーをひと口啜《すす》り、さりげなく話題を逸《そ》らす。

「あの、前後してしまいましたが、吉本さんとはどういうご関係なんですか」

「腐れ縁というやつですよ」というのが、加賀美の返事だった。

年齢は吉本よりもひとつ上だが、大学時代に留年をしたことで、吉本とのつき合いが始まったのだという。互いに写真好きだったことがきっかけだったらしい。

その後、大学を卒業した吉本は大手ゼネコンに就職をし、一方の加賀美は、気ままに留年を繰り返して、結局は大学を中退した。

潜り込んだ編集プロダクションから独立して、加賀美がアウトドア専門誌『フィールドアウト』を立ち上げたのが十二年前。バブルが完全に弾《はじ》け飛ぶ寸前で、アウトドアブームの兆しが見えてきたころである。

それから今日まで、幾度か廃刊の危機に見舞われはしたが、どうにか生き残ってきた。猫も杓子《しゃくし》もという一時期のアウトドアブームは去ったにせよ、今の経済の落ち込みが、かえってうちのような雑誌社が生きながらえる環境を作っているのだと、加賀美は自嘲《じちょう》気味に言った。

「リストラの嵐《あらし》が吹き荒れる前に運よく定年を迎えることができた連中、いや、大事なお客さまに連中なんて言い方は失礼だな。都会に住んでいらっしゃる自然愛好者の中高年の皆さまに、かろうじて食べさせていただいている、というわけです。アウトドアというのは、実際にはけっこう金がかかる道楽なんですがね、企業戦士として生きてきた彼らには、アウトドアがもたらす癒《いや》しが新鮮らしい。まあでも、十年後にどうなっているかは、わかりゃしませんがね」

彼の話を聞きながら、美佐子は、父、洋二のことを思いだしていた。

定年を迎えたら若いころに好きだった山登りを再開しようと、せっせとアウトドアショップに通っている父の姿が、加賀美の言う中高年層にぴたりと重なった。

「雑誌の作り手としては、こんなのは幻想だってわかっているんですよ。癒しを求めて自然に触れるといっても、彼らの多くは、ほんとうに自然に触れようとしているわけじゃない。自分に都合のよい居心地のよさを求めているだけでしてね、最近のキャンプ場の様子を見てみれば一目瞭然《いちもくりょうぜん》だ。なんでキャンプ場にコンセントやシャワーが必要なんですかねえ。ふだん住んでいる家を、そっくりそのままキャンプ場に移したって、なんの意味もありゃしない」

加賀美のもの言いに、美佐子は少々かちんときた。確かに彼の言っていることは正しいかもしれないが、雑誌でそれを煽《あお》っているのは、他ならぬ本人ではないか。

それを指摘してやると、加賀美は、悪びれたふうもなく「だからうちの雑誌はヤクザな商売をしてるってわけです」と答えた。

ヤクザな、という形容詞はこれで二度目である。そしてまた、これは花房千秋の口癖でもあり、その裏側に見え隠れする強《したた》かさも、両者に共通しているように思えた。

こんなとき、美佐子は、どうしても相手を揶揄《やゆ》してやりたいという気分に陥ってしまう。自分のいちばん悪いところだと思いながらも、やはり口に出していた。

「そのヤクザな出版社にしては、儲《もう》からないのがわかっているのに、ずいぶん、いい写真集をお出しになられますよね」

一瞬、虚を衝《つ》かれた表情を見せた加賀美は、少ししてから「それはお褒めの言葉ととっておきましょう」と頷《うなず》き、「憲司の写真集のことですね」と訊き返してきた。

「そうです。今の時代、赤字覚悟であの手の写真集を出版する版元は、大手でもめったにないですから。腐れ縁の友人のためにひと肌脱いだっていうところでしょうか」

すると加賀美は、「きついことをはっきり言いますねえ」と頭をかいたあと、真顔に戻って美佐子の目を見つめた。

「それがね、さっき言った、小判鮫なりのプライドっていうやつですよ。なにもね、憲司が古い友人だからっていうだけじゃないんです」

美佐子から視線を外し、遠い目をして加賀美は言った。

「僕にもね、出版人としての良心のかけらくらいは残っている。腐れ縁云々《うんぬん》とは別に、会社を辞めてからのあいつが撮った一連の写真は、きっちりした形で残しておく必要があると、本音で思ったからあの仕事をすることにした。本物の自然とはこういうものだという、叩きつけるような厳しさや冷徹さが、最近のあいつの写真にはある。ちょいとばかり恰好《かっこう》をつければ、現代人よ、その眼差《まなざ》しを忘れるな、というわけです。まあ、おかげで、またしても借金が増えちまいましたけどね」

美佐子は、どうして私は最初から『フィールドアウト』を訪ねなかったのだろうと、臍《ほぞ》を噛んだ。最初に加賀美から指摘されたとおり、中小出版社に対する差別的な見方が、自分に根強く残っていたからに違いなかった。

「加賀美さん」

あらためて名を呼び、美佐子は頭を下げた。

加賀美こそ、今回の企画の実現を後押ししてくれる人物だった。

ところが加賀美は、美佐子が口を開く前に先手を打ってきた。

「やだなあ、それ。クマ狩りの取材と出版をうちに売り込もうってことでしょ。そりゃ無理というものですよ」

「なぜですか？　最初に持ち込まなかったことで気を悪くされているのでしたら謝ります。今となっては虫のよい話ですけど、加賀美さんしか頼りになる方はいないと、お話をさせていただいてよくわかりました。お願いです、どうか力を貸してください」

「まいったなあ、あなたのような美人にそんなふうに見つめられたら、ぐらっときちゃう」

「じゃあ――」

期待を込めて美佐子が詰め寄ると、加賀美は「こりゃあ、うっかり声をかけたのは間違いだったなあ」とぶつぶつこぼした。

「佐藤さん、さっきはからかい半分でああ言いましたが、そもそも、その企画をうちに売り込めと、あいつ、憲司が言わなかったのはなぜか、考えてみました？」

言われてみれば確かにそうだ。これだけの付き合いがある吉本と加賀美である。札幌で打ち合わせをしたとき、『フィールドアウト』を真っ先にあげて然《しか》るべきなのに、吉本がそれをしなかったのはなぜなのだろう。

「やはり、動物愛護団体や保護団体に対する遠慮というか、気遣いがあるということでしょうか。吉本さんにとって加賀美さんは大切な友人であるだけに、そういった面での迷惑をかけられないと考えて――」

美佐子の言葉に、加賀美は不快感が露《あらわ》な顔をした。

「わかっちゃないなあ、僕がそんなことにびびる人間に見えますか？　心外ですね」

「ごめんなさい、でも、それが今回の企画の障害のひとつになっているのも事実なもので」

どうしても、『ムーサ』を飛び出したときの一件や、つい先ほどの、篠崎とのやりとりを思いだしてしまう。

「逆なんですよ」と加賀美は言う。

「外部からの圧力や抗議なんぞ怖くはない。たとえそれで潰《つぶ》れることになっても、最初からその覚悟はできてるし、うちのスタッフはどこでも生きていける連中ばかりだ。はったりじゃなく、ここぞというときは、一歩も退《ひ》きはしませんって」

「じゃあ、なぜ」

加賀美の目から、ふっと力が失《う》せた。

「こんなことを言うとがっかりしちゃうでしょうけどね、実際に苦しいんですよ、今のうちの台所事情は。最初から自転車操業みたいなもんでしたが、このところ、尻《しり》に火が点《つ》きだしている。憲司と一緒に仕事をやりたいのは山々なんです。やるからには徹底してやりたい。クマ狩りならクマ狩りで、全部のページをそれに充《あ》てるくらいに。そのうえで、あいつの写真集なりなんなり、雑誌じゃなく形がしっかり残るものを、これでもかというくらい金を注ぎ込んで作りたい。それが本音でもあり夢でもあるんですが、いかんせん、その体力が今のうちにはなくてね。それがあいつもわかっているから、あえて僕に頼もうとはしないってわけです」

「いいんですか、ほんとうにそれで」

「と言われてもねえ、現実は現実ですから。なんとか持ち直せるまで蛇のようにしぶとく生き残り、それから勝負に打って出るしかないんですよ」

こう言われては為《な》す術《すべ》なしか……。

しかし、簡単に諦《あきら》める気にはどうしてもなれなかった。

「加賀美さん、生意気な口を利いて申し訳ありませんが、ものごとには逸してはならないタイミングがあると思うんです」

「タイミング――ですか」

「ええ」と美佐子は、力を込めて頷いた。

「この取材を始めてから少しは勉強をしましたが、今、とても大きな転換点に差しかかっている気がしてならないんです。高度成長が終わりを迎え、人々の目が、自然保護や環境問題に向けられだしているのは確かです。だからこそ、これからのあるべき姿を模索するために、様々な議論がなされなくてはならない大事な時期だと思うんです。欧米からの借り物ではない、この国独自のあり方や眼差しというものが造られ、合意されるべき大切な時が、もう目の前に突きつけられているって。こんな時に、そのうちいつかなんて悠長にしていたら、せっかくのタイミングを逃してしまう。あとで後悔しても、文字通り、あとの祭りになってしまうとは思いませんか」

喋りながら、自分はずいぶんと大それた演説をしていると思った。が、決して己の言葉に酔っているわけではないと、美佐子は信じていた。ただし、それをどうとるかは、加賀美しだいである。

うーんと黙り込んだ加賀美は、少ししてから尋ねてきた。

「真面目に訊きます。そもそもクマ狩りを取材して、あなたはなにを訴えたいんですか。マタギ文化を護《まも》れということ？」

「個人的には、それは絶対に必要だと、今では思っています。でも、それを読者に押し付けようとは思いません。吉本さんの写真を通して見えてくるものを、偏った脚色なしに伝えたい。そして、映像だけでは伝わりにくい背景部分を、私の文章で補えればと思うんです。それを手にした人々がなにを感じるか、なにを思うかは受け手の自由です。その結果、マタギ文化が持っている自然や動植物との関係が、これからの日本には必要ないと判断されるとしたら、それはそれで仕方がないことだと思います。そういう選択を我々自らがするということですから。でも、現状ではそうした側、端的に言えばクマを狩って生きる側の声が、議論の場に乗らないままに話が進んでしまう恐れがある。それって公平なことではないと、私は思います」

口から溢れ出した二度目の熱弁に、自分自身、ほんとうに首までどっぷり浸かってしまったという思いがした。しかしそれは、今の美佐子にとっては気持ちのよいことであり、ここまで来たら絶対に後戻りはしないという、決意の表れでもあった。

黙り込んでしまった加賀美に、さらに一押しした。

「ちっぽけなタウン誌でしたけど、私にも編集長をさせてもらった経験があるので、こんなことをライターから言われるのは、すごくプライドが傷つけられることだとわかっています。わかっていてあえて言いますが、この仕事、私に関しては取材費も稿料もいりません。ですからなんとかお願いします」

美佐子は、テーブルに額がくっつくくらいに頭を下げた。

「ちょ、ちょっと——困ります、頭をあげてくださいって。傍から見たら、僕があなたをいじめてるように見えてしまう」

慌てた声に顔を戻すと、加賀美は深々とため息をついた。

「なんでそこまで——」

そう漏らしたあとで、急になにかに思い当たったという顔をした。

「佐藤さん、あなた、もしかして憲司に惚《ほ》れちゃったとか」

「はい」

玲子に返したときと同様、美佐子はためらいなく頷いた。

「あいつが今、誰と一緒に住んでいるか、わかってるんですか」

「ええ、一昨日、札幌で小山田先生にもお会いしました。そのとき、同じことを先生からも訊かれたので、はいって返事しました」

「まいったなあ、ほんとにあなたって、今どき珍しい人ですね。珍しいというより、かなりへんだ」

「へんでかまいません」

真面目に答えると、突然、加賀美は笑いだした。

「類は友を呼ぶって、こういうのを言うんだな、きっと。わかりました、あなたのクマ狩りの企画、うちが手を挙げましょう。ただし、取材費も稿料も、規定のものを払います。それが嫌なら、他を当たってください」

「でも――」

「あのねえ、これ以上、僕に恥をかかせないでもらえませんか。ノーギャラでライターをこき使ってるなんて噂《うわさ》が流れたら、たまったもんじゃない」

「ありがとうございます」

目に熱いものが込みあげそうになった。

「ほんとに、声なんかかけるんじゃなかった」

そうぼやきながらも、加賀美はテーブルの上から右手を差し出してきた。

35

今、熊田の公民館で持たれている集会がどう転び、どう決着がつくか、滝沢自身にもわからなかった。

それにしても姑息《こそく》な手段を使う奴らだと、熊田の住民を前にして演説を打っている奇妙な恰好の若造を見て、滝沢は苦りきっていた。

相馬とかいうバンダナ男が、板垣が言っていたOHNのメンバーを二人ばかり伴って山北町にやってきてから、今夜で四日目らしい。地域住民に対して、奥山放獣の説明会を実施するためである。

姑息な、というのはこちらの勝手な解釈かもしれないが、そう文句を言いたくなるような動きを彼らがしたのは確かだ。

OHNのスタッフが説明をしに来ることは、事前に板垣から聞いていた。そこまではよいのだが、昨日までの三日間をかけ、すでに他の主だった集落で、彼らは同様の説明会を終えていた。それを知ったのは今日になってからだった。海岸に近い集落から順番に行ってきたという説明ではあったが、意図があってそうしたとしか思えなかった。

事実、今夜の熊田での説明会は、いくつかの条件を満たせば奥山放獣には基本的に賛成、という合意を他の集落ではもらいました、というところからのスタートだったのである。これでは、外堀を埋めてから熊田を落とそうという意図が見え見えではないか……。

しかも、癪《しゃく》に障ることに、相馬という男、奇妙奇天烈な出で立《い》ち《た》のくせに、やたらと弁が立つときているのだから始末が悪い。婆さん連中など、相馬の話に感心して、いちいち頷いているくらいだ。

「――ですから、彼らの立場になって考えてみるというのも大切です。残念ながら、自然のものと人が育てたものを区別しろって彼らに言っても、無理な話なんです。で、クマのプーさんじゃありませんけど、彼らのご馳走《ちそう》のうちで最たるものは蜂蜜《はちみつ》です。おっ、しめしめ、こんなご馳走がこんなところに――そう喜んだとたん、扉がガシャンてわけです。哀れなクマさんにとっては、文字通り最後の晩餐《ばんさん》になってしまう。僕、カニが大好物なんですが、好きなだけ食べていいって言われても、出すのは涎《よだれ》だけで、絶対に檻《おり》のなかのものには手なんか出しません。だって、その後の運命がわかってるんですもん。ところが、彼らにはそれがわからないんですねえ、食い意地が張ったお馬鹿さんなので」

おどけた話しぶりに、会場のあちこちで笑いが起こった。

静まるのを待って相馬が続ける。

「それから、こちらの皆さんは春のクマ狩りもされていらっしゃるということですが、彼ら、よっぽどここが居心地いいんでしょうかね。あーよく寝た、と冬眠穴から出たとたんにズドンとくるのがわかっているくせに、よそへ引っ越そうとはしないんですから。やっぱり、どうしようもないほど馬鹿なんですねえ、クマって動物は。馬鹿という字は、馬に鹿《しか》って書きますが、熊《くま》を二つ続けて書くようにしたらどうかって、文部科学省に提案したいくらいです」

またしても失笑が漏れた。見ると、滝沢の隣で、爺やまでもが頬を弛ませている。話の内容はそれほど面白いわけではないと思うのだが、喋り方が軽妙というか、実にひょうきんなのだ。

その相馬が、今度は一転して悲しそうな表情を浮かべた。

「しかしね、彼らの多くが悪いことをなにもしていないのも事実なんです。全部のクマが、とは言いませんよ。しかし、ほとんどのクマは人間に悪意なんか持っていないんです。ただただ生きることに必死なだけ。無闇《むやみ》に銃で撃たれたり罠《わな》を掛けられたりする謂《いわ》れは、彼らにとってはまったくないんです」

「んだがの、奴ら――」

猟師仲間のひとりが口を挿もうとすると、

「わかってます、わかってます」と言って、相馬は先を言わせない。

「彼らにその気がなくとも、山のなかでばったり出くわしたら、びっくりして襲ってくる恐れがある。特にね、親子連れの危険性は、僕らもよく知っています。人身事故だけは絶対に避けなければならない。でもね、よく考えてみてください。出没したクマが、その後人を襲うかどうか、誰にもわからないことなんです。なのにその時点で殺してしまったら、やってもいない罪を被せられて処刑されるのと同じです」

「んだども、襲う可能性だってあるべ」と先の猟師が言う。

「そこは、確かに、他の集落の皆さんも一番心配されている点です。人を襲わない可能性がゼロだとは決して言えない。だからこそ、先ほど説明させていただいた奥山放獣が有効な手段となるんです」

　自信たっぷりに相馬は聴衆に語りかけた。

「唐辛子《とうがらし》スプレーできつくお仕置きすることで、人間は怖い存在だと思い知らせてから、彼らを奥山に放してやる。そうして、人間を怖がるクマの集団を意図的に作っていくわけです。おそらくそれは、母グマを通して子グマへも伝えられるでしょう。絶対に二本足の動物には近づくなよと、今度は人間に代わってクマが次の世代へ教えてくれる。百パーセントのクマがそうならないにしても、今よりもずっと危険性が減るのは間違いないと、僕らは確信しています」

　滝沢は、相馬の話を聞きながら、この線で議論していたら絶対に俺たちの負けだと思った。理屈に理屈で返そうとしても敵《かな》いそうにない。悔しいが、相馬の話はいちいち筋が通っており、海岸沿いの連中が説得されたのも納得できる。

「すまんがの、相馬さん」

　そう断って、滝沢は立ちあがった。

皆の視線が集まる。狩猟組の親方として自分に伸《の》しかかってくる重圧を感じながら、滝沢は言った。

「あんたの話はよくわかった。あちこちで実績を作ってきているあんたらだから、出まかせで喋っているわけでないとも思う。んだけどの、俺ら熊田の者には、クマの危険がどうのこうのということは、他とは違って、たいした問題ではないんよ。クマに人の怖さを学習させるということなら、巻き狩りで同じことをやってきたしの。そうではなく、俺ら熊田の猟師は、この村の伝統的な狩猟文化を残していきたいんよ。都会の人方《ひとかた》は、そんな野蛮な文化など必要ないと言うかもしれんがの、現実にクマと一緒に暮らしているのは俺らのわけだ。その俺らの言い分も少しは認めてもらわねば、この村は生きていかれねえ」

そうだそうだと頷く頭が大勢を占めた。

「滝沢、えーと、昭典さんでしたよね。役場の板垣さんから、こちらの猟友会の代表でいらっしゃることは伺っています」

そう言って隣に座っている板垣に目をやってから、相馬は滝沢に顔を向け直した。

「お気持ちは十分わかりますが、現状のままなにもせずにいると、皆さんが行っている春の巻き狩りも、いずれ近いうちにできなくなってしまう可能性がありますよ。そこはお考えになったことはおありですか」

会場がざわついた。

滝沢自身、相馬が口にした言葉の意味をはかりかねて眉根を寄せた。

「こういうことなんです――」と相馬は説明した。

「この前の鳥獣保護法の改正で『特定鳥獣保護管理計画』という制度が制定されたのはご存知だと思います。まあ、この制度自体に問題があるとの意見もあり、適用を誤れば積極的にクマの捕獲を認めることになってしまいかねないという危惧《きぐ》はありますが、それはここでは置いといて――」

続く相馬の説明によると、一昔前とは異なり、クマに関しては、捕殺から保護へというのが全国的な流れになってきているのだという。その際、いったんは各市町村に下ろされていた捕獲や駆除の許可権限を、一括して知事による指示へと戻すための根拠になるのがこの制度である。

現在の新潟県ではまだ具体的に実施されていないが、いずれはこの制度が適用されることになるはず。

さてここで、現状のように出没したら即処分という体制のまま、今のペースでクマを殺し続けていれば、個体数の保護という観点から、狩猟を含めて出没個体の駆除もかなり厳しく制限されてしまうのが目に見えている。ということは、今まではある意味、大目に見られて許可されてきた春のクマ狩りそのものが不可能になるだろう。そうなる前に、独自にクマの保護も積極的に行ってきたという実績を作っておけば、かかる制度が適用された場合にも、春のクマ狩りは存続させてもらえるに違いない。

これが相馬の話の要旨だった。

座るタイミングを逸してしまい、突っ立ったまま耳を傾けていた滝沢は、自分にはどうにもならないところで、弾み車がごろりと転がりだす音を聞いたような気がした。

「実際にある県では――」と相馬がさらに続ける。

「来年度中にはこの制度が実施されるのは確実で、まあ僕らのような仕事をしてる立場としては異議のひとつも申し立てたくはなるんですが、昔から狩猟文化が存続してきた村に限っては、春グマの予察駆除も少しは認めてはどうかという話が出ています」

予察駆除という言葉に対して、あちこちから「ほう」という驚きとも感嘆ともとれる声があがった。それは滝沢も同様だった。現在の山北町では、以前とは違って、春グマに対する予察駆除の許可は下りないからである。

ひと口にツキノワグマの有害駆除といっても『緊急駆除』と『予察駆除』の二種類がある。『緊急駆除』の場合は、事前にクマの目撃証言が必要とされ、おおむね、夏グマや秋グマの出没に対して行われるものがこれに当たる。

それに対して『予察駆除』には目撃証言の必要はない。クマによる被害が予想される場合、それを排除するために、あらかじめ何頭かのクマを捕獲しておくという駆除方法である。人身被害を未然に防ぐのが主な目的であるが、実質的には各地で行われてきた、巻き狩りによる春グマ猟を正当化する根拠として運用されてきた側面がある。

だが、最近の野生動物保護の流れを受け、全国的に予察駆除の許可は下りにくくなっている。山北町も例外ではなく、県からの指導もあるのだろうが、以前は認められていた予察駆除が、今はできなくなっていた。したがって、この春に滝沢たちが行ったクマ狩りも、実際には緊急駆除によるものだった。手が空いている爺やたちが、事前に猟場《クラ》の様子を見に出かけ、越冬穴から出たクマの姿を確認してから駆除の申請を出し、それから人を集めて猟に向かうという、回りくどいと言えば回りくどい手続きを踏んで、ようやく巻き狩りを行った。

そんな現状だったため、予察駆除が認められるところがありそうだという相馬の話は、驚きと、そして少しの羨望《せんぼう》を伴って、滝沢たちの耳に刺さったのである。

「どうですか、滝沢さん。僕らが皆さんの立場も十分に考えての提案をしていると、これでわかっていただけたと思うのですが」

聴衆を間に挟んで対峙《たいじ》している滝沢に、相馬が訊いてきた。どうしても勝ち誇ったように聞こえてしまうのは、反論の糸口が摑めない苛立《いらだ》ちのせいか……。

弱りきった滝沢は、爺やを、そして昨日から熊田入りをし、今夜の説明会にも参加している吉本と美佐子の顔を順に見やった。

爺やは、苦りきったなかにも、それもやむなしかという顔つきをしており、吉本は難しい顔で宙を睨んでいる。

そのとき滝沢は、美佐子が、声には出さずになにかを言っていることに気づいた。

――だめ。

訴えるような色を目に浮かべ、滝沢に向かって、彼女の唇は確かにそう言っていた。

美佐子がなぜ「だめ」と言おうとしているのか、滝沢にはよくわからなかった。

もちろん、相馬たちOHNが実施しようとしている奥山放獣には、全面的に賛成というわけではない。仲間たちと何度も話し合っているように、発信機やなにやらをクマに取り付けて放してやるということ自体に抵抗があるのだ。しかし、そうとばかりは言っていられない時代になっているのだということも、十分にわかっていた。奥山放獣の実施と引き換えに、予察駆除による巻き狩りが認められるのだとしたら、それもひとつの妥協点ではないのか……。

自分を見つめつづけている美佐子から視線を離し、さらにしばらく迷った末に、滝沢は言った。

「相馬さんの話はよくわかりました。確かに考えてみる価値はあると、俺も思います。んだども、もう少し時間をもらえんでしょうか。このあと、俺らだけで、少し話し合ってみたいと思うんで」

相馬が、腰を屈《かが》めて板垣と小声でやりとりをした。

二人の間で頷きが交わされた。

立ちあがった相馬が、大きく頷いてから言った。

「わかりました。それじゃあ、僕らがいないほうが話は進むと思いますので、今夜のところはいったんおいとまします。僕ら、府屋の旅館に宿泊していますので、結論が出たら明日にでもご連絡ください。捕獲用の機材一式は運んできていますから、あとは熊田の皆さんがよしとなれば、いつでも実施は可能ですので」

とりあえずこれで散会となり、公民館の二階の座敷には、熊田の猟師八名と吉本、そして美佐子だけが残った。

「美佐子さん、あんた、さっき俺に向かってだめだと言っとったよな」

「はい」

「なぜだ」

軽く唇を噛み、考えをまとめるような表情をしたあとで、美佐子は顔をあげた。

「相馬さんが言っていた、予察駆除が認められる村がありそうだという話は、わたしも裏を取りましたから、嘘《うそ》ではないんです。でもそれは、あくまでもその県においては、ということで、そのままそっくりここに当てはまる保証はないんです。だから、慌てて結論を出すのは避けてほしいと思って」

「そうなんかい？」

美佐子の言葉に、仲間たちが口々に尋ねた。

「ええ。むしろあの話は、現状では特殊なケースかもしれません。それに、ＯＨＮの基本理念が、一頭たりともクマは殺さない、というところからスタートしているのも事実なんです。そういったことを把握したうえで、昭典さんたちには話し合ってもらいたいんです」

「どうしたもんかな」

滝沢に話を振られた吉本が、考え深げに言った。

「結論を出すのはあくまでも皆さんですからなんとも言えないですけどね、ただ、ひとつだけ言えるのは、奥山放獣を実施するならするとして、並行して、自分たちの立場や主張を行政側へ積極的に働きかけていく必要があるということです。いいからそっとしておいてくれというのが、熊田の皆さんの正直な気持ちだと思いますが、それだけでは通じない時代になっているのも事実ですから」

うーん、という困惑の声が男たちの間から漏れた。

さすがに吉本は、自分らの本音を見抜いている。悟や貢、それに滝沢のような若い連中は、吉本の言うように、これからは積極的に声をあげていく必要もあるのではないかと、折りに触れて話し合っているが、爺やたち年配の猟師は、どちらかといえば現状維持派である。年寄り特有の、外の者にとやかく言われたくないという頑固さもあるし、無闇に問題を大きくして、熊田のクマ狩りに世間からの非難が集まるのを恐れてもいる。

だが、と滝沢は思う。

ＯＨＮの出現によって、以前とは明らかに状況が変わってしまった。転がりだした弾み車を傍観しているだけでは、気づいたときには手遅れということにもなりかねない。

結論が出ないままにしばらく議論が続いたところで、滝沢は席を外した。自宅から一升瓶を二本ばかり運んでくるためである。やはりこういう話は飲みながらでないと進まない。

階段を下りている途中で、公民館の外で誰かが口論しているのに気づいた。

ひとりは美佐子だ。ついさっき席を立ったのは見ていたが、便所にでも行ったのだろうと思っていた。

「——話が違うじゃありませんか」

棘《とげ》を含んだ男の声が届いてきた。その声は、ＯＨＮの相馬のものに間違いなかった。サンダルをつっかけ、公民館の玄関から飛び出そうとして、滝沢は思いとどまった。外へ出るかわりに引き戸に身を寄せ、聞き耳を立てる。

「佐藤さん、いったいどういうことなんですか？　あなたがあんなことをするとは、夢にも思っていなかったですよ」

「私、相馬さんに非難されるようなことはしてないはずですが」

「なに言ってるんですか。見てましたからね、さっき」

「なにを、ですか」

「滝沢さんに、だめだと呼びかけてたじゃないですか。もう少しで話がまとまるところだったんですよ。それがあなたのせいで振り出しに戻ってしまった。いったい、いつから彼らの味方になっちゃったんですか」

「相馬さんからの一方的な情報だけで結論を迫るのはフェアではないと思っただけで、味方とか敵とか、そういうことじゃないです」

「フェアじゃないなんて、ひどい言われ方だなあ。佐藤さんこそアンフェアですよ。さんざん僕たちの取材をしておいて、気づいてみたらハンターの擁護に回っちゃってるんだから、なんだか、いいように騙《だま》されたみたいだ」

「どちらか一方を擁護してどうなるという問題ではないと、私は思います。相馬さんのような活動をしている人たちと、滝沢さんのようにマタギ文化を護《まも》ってきた猟師さんたちって、必ず手を取り合えるはずだと、今では強く思うんです。だから、あとで遺恨を抱いてしまうようなやり方は、絶対にまずいです。なんとかして信頼関係を築いていかないと、これから先の――」

「ずいぶん偉そうに言うじゃないですか」

美佐子を遮《さえぎ》る相馬の声色が気色ばんだものになった。

「しょせん、あなたもマスコミの人間だっていうことだ。密着取材だのなんだのといったって、ずっと取材対象にかかわって苦楽を共にするわけじゃない。記事にして一段落ついちゃえば、あとは知らんぷりってことでしょう。マスコミはよってたかって獲物をしゃぶりつくすハゲタカやハイエナと一緒だってよく耳にしますけどね、あなたもそれと同じで、ただの薄汚いハイエナだ」

「あんた、それってちょっと言いすぎなんじゃないかの」

思わず滝沢は、玄関の戸を開け放って、そう言っていた。

美佐子も相馬も、滝沢の闖入《ちんにゅう》に不意を衝《つ》かれたらしく、公民館の二階の窓から漏れる薄明かりの下で身を強《こわ》ばらせた。

滝沢は一度美佐子に目をやり、そのあとで相馬に向き直った。

「この人、あんたらにも俺らにも、どちらに対しても悪意は持っていないと思うぜ。少しばかり鼻っ柱が強くて生意気なところがあるにはあるが、この人なりに真剣なのは確かさ。そこはわかってやらないといけないんじゃないのかい？」

滝沢の登場で一瞬ひるんだ感があった相馬だったが、すぐに反撃に出てきた。

「だとしても、礼儀ってものがあるでしょう。僕ら、ここに来るまで、彼女が来ているって知らなかったんですよ。それだけならまだしも、ついこの前までは僕らの活動を応援するようなことを言っておきながら、いきなり手のひらを返す言動をされたのじゃ、たまったものじゃありませんよ。それならそうと、あらかじめ知らせてくれればいいじゃないですか。それが礼儀ってもんでしょ？　やり方が、なんというか、姑息なんだよなあ」

「ごめんなさい、決してそんなつもりじゃなかったんです」

そう言って頭を下げようとした美佐子を、滝沢は押しとどめた。

「美佐子さん、あんたもさあ、自分に非があるわけじゃないのに、そんなに簡単に頭を下げちゃいけねえって」

「非がないなんて、それじゃあ、まるで僕のほうが悪者みたいだ」

「相馬さん」

「なんですか」

滝沢が名を呼ぶと、相馬は、なんなりと受けて立つ、という構えを見せた。

「この際だから言っておくけどの、俺らは、この人の話は抜きに、あんたらには最初から不信感を持ってたんよ。今回の山北町での騒ぎにしたって、腹の底ではあんたらが仕組んだことじゃないかと疑っている」

「それはひどい言いがかりだ、冗談も休みやすみ言ってほしい」

「そうカッカしないで聞いてくれんかな。たとえそうだとしても、あんたらの活動の意義は理解できる。俺らだって馬鹿じゃないからの、クマを獲り尽くそうなんてかけらも思っちゃいない。だから、今までのやり方がどうだなんてことで互いにいがみあってても、意味がないと思うのさ。口下手なもんで、うまくわかってもらえるかどうかわからんけどの——」

そこで一度言葉を切り、相馬と美佐子、二人に向けて滝沢はつづけた。

「なんというか、世間からマタギって言われているような俺ら猟師の体は、半分は親からもらったもんだけど、残りの半分は山からもらったようなものなのさ。クマからもらったと言い換えてもいいかもしれねえ。だから、クマを撃つのは面白いし血が騒ぐことだけど、同時に痛いんよ。ここが——」と言って、自分の胸を指し「どうしようもなく、痛くて、切なくなるってのも嘘じゃないんよ。だから、クマを殺すってことは、自分を半分殺すことと一緒なんだ。でも、そうしないことには生きて行かれねえのが俺らだ。これは、なんつうか、一種の業《ごう》のようなものかもしれねえ」

「しかし、クマを撃たなくとも、今の世の中は生きていけるじゃないですか」

「わかってるよ、それは、わかっている。だがの、大事なのは物じゃねえんだよなあ。本当に俺らが必要としてるものは物質的なもんじゃねえ。クマ一頭獲って得られる肉なんか、皆で分ければたかがしれてるしの。申し訳ねえと思いながらも、クマを追ってこの手で仕留める行為そのものが大事なんよ。俺らに生きる力を与えてくれるんさ。ここで暮らすすべてがクマ狩りに凝縮されていると言っていいかもしれねえ。だからよ、俺らはクマを殺すかわりに、自分らの欲っつうものを殺さねばならねえと思っている。山から山のものをもらうかわりに、山を護ってやらねばならねえと思っている。そのためには、俺らは山で暮らす必要がある。なんだかよ、堂々巡りの話に聞こえるかもしれねえが、そういうことなんよ。そしての、昔と違って今の時代は、自然のままに山で暮らしていればそれでいいってわけにはいかなくなってる。こういったことを一生懸命考えねばならなくなっている。んだからの、経緯がどうあれ、相馬さん、あんたらの出現は、俺ら熊田の者にとっては必要なことだったんだと思う。美佐子さん、あんたもそうだ。あんたがここに来たことで、俺らはそういったことを、今まで以上に考えるようになった。だから、もう少し待ってけろ。どう結論が出るかはわからねえがの」

滝沢の言葉に、美佐子だけでなく、いつしか相馬も神妙な面持ちになっていた。そして滝沢自身、今喋ったことは、偽りない自分の本音だと思っていた。

お返事を待ってます、と言い残した相馬がワゴン車に乗り込み、テールランプがスノーシエードの向こうへと消えるのを見届けてから、美佐子が頭を下げた。

「助け船を出していただいて、ありがとうございました」

「なんだかの、ずいぶんと青臭いことを喋っちまったようだの」

「いいえ、ちっとも――」と美佐子が首を振る。

「さっきの昭典さんの言葉、とても胸に沁《し》みました。私が捜し求めていた答えがわかったというか、すごく近づけた感じです」

「答えってな？」

「山は半分殺《の》してちょうどいい。これ、あるマタギの人の言葉らしいんですが、吉本さんから聞かされて以来、ほんとうの意味ってどういうことなんだろうって、ずっと考えつづけていたんです。それが昭典さんの言葉で、はっきりした形が見えてきたように思います」

「なるほど――そりゃよかったの」

頷いた滝沢は、確かにそうかもしれないと思った。狩りをする人間は、生き物を殺すことで生かされるが、生かされるための代償をきちんと払っていかなければならない。山を半分だけ殺す代わりに、自らをも半分殺すことで、かろうじて生きることを許されているのだと思う。

二人の間に落ちた沈黙を美佐子が破った。

「話は変わりますけど、その後、奥さんは？」

「あ、ああ――」

言葉を濁しかけた滝沢は、いまさら美佐子に対して隠すべきものはないことを思いだした。

「どうなんかなあ、これといって進展はないままでな。この前、電話では話をしたけど、まだ時間が欲しいってことでの」

「帰ってきて欲しいんでしょ？」

「そらそうだが、これぱっかりは、こっちの一存でどうなるものではないしの。娘が来春には幼稚園の年少組だから、それまでには、はっきりさせねばと思っているんだが、果たしてどうなるんだか」

「そうですか——辛《つら》いですね」

「まあな——」

——自分の家族も護れないで山を護るなんて、お笑いぐさもいいとこだ。

滝沢は、ついさっき、相馬に対して偉そうに一説ぶった自分が恥ずかしく、情けなくもあった。

36

山北町での初めての奥山放獣が、ついに実施されることになった。

OHNによる説明会が終わったあと、滝沢たち熊田の猟師は、公民館で明け方近くまで話し込んだ。滝沢が自宅から運んできた酒は、ほんの嘗《な》める程度が消費されただけだった。それだけ、かつてないほどに真剣な議論だったのである。

むろん、ぎりぎりの選択だった。全国的に春グマ猟ができにくくなっている今、たとえ奥山放獣に協力したところで、将来、特例として予察駆除が認められるという保証はない。その可能性を相馬は口にしたが、美佐子の言葉どおり、鵜《う》呑《の》みにするのはお人好しもいいところだろう。

穿《うが》った見方をすれば、今回の試験的な奥山放獣をきっかけに、世論を味方につけて、この一帯でのクマ狩りそのものをやめさせようというのが、ＯＨＮの隠された意図だと考えることもできる。

それでもなお、奥山放獣の実施に頷くことにしたのは、猟師として、マタギとしての危機感からだった。いくらなんでも、今年の夏グマと秋グマの駆除数は異常である。殺す必要のないクマまでが、軒並み罠にかけられている。あと数年も同じ状態が続けば、この地域の個体群は絶滅してしまうと、滝沢たち猟師の直感は訴えていた。

奥山の植生《しょくせい》が貧しくなってクマが人里に近づくようになったのだという話はよく聞くことだ。一面ではそれも真実だろうと思う。だが、最近のクマを見ると、それればかりではないように思えてならない。まあまあ豊かな奥山があるのに人里周辺に居つくクマ、すなわち里グマと呼ばれる個体が確実に増えている。

いったいなにがそうさせるのか、学者たちは様々なことを言っているようだが、人間と同じで、現代のクマは昔のクマよりも脆弱《ぜいじゃく》になっているからだと、滝沢は思う。体力的にというより、精神的にひ弱なクマが増えている。奥山の自然で悠々と暮らすだけの才覚のないクマが増えている。学者が聞いたら笑うかもしれないが、それが滝沢の感想だった。

ならば、奥山放獣は、考えようによっては、彼らに対する荒療治になるのではないか。里に居つこうとしているクマを引き剝《は》がし、無理やり奥山に放り込んでやることで、本来のクマの野性を取り戻させてやることができるのではないか。そう滝沢たちは、行きつ戻りつする議論のなかで考えた。

——おめえさんたち今の若い衆は、昔と比べたらずっと楽してクマを獲ってるぞ。

事あるごとに、爺やたち、ベテラン猟師から聞かされる言葉である。

爺やが若いころは、飯盒《はんごう》をぶら下げて泊まりがけで猟に出かけ、雪のなかで野宿しながら、一週間もかけてクマを追うことがざらだったという。

鉄砲の性能もよくはなかったし、トランシーバーなどという文明の利器もなかった。そもそも、クマは奥山にいるものと決まっていたし、数そのものも、もしかしたら今より少なかったのかもしれない。そうした時代の苦労と比べれば、たいてい日帰りで獲れてしまう最近の狩りは、楽で楽で仕方がないと言うのである。

そしてな、と爺やは続ける。

——気のせいかもしれねえけどの、最近のクマっこは、昔のと比べると頭が悪くなってるんでねえべかの。里に居つくようになってから、奴ら、知恵が足りなくなってるぜ。

そんなのありかと聞くたびに受け流していた滝沢だったが、あらためて考えてみると、案外そうかもしれないと思う。

猟師というのは不思議なもので、相手が手強《てごわ》ければ手強いほど血が滾《たぎ》る。

人里に近いところで、人の作った作物をくすねている半端なクマではなく、舌を巻くほど狡猾《こうかつ》で、人間の存在など端《はな》から小馬鹿にして、我が物顔に奥山をのし歩いている、そう、たとえば『ヌシ』のような相手と対峙し、自らの手で引導を渡してやりたいというのが、偽らざる本音であるし、猟師の性《さが》でもある。

相馬が聞いたら眉をひそめるに違いないものの見方だろうが、手応《てごた》えのあるクマを増やすために利用できるかもしれないというのが、奥山放獣に同意することになった理由のひとつでもあった。

結論が出て板垣にその旨を告げると、相馬たちＯＨＮのスタッフは、数日前から目撃情報が寄せられていたクマを捕獲するため、熊田川を五キロほど下流に下った林に罠を仕掛けた。するとと驚いたことに、翌日の早朝、早くも一頭目のクマが掛かった。

放獣に立ち会うため、仕事を早めに終えて滝沢が見たのは、自分が知っているクマだった。右耳の先が少しだけ千切れているという特徴は、釣り人のリュックサックを奪った、あのずうずうしい奴に間違いなかった。

ＯＨＮが捕獲した一頭目のクマは、体重七十キログラム強、年齢六歳の若い雄グマだった。捕らえられた場所や、前に人の物を盗んだという前科を考えると、典型的な里グマかもしれなかった。

そのクマが標識と電波発信機を付けられて熊田の奥山に放されてから五日後、熊田ほど奥地ではないが、山裾《やますそ》にある隣接した集落で、二頭目のクマが捕らえられた。そのとき滝沢は、勤め先の事務所で伝票の整理に追われていた。

携帯電話に連絡をしてきたのは、板垣や相馬ではなく吉本だった。

「かなりの巨体なんですよ」

「目方はどれくらいなんかの」

滝沢が尋ねると、吉本は抑えた声で言った。

「もしかしたら、ヌシかもしれない」

ヌシという言葉を耳にし、滝沢は言葉を失った。

返事を待たずに吉本が続ける。

「体位はこれから計測しますが、体重が百五十キロ以上あるのは間違いなさそうです。それに、見た目だけでも、かなりの老齢なのは確かですね。二十歳を超えてるかもしれません――昭典さん、すぐに来られますか？　これだけの巨体だと麻酔の持続時間に不安があるし、老齢個体にはよけいなストレスを与えたくないので、できるだけ早く処置して放獣しようということになりそうなんですが」

「わかった、すぐ行く」

携帯電話を切り、早退を申し出ようとすると、電話の様子を窺《うかが》っていた社長の奥さんが、顔をしかめた。

「またクマかい？　こうしょっちゅうじゃねえ。こっちは給料を払っているんだよ、もっと身を入れて仕事をしてもらわないと」

「すいません、今回ので最後ですから」

「別にいいけどね。でも、クマのことばっかり考えてるから、奥さんに愛想をつかされたのと違うのかい」

「いや、まあ――」

翔子が実家に戻ったきりなことは、いつの間にか周知の事実となっていた。悪意があってのことではないのだろうが、それを耳にしたあたりから、社長の奥さんの自分に対する風当たりが変わったような気がしないでもない。だが今は、そんなことをあれこれ考えている場合ではなかった。彼女の気が変わってしまわないうちに事務所を出ようと、滝沢はそそくさと席を立った。

三十分後、現場に到着した滝沢は目を見張った。

まさしくヌシだ。

すでに麻酔をかけられて檻《おり》から引き出されていたツキノワグマを見て、滝沢は心のうちでそう唸《うな》った。

クマ撃ちだから、これまでにツキノワグマは見飽きるくらいに見てきた。獲ったなかには百キロを超えるものもあったが、これほど巨大で、堂々たる体躯《たいく》を持った野生のクマを見たのは初めてだ。

動物も人間と同じで、高齢になり、体力が衰えるにつれ、見た目が貧相になっていく場合が多いのが普通である。クマもそうして老年期を迎えて土に還《かえ》っていくのであるが、麻酔で意識を失っているにもかかわらず、このクマは永遠に生きていくのではないかと思うほど、強靭《きょうじん》なオーラのようなものを発している。まさに山のヌシに相応《ふさわ》しいクマだった。

相馬と若い女性獣医師、そして塩野《しおの》という青年によるＯＨＮの面々が、黙々と仕事を進めている間、頭に被せられた布袋をめくってツキノワグマの顔を覗き込んでみた滝沢は、またしても胸中で唸った。

顔つきが、ヌシ、あるいは山親父《やまおやじ》と呼ぶにぴったりの風貌《ふうぼう》だったのである。普通のツキノワグマは、頭部から鼻筋にかけての線は比較的のっぺりとしていて、豚やイノシシに近い感じがするものだ。ところがこのツキノワグマは、まるでヒグマのように眉間《みけん》のあたりが膨らんで見えた。よく見ると、そのような印象を与えるのは、眉の辺りに白髪ができて白っぽくなっているからだった。黄ばんだ犬歯も使い込まれて先が磨り減っており、何本もの虫歯が確認できた。これだけでも、かなりの高齢個体であることがわかる。

「やっぱり昭典さんたちが言っていたヌシかしら」

立ちあがった滝沢に、様子を見守っていた美佐子が声をかけてきた。

「たぶんな、そうに間違いねえだろ。でかさはもちろんだけどよ、ここまで歳《とし》を食ったクマを見たのも初めてだ」

「なんだか浮かない顔をしていますね」

美佐子に言われ、滝沢はゆっくりと頷いた。

「ヌシともあろう奴が、こんな罠に掛かっちまうなんて思わなかったもんでの」

「自分の手で撃ちたかったということ？」

「それもあるが、なんだかよ、情けねえというか可哀相《かわいそう》というか、こいつは、こんなふうに人の手で弄《もてあそ》ばれちゃいけねえって、そんな気がするんだ」

美佐子に喋った言葉は本心から出たものだった。

こうした巨大なクマを見て、山の神さまの化身だと思うような信心深さは、自分にはない。クマ狩りに臨む際の儀礼や、狩りのあとで行う『クマ祭り』での神事にしても、古くから伝わる慣習を守るために行っているのであって一種のゲンカツギのようなものである。

が、しかし、皆でヌシと噂してきた存在に違いないであろうクマを目《ま》の当たりにして、滝沢は、今までとは違ったものが、自分の内部で蠢《うごめ》きだしていることに気づいた。

「なあ、相馬さん」

滝沢は、塩野と二人で顎をこじ開け、奥歯を抜こうとしている相馬に向かって声をかけた。

「なんですか」

振り返らずに声だけで返事をした相馬に、滝沢は言った。

「その、なんだ――このクマには、標識も無線の発信機も付けずに逃がしてやるわけにはいかんかの」

手を止めた相馬が振り向き、訝《いぶか》しげな顔をした。

「急になにを言いだすんですか」

「どっちみち生かして逃がしてやるんだから、付けても付けなくても同じだろ」

クマの傍らから立ちあがった相馬が、馬鹿なことを言うなという口調でまくしたてはじめた。

「滝沢さん、あなただって、これだけ歳をとった野生のツキノワグマを見たのは初めてでしょう？　歯を採取して確認しないと正確なところはわかりませんが、二十歳を何歳も超えているのは間違いないはずです。ここまで老齢な個体の行動範囲を調べられる、めったにないチャンスなんですよ。それをみすみす逃す手はないでしょう」

「それはわかるがの、なんつうか、こいつだけは人の手を加えないで、山に戻してやりてえと思うわけなんよ。無線の電波を追っかけられていつも居所がわかられるんじゃ、なんだか気の毒でよ」

「滝沢さんがそんなことを言うなんてねえ、驚きは驚きですけど、そこはやっぱり我慢してもらわないと。そういったデータの分析も僕らの大事な仕事のひとつ――」

相馬が喋っている途中で、仰向けにされたクマに屈み込んでいた塩野が「あっ」という小さな声をあげた。

「麻酔が切れかけてる！」

塩野の叫びに、一同は一斉に色めき立った。

驚いて跳び退《すさ》った塩野の足下で、今までは力なく開けられていたツキノワグマの下顎が、ガチガチと上顎に擦《こす》り合わされ、見ているうちにも、足がかりを求める前足が宙を泳ぎはじめた。

「里実ちゃん、早いとこ追加の麻酔を！」

相馬に指示された女性獣医師が首を振る。

「だめっ、これ以上打ったらどうなるか自信がない」

「畜生っ」

舌打ちした相馬が血相を変えた。

「檻に戻すから手伝って！　そこのロープを首に、ええいくそっ、間に合わねえ！」

言うなり相馬は、動いているクマの右前足を摑んで引きずりはじめた。左足には塩野が飛びつき、撮影中だった吉本もカメラを放り出して加勢する。

ビニールシートの上をクマの体がずずずっと滑った。が、檻の入り口に頭が入ったところで、それ以上進めなくなる。両側から前足を引っ張っているのだから当然だ。

「押さなきゃだめだでの！」

そう叫び、滝沢はクマの尻《しり》を押しはじめた。粗《あら》い剛毛の感触とともに、クマの重さが手のひらに伝わる。前足から離れた三人もそれぞれ胴や後足に取りついた。必死になって檻に押し込もうとするのだが、今度は自由になった前足が入り口に引っかかって邪魔になる。

滝沢は、いっそう身を低くしてクマの尻に肩を押しつけ、顔が股間《こかん》の性器にくっつくのもかまわず、小便の臭《にお》いにむせそうになりながら足を蹴《け》った。

蹴った足がシートの上で滑った。「くそっ」と罵り、体勢を立て直してしゃにむに押しつづける。五センチ、十センチと少しずつ進みはするが、亀《かめ》の歩みに等しい。

ようやく月の輪の部分まで檻に押し込んだところで、ガウッとクマが吠《ほ》えた。同時に、後足を捕まえていた塩野の体が飛ばされた。仰向けにされていた体を戻そうとして、いよいよクマはもがきだした。

「逃げて！」

「もう少しだ！　あとちょっと！」

美佐子の金切り声と相馬の怒声が交錯する。

――もうだめだ！

自宅に寄って猟銃を持ってこなかったことを滝沢が悔やんだとき、ふいにクマの体から力が抜け、後足の動きが止まった。

力を失ったクマの傍らに、獣医の里実が立っていた。

最初、わけがわからなかった滝沢は、彼女が手にした注射器を見て、ようやく状況を把握した。安堵《あんど》のあまり、クマに取りすがっていた場所でぺたりと尻餅《しりもち》をつく。

喉《のど》がからからに干上がり、声も出ない。

追加の麻酔を打たれたクマは、上半身を檻に突っ込んだまま、今の出来事が嘘だったかのように、再び大の字になって伸びていた。

「こんなに焦ったのって、初めてだ――」

肩で息をしながら相馬が呻《うめ》いた。

「誰も怪我《けが》はないですか」

皆に尋ねた里実が、頷いた男たちをひと通り見回してから檻の入り口に近づくや、腹這《はらば》いになってクマとの隙間《すきま》に腕を潜りこませた。少ししてから手を引き抜き、ほっとした表情を浮かべる。

こっちの命が危なかったというのに、クマのほうを心配するなんて、まともな神経とは思えない。

なんて姉ちゃんだと、滝沢は、里実の子どもっぽい顔を見あげて呆《あき》れ果てた。もう少しで

「呼吸、脈拍ともに安定しているから、たぶん大丈夫だと思う」

落ち着きを取り戻した相馬が、手についた泥を拭《ぬぐ》いながら立ちあがった。

「すいません、もう一度引っ張り出しますので手伝ってください。耳タグと発信機を取り付けますから」

こんな目に遭《あ》ってまだ言ってるのか。そう思いながらも、発信機の装着に異議を唱える気は失《う》せていた。

本心では、このクマに発信機を付けるのはやはりいやだった。しかし、目にしたばかりの相馬や里実の行動が、仕方ないかと滝沢を諦めさせた。立場が違い、考え方も異なる彼らだが、命すらかけて真剣にクマと向き合っていることでは、自分たちと一緒だと思ったのである。根深い部分での不信感は未だに存在しているが、美佐子の言うように、これからの時代は、こういう連中とも手を取り合っていく必要があるのかもしれない。

吉本や美佐子と一緒に見守るなか、手際よく耳への標識と発信機の首輪を装着された巨大なツキノワグマは、再び檻に戻され、リフト付きワゴン車の荷台に収められた。

「じゃあ、この前とは反対側の林道で放獣しますので、僕らのあとについてきてください」

そう言って、相馬はワゴン車の運転席に体を滑り込ませた。

相馬が運転するワゴン車は、吉本と美佐子が乗るパジェロと滝沢の車を従え、熊田の集落を横目に見つつ放獣場所へと向かった。

途中から砂利道に変わった林道をさらに数キロ進み、行き止まりになる少し手前で車を停《と》める。

あと少し経《た》てば山全体が真っ赤に燃えだす雑木の森に挟まれた谷は、一冬越えて残雪の季節が巡ってくると、滝沢たちが春グマ猟に出猟する起点となる。昔は徒歩で集落からきたものだが、今は軽トラックやワゴン車に分乗してここまで入り、猟銃を背にして、おもむろに山の斜面に取り付く。そうして男たちは列を作り、黙々と猟場《クラ》へ向かうのである。

そんな光景を思い浮かべながら、滝沢は車の外に出てボディに寄りかかり、離れたところから、檻を下ろす作業を見守っていた。

異変に気づくのに時間はかからなかった。

ワゴン車の後部ドアの前で、相馬と里実がなにかを言い合っている。すぐ傍では塩野が肩を落とし、少し距離を置いた位置で、腕組みをした美佐子が硬い表情で彼ら三人に視線を向けていた。吉本は、と首を伸ばすと、ワゴン車の荷台に姿を認めた。荷台の内部で、青白いフラッシュが二度光った。

「やめてくださいってば、それは写さないで！」

怒気を含んだ相馬の声が谷間に響いた。

「どうしたんね！」

言いながら駆け寄った滝沢は、山のヌシ、巨大なツキノワグマに対して行われるはずだった奥山放獣が、最後の段階になって齟齬《そご》をきたしたことを知った。ヌシは、檻のなかであっけなく絶命していたのである。

麻酔を追加したことの是非で言い争いを続けている相馬と里実に向け、滝沢は「やめれ！」と怒鳴った。

「死んじまったものは仕方ねえべ。可哀相によ、そんなことで争ってたら、こいつに申し訳ねえと思わねえのかよっ」

はっとした表情で、ふたりは口をつぐんだ。

「相手は野生の生き物なんだぜえ、そうそう人間の思い通りになるもんでねえ。こいつはよ、首輪なんかを付けられて生き延びるよりは、潔く死ぬほうを選んだんだと俺は思う。なっ、んだから、言い争いなんかしてねえで、精一杯ていねいに弔ってやるべよ」

努めて穏やかに言いながらも、説明のつかない深い喪失感を滝沢は味わっていた。

37

「美佐子さん、あんたには世話になったの」

今回の取材を終え、熊田を発《た》つために、パジェロの助手席に乗り込んだ美佐子に向かって、滝沢は礼を言った。

「こちらこそお世話になりっぱなしで」

「いや、あんたが来てくれてほんとうによかったたって、俺も、村の者もみんな思ってるさ」

偽りのない言葉だった。

奥山放獣の話が山北町で持ちあがったとき、正直言って途方に暮れた。奥山放獣そのものがどういうものか、その実態は皆目わからなかったし、OHNに対する不信感で凝り固まっていた。彼らによる説明会が行われたあの夜、美佐子が一度待ったをかけてくれなければ、結果的に放獣が実施されたとしても、あとあと面倒を抱え込むことになっただろう。

あのヌシを事故で死なせてしまったあと、美佐子と吉本の働きかけで、滝沢たち熊田の猟師は、もう一度相馬らOHNのスタッフと会合を持った。おそらくヌシの死が、互いを歩み寄らせてくれたのだろう。最初の説明会のときとは違い、腹を割っての本音のぶつけあいとなった。むろん、それぞれ最後まで譲れない部分があるにはあった。しかし、互いにわかりあえた部分も多かった。

この先、結果がどう出るかはわからないが、来年度も行政側との連携をとりながら、頭数を決めて奥山放獣を続け、追跡調査については、自由が利く村の爺や方が手を貸すということになった。その代わり、熊田の春グマ猟について、OHNは口を出さないということで一種の手打ちが行われた。そのあとは、当然ながら、延々と続く酒盛りである。都会の若者三人はまともに滝沢たちの餌食《えじき》となって、翌日、二日酔いで青い顔をしながらも、嘘のない笑顔で東京の本部へと帰っていった。少なくとも、疑心暗鬼のまま別れることは避けられたと、滝沢は思っていた。

美佐子が眩《まぶ》しいくらいの笑顔で言った。

「来春、足手まといになるかもしれませんが、よろしくお願いしますね」

「鍛えといでよお、けっこうきついからの」

「はい」

「待ってるで」

運転席の吉本が、右手をあげて「じゃあまた」と挨拶し、パジェロが発進した。

車の姿が見えなくなってもなお、しばらくの間ひとりで村の外れに佇《たたず》んでいた滝沢は、やがてヌシが棲《す》んでいた山を見あげて目を細めた。

38

年が明けて間もないマタギ発祥の地、阿仁の里は、白一色に凍《い》てついていた。

美佐子が降り立ったのは、角館《かくのだて》と鷹巣《たかのす》を結ぶ秋田内陸縦貫鉄道の比立内《ひたちない》駅だった。訪ね先は、玲子から教えられた菩提《ぼだい》寺のひとつである。

熊田での奥山放獣の取材を終えてしばらくして、札幌の玲子から、美佐子が打った電子メールに対して長い返信が来た。

——返事が遅くなってすいません。最初にOHNの疑惑（？）についてですが、限りなく白に近い灰色というところで、それ以上のことはどうしてもつかめませんでした。熊田での奥山放獣の経緯は、先日いただいたメールでよくわかりましたし、吉本さんからも聞いています。状況的にはなんとかよい方向に向かいつつあるようなので、無理に詮索《せんさく》すると、かえって混乱を招くことになりはしないかと心配です。それに、あなたが書きたいルポの性格を考えると、この角度からこれ以上の深追いはせずに、現状を見守りつつ、正面からクマ猟の取材をすればよいのではないかというのが、老婆心ながら私の考えです。

　ところで話は変わりますが、熊田の滝沢昭典さんの曾《ひい》お祖父《じい》さんの名前が松橋《まつはし》富治と確認できたとのことですが、熊田での噂通り、阿仁出身のマタギに間違いないと思われます。松橋姓は、比立内や打当《うっとう》など阿仁町（旧大阿仁《おおあに》村、さらに昔は荒瀬村といいました）一帯に多い苗字《みょうじ》ですので。詳しく調べてみたければ、比立内にある善巌寺《ぜんげんじ》というお寺を訪ねてみるのも手でしょう。先代のご住職が、かなりの高齢（確か百歳近かったのじゃないかな）ですが、まだご存命のはずですので、なにか聞き出せるかもしれません。また、外部の者にはなかなか見せてはもらえないでしょうが、可能ならお寺の過去帳のたぐいを当たってみるのも無駄にはならないかと思います。それからもうひとつ。美佐子さんが札幌にいらしたとき、帰り際にあなたのお祖父さんの話が出ましたよね。もしかしたら秋田のマタギだったのではないかって。マタギの研究をしている知り合いに確認したところ、比立内で肝煎《きもい》りをしていた片岡家は、今は没落して離散してしまったらしいのですが、古い豪農のひとつで、残念ながらマタギの家系ではないらしいです。マタギを祖に持つ女性ライターが現代のマタギの世界を追うなんてかなり刺激的なお話かもと、あんな思わせぶりなことを言ってしまいましたが、どうやら私の見込み違いだったようです。ごめんなさいね、ではまた——。

熊田での奥山放獣の取材のあと、美佐子は『フィールドアウト』に足を運び、札幌に戻った吉本と連絡を取りながら、加賀美と入念な打ち合わせをした。打ち合わせというより、編集会議、あるいは企画会議といってもいいくらいに、徹底的に論じ合った。

さんざん話し合ったうえ、次号から『アウトドアライフの達人たち』というコーナーを設けてそれとなく布石を打っておき、熊田の春グマ猟の取材を終えたあと、総力特集としてマタギの世界を紹介しようということで最終的に落ち着いた。いきなりクマ狩りの特集では、読者が違う雑誌を買ってしまったのかと混乱するだけである。結果、新しいコーナーを担当することになった美佐子は、自分の仕事が増えたという嬉しいおまけにあずかったわけだが、これも加賀美の粋《いき》な計らいに違いなかった。

企画が具体化するにつれ、クマ狩りを通して現代のマタギの姿を追うのはよいとして、それだけでは深みが足りないという問題が出てきた。そのとき美佐子が思いだしたのは、夏に熊田を訪ねた際に、県境の峰々を眺めながら滝沢から聞いた、彼の曾祖父《そうそふ》が秋田から流れてきたマタギだったらしいという話だった。マタギ発祥の地といわれる阿仁と、遠く隔てた熊田の集落との、深い部分で繋《つな》がる歴史的なかかわり。いったいなぜ、滝沢の曾祖父にあたる人物は、故郷を捨てて山形の八久和《やくわ》という集落に落ち着くことになったのか。しかも、彼が最後に暮らしたと思われる八久和の集落は、今はダム湖の底に沈んでいる。

今回のルポを背面から支えるのはこれだと閃《ひらめ》いた。すぐに滝沢に連絡して、不明だった彼の曾祖父の苗字を爺やから聞き出してもらった美佐子は、アドバイスを求めるメールを玲子に送ったのである。

玲子からの返事に意を強くした美佐子は、できるだけ早く阿仁を再訪したいと思った。だが、新たなコーナーの取材をこなす必要があり、ようやく時間がとれたのは、暮れ近くになってからだった。善厳寺に電話をしてみると、前の住職は玲子が言ったように存命ではあるが、健康が優れないので、今すぐの面会はできかねるという話だった。そこをどうにかと、美佐子は無理に頼み込んだ。すると、息子だという今の住職は、話ができるくらいに体調が回復したらこちらから連絡しましょうと約束してくれた。

祈る思いで待ちながら年を越し、面会はもう無理なのだろうかと諦めかけていたところへ電話があった。それが昨日のことだった。

寺を継いだ息子といっても、掘り炬燵《ごたつ》を挟んで美佐子の前にいるのは、六十代も半ばの老住職だった。先代の住職が今年で九十七歳になるというのだから、それも当然だ。

「私も暇なものでいろいろと調べてみたのですけどね」と言って、現住職は、人のよさそうな顔をほころばせた。

「――あなたがおっしゃっていた松橋富治という人は、打当マタギに間違いないですな」

「打当のほうですか、比立内ではなくて」

「うちの寺の檀家《だんか》さんだったようです。親父の話と残っている過去帳をつき合わせてみると、ほぼ間違いないですね。えーと――」

そこで住職は、漆塗りの文箱《ふばこ》から古びた大学ノートを取り出し、「あまりおおっぴらに見せてよいものではないので、過去帳から抜き書きしておいたんですが――」と言って老眼鏡越しに検《あらた》めてから、美佐子の前で開いてみせた。

ノートを覗くと、系図のように引かれた線といくつかの名前が鉛筆で書きこまれている。

「俗名松橋富左衛門、この人が富治の父で、こっちのテルというのがその女房、つまり富治の母親です。で、さらにこちらの松橋富雄、この人は富治の実兄で松橋家の家督だったのですが、結婚をしなかったのか、あるいは子どもに恵まれなかったのか、富雄の代で、この家は途絶えてしまったようです」

「富治には、他に兄弟姉妹はいなかったのでしょうか。あるいは近い親戚《しんせき》とか」

「姉がひとりいたらしいですが、どこに嫁いだのか、うちの親父にもわからんそうです。なにせ、親父にしたって、まだ小学校に上がるか上がらないかの年ごろのことだったわけですから。それに、ここにも打当にも、その一家の人間を直接覚えている者は、うちの親父以外にはいないようですし、そもそもの本家がどこかというのも、古い過去帳が焼けてしまったので、これ以上のことは皆目わからんのですわ」

住職の言うように、現存する資料から松橋富治に当たっていくのは、かなり難しそうだと美佐子は思った。集落を一軒一軒訪ね歩き、なにか知っているお年寄りはいないかと聞いて回る時間もない。となると、富治を直接知っている先代の住職が生きているというのは、とんでもないほどの幸運だった。

「富治さんがどうして打当から離れることになったのか、前のご住職は覚えておいででしょうか」

「鉱山だったようですな。阿仁町と森吉町《もりよしまち》との境あたりに、当時は阿仁鉱山というかなり大きな銅山がありましてね、どうやら鉱夫になるために家を出たらしい」

阿仁鉱山という住職の言葉に、美佐子は思わず声をあげそうになった。というのも、富治が暮らしていたという山形県の朝日村、八久和があった周辺には、以前はいくつも鉱山があり、そのなかで最も大きな大鳥鉱山は、経営母体が確か阿仁鉱山と同じだったはずだ。ということは、富治は鉱夫として秋田から山形へ渡ってきたということが十分に考えられる。

だが待てよと、そこで美佐子は考え込んだ。

滝沢の話では、富治はあくまでもマタギとして八久和に流れ着いた、ということになっている。この食い違いはどういうことだろう……。

「すいません、ご住職のお父様に直接お話を伺うことはできないでしょうか。なぜ富治が鉱夫になったのか、その理由をご存知であれば、ぜひお聞きしたいのですが」

「今日はまあまあ調子がいいようですから、大丈夫でしょう。ただ、耳がすっかり遠くなっているのと言葉がはっきりしませんからな、私を介してだったら、なんとかご質問に答えられると思います」

「お願いします」

「それではこちらへ」

そう言って住職は立ちあがり、廊下で繋がった住居のほうへと美佐子を案内した。

本堂とは違い、新築してからさほど経っていないと思われる母屋の一室で、先代の住職は介護用のベッドに寝かされていた。

美佐子が自分への来客で、なにを尋ねたがっているのか、息子から聞かされて理解できたようだった。見えているのかいないのか定かではない、目脂《めやに》と涙で湿った瞳が、半分塞《ふさ》がった瞼《まぶた》の内側で、見知らぬ客の姿を求めて彷徨《さまよ》った。

「東京から来ました佐藤美佐子と申します。ご無理を聞いていただいて、ほんとうにありがとうございます。打当の松橋富治さんというマタギがどうして鉱夫になったのか、覚えておいででしたら、ぜひ教えてください、お願いします」

老いの臭いが強く昇ってくる介護ベッドに屈み、曇った目を覗き込む。

老人の首がかすかに動き、しばらくして干からびた唇から、ぼそぼそと呟きが漏れはじめた。が、声の不明瞭《ふめいりょう》さと強い訛《なま》りのせいで、なにを言っているのかほとんど聞き取れない。

美佐子に代わって唇に耳を寄せていた住職が、何度か頷きながら顔をあげた。

「親父が言うには――」と前置きをして住職が説明した。

「村に居られなくなる事件を起こしたからだと。事は内密に処理されたものの、しばらくすると周知の事実となり、知らない者はいなくなった。それで自分もそのことを知っているのだということです」

「事件って？」

「既に許婚《いいなずけ》がいた娘に夜這《よば》いをかけて、その娘を孕《はら》ませてしまったらしいですな。それで鉱山に逃げ込み、二度と村に戻ることはなかったそうです」

「夜這い！」

思わずオウム返しになってしまった。

当時の田舎のことだから、夜這いの習俗がまかり通っていたことは想像に難《かた》くないものの、富治がそんなことをしでかして村を出るはめになったとは、予想もしていなかった。

富治の曾孫《ひまご》にあたる滝沢の顔が、美佐子の脳裏にちらついた。同時に、これは困ったとため息が出そうになる。ここを訪ねる前、勝手に思い描いていたシナリオとは、あまりにもかけはなれていたのだ。

カモシカを追い、クマを求めながら凍てついた峰々を歩き、新たな猟場を求めて山形の朝日連峰に踏み入った旅マタギの末裔《まつえい》。それが物語の背景となってこその、現代のマタギの頭領、滝沢昭典である。それがこともあろうに、夜這いのせいで村を追い出されてしまった男の子孫ではなにをか言わんや――ストーリィに深みどころか、興味本位の笑い種《ぐさ》になってしまうのがおちだ。

これはだめだと思った。

が、せっかくここまで来た以上、聞けるだけのことは聞いておこう。そう気を取り直し、美佐子は住職に頼んだ。

「もう少し、詳しく聞いていただけませんか？　相手の娘さんがその後どうなったとか、ご存知のことがあれば」

自身、興味をかき立てられたらしく、住職は父親に向かって根掘り葉掘り質問をしはじめた。

親子の間で何度かやりとりが行われたあと、人の秘密を覗いた人間に特有の、なにか得した顔つきになって住職は言った。

「その娘は当時二十歳くらいだったそうですが、豪農と言っていいくらいの、比立内の旧家に生まれたひとり娘だった。で、彼女の父親は村に診療所を作るために、青年医師との間に縁談を進めたということです。当時のここらは無医村だったため、初めて村に診療所を設立した名士ともなれば、政治の世界に打って出られると目論《もくろ》んだらしいですな。そのために、青年医師を婿にとることになったそうです」

他に聞いている者がいないにもかかわらず、住職はひそひそ声になってつづけた。

「そんな折りに、どこの馬の骨とも知れない小作の倅《せがれ》に娘を妊娠させられたわけですからな。父親は文字通り怒り心頭に発した」

「それで、娘から引き剝《は》がすために、富治を鉱山へ追いやったというわけですか」

「らしいですな」

「子どもはどうなったのでしょう」

父親に問いかけた住職が、今度は、さもありなんという顔で、美佐子に視線を戻した。

「青年医師との縁談はそのまま進められたらしく、生まれたのは男の子だったそうですが、結局、二人の間の実子として育てられることになったということです。ところがその子は、物心がついてしばらくしてから、自分の出生の秘密を知ってしまったということで」

美佐子の表情を窺いながら、ここからが本番だと言わんばかりに、住職はいっそう声を潜めた。

「それだけでなく、彼の父親は、その後にできた息子、つまり自分の実子を跡継ぎにすると言いだして、彼にはずいぶん辛く当たりだしたようです。その結果、富治を実の父に持つ彼は、まだ二十歳にならないうちに家を飛び出してしまい、行方知れずとなった。いっぽう、診療所を開いていた父親のほうも、舅《しゅうと》や姑《しゅうとめ》が死んで自分が当主になると、家屋敷を売り払ってどこかに姿を消してしまったとのことです。田舎の暮らしが性に合わず、東京かどこかで病院を開くことにしたというのが、もっぱらの噂だったそうです」

「あのう、彼の名前、富治が夜這いで生ませてしまった子どもの名前は、わからないでしょうか」

父親との短いやりとりのあと、住職が言った。

「幸之助だそうです」

「――苗字のほうはなんて」

尋ねる美佐子の声は震えていた。

住職がはっきりと口にする。

「片岡ですね。言われてみれば私も耳にした覚えがあります。古くは、この比立内で肝煎りをしていた名家だったそうで——」とそこで言葉を切り、心配そうに美佐子の顔を覗き込んだ。

「どうしました？　顔色が悪いですぞ」

39

善巌寺をあとにした美佐子は、角館行きの閑散とした列車の車窓から、後方に飛んでゆく雪の切片を眺めていた。

体中にまつわりつく浮遊感は、腰に伝わる列車の揺れのせいばかりではなかった。

——まさか、こんな事実を知ることになるなんて……。

ぼんやりと景色を追いながら、幾度となく、同じ呟きを繰り返す。

熊田で滝沢から聞いた話と、雫石の祖母を訪ねて知った自分の祖父のこと、その二つが、今しがた善巌寺の住職から聞かされたばかりの事実によって、ぴたりと重なりあった。

どう考えても間違いない。

滝沢の曾祖父《そうそふ》、松橋富治は、戸籍では遡《さかのぼ》れないが確実に血の繋がった、美佐子の曾祖父でもある。違う言い方をすれば、自分と滝沢は、ともに松橋富治の曾孫《そうそん》ということになる。

この事実に、美佐子は、ただただびっくりしている、というのが正直なところだった。それ以外の感情はまだ湧《わ》いてこない。たぶん、あまりの驚きに麻痺《まひ》しているだけで、しだいにボディブローのように効いてくるのかもしれなかった。

ただし、なんというのだろう。驚きに翻弄《ほんろう》されているのは確かだが、ネガティブな感情や思いは、この先も出てきそうになかった。というより、一年前には考えもしていなかった今の状況は、起こるべくして起こった運命のように思えてならなかった。

今までの三十数年間、互いに同じマタギを先祖に持つことなど露知らず、美佐子と滝沢は、それぞれの場所で、必死にもがきながら生きてきた。それを、松橋富治という顔も知らない過去の人間が膠《にかわ》となって、半ば暴力的に、べたりと貼《は》り合わせてくれた。

不思議なもので、夜這いが原因で村を追われたような男では、まともなルポなんか成立しないと最初に抱いた落胆は、今では百八十度ひっくり返っている。たぶん、他人事ではなく、自分が当事者として渦中に巻き込まれてしまったせいだろう。

なぜ富治は、婚約者がいる娘に夜這いをかけるなどということをしてしまったのだろう。相手の娘は、いったいどんな女性だったのか。村を追われて鉱山で働かざるを得なくなった富治は、どんな思いで真っ暗な坑道に潜り、鉱石を掘ったのだろう。息子を産んだ彼女は、その後も富治を想《おも》い続けたのか。それとも、恨みを抱くようになったのか……。

考えれば考えるほど、松橋富治という人物に対する興味は尽きなかった。

富治はいつまで鉱夫の仕事を続けたのだろう。八久和の集落で、再びマタギの暮らしに戻るきっかけはなんだったのか。そして、夜這い相手の娘とは、その後、一度も会うことはなかったのか……。

しかも、こうした彼の存在と足跡は、三十三年前、自分がこの世に生をうけたということに、直接繋がっているのである。松橋富治がいなければ、私が生まれることもなかった。思う度に、ぞくぞくと背筋が震えてしまうことだった。

今回の加賀美の雑誌を媒体としたルポでは、時間的にも物理的にも、そこまで踏み込むのは不可能だ。だが、いつの日か、松橋富治というひとりの人間を徹底的に追って、彼の一代記を形にしてみたい。ノンフィクションに耐えるだけの資料が集まらなければ、フィクションでもいい。彼を主人公とした小説は書けないだろうか。小説を書く才能があるかどうかはわからないが、自分のすべてを賭《と》して挑戦してみたい。そんな野心が、美佐子の心のなかで膨れあがっていた。

それとは別に、秋田新幹線への乗り換えのために角館駅のホームに降り立ったころには、ある思いが浮かんでいた。

これまでは、あくまでも取材対象のひとりとしてかかわってきた滝沢だったが、埋もれていた事実を掘り返してしまったせいなのか、彼の今の状況に心を痛めている自分がいることに気づいた。

滝沢の妻と子どもたちのことである。

滝沢の家庭内のことについて、自分があれこれ口を挿む謂《いわ》れはないだろう。だが、なぜか、ちくちくと心が突っつかれ、このまま放っておけない気分になってきたのだ。

どちらかといえば、自分は自分、他人は他人とクールに割り切るタイプで、べたべたしたお節介などとは無縁の人種だと思っていたのだが、こんなことを考えはじめるとは、自分でも少々驚きである。

今夜、冬の熊田の風景を撮影し終えた吉本と、仙台で落ち合うことになっていた。滝沢とのつきあいが自分よりも長い彼だったらどう言うだろう。この件についても、吉本に相談してみようと美佐子は思った。

40

「それはお節介がすぎるというものじゃないですかね」というのが、仙台市内の晩翠《ばんすい》通りに面したビル、その四階に入っているこぢんまりしたショットバーで、美佐子から相談を持ちかけられた吉本の第一声だった。

あまりに素っ気ない答えにかちんときて、美佐子は、手にしていたマドラーの先で、ロンググラスの底に沈んでいるライムを、ぎゅうっと押し潰《つぶ》した。

透明な液体に染み出す果汁をひとしきり眺めてから、右隣の吉本に顔を向ける。

「確かにお節介かもしれませんけど、なにか出来ることがあったらしてあげたいと、吉本さんはひとつも思わないんですか。男の子が生まれたと聞いて、すごく嬉《うれ》しそうに昭典さんと飲んでいたじゃないですか」

「出来ることがあれば――ね。でも、男と女の関係ですからね、頼まれもしないのに首を突っ込むのは、彼にしたって、かえって迷惑でしょう。それにしても、どうしたんですか、急に。彼との因縁を知って、身内意識が目覚めてしまったとか」

「それは確かにびっくりしましたし、昭典さんを見る自分の目が、これまでとは変わったのも事実です。だからといって、それだけの理由でなにかしなくちゃと思うほど、私だって単細胞じゃないです。以前の私だったら、ああそう、奇遇なこともあるのね、くらいで終わっていたと思うし、血の繋《つな》がりがあるのがわかったからってどうだって言うの？　と冷めた目をしていたと思います。それが現代社会を生き抜くために必要な、クールなスタンスだと勘違いしてました」

「勘違い、ということは、間違ってたと？」

「ええ、地縁や血縁に縛られずに生活しようとしている都会の人間の、大きな勘違いだと、私は思います」

「意味がよくわからないな。ひと昔前の田舎の生活に戻れってことですか」

いいえ、と美佐子は首を振った。

「私が言いたいのは、どこでどんな生活をしていようと、今こうして生きている自分には、ささやかではあるけれど、それなりのルーツがあるということを、しっかりわかっているべきだということなんです」

「昔の、アレックス・ヘイリー原作の、テレビドラマみたいに？」

「そう。口承だけであんなに何代も自分の祖先を遡《さかのぼ》れるって、ほんとうに凄《すご》いことだと、今回の件で実感したんです」

吉本に喋《しゃべ》りながら考え、考えながら、さらに言葉を選ぶことで、美佐子のなかでどこかしらもやもやとしていたものが、はっきりとした形になって見えてきた。

「よくあるような、眉唾《まゆつば》ものの家系図とかそんなものではなく、幼いときに、生きた言葉で自分のルーツを耳にしながら成長するって、人間にとって、実はすごく大事なことだと思うんです。ところが今はどう？　核家族での生活があたりまえの時代になったせいか、自分の親から聞いているのは、せいぜい祖父や祖母のことまでで、しかも、ほとんどが断片的な話だけです。私もそうでしたが、たった三代遡るだけでいいのに、曾《ひい》お祖父《じい》さんや曾お祖母《ばあ》さんのことなんて、ちっとも知らなかった。アイデンティティーの喪失がどうの、自分探しがどうのと、いろんなことが言われてますけど、そうした自分のルーツをきちんと知っていれば、人間って、もっと地に足がついた生き方ができるようになると思うんです。昭典さんが松橋富治のことを口にしたとき、なにかよくわからないけれど羨《うらや》ましい感じがしたのはこれだったんだと、やっと気づきました。もちろん、それで世のなかがすべてうまくいくなどとは思っていませんが」

軽く頷《うなず》きながら耳を傾けていた吉本は、「そうかもしれませんね。しかし――」と言ってから尋ねてきた。

「自分の先祖が犯罪者でも、ですか」

虚を衝《つ》かれて、美佐子は言葉に詰まった。

しばらくの間、美佐子の表情を窺《うかが》っていた吉本は、「やだなあ」と笑った。

「僕自身のことを言ったわけじゃないですから、勘違いしないでください。あくまでも一般論としての話です。でもね、かなり近い状態が、僕らの親父《おやじ》やおふくろ、あるいは祖父母の世代にあって、次の世代へルーツを語る習慣が途切れた。そう考えたほうが正解のような気が、僕にはするな。核家族の時代がうんぬんということではなくて」

今度は美佐子が、意味がわからないと眉を寄せることになった。

首を傾げた美佐子に「戦争ですよ。しかも、自分の国がああいう形で戦争をして、最後には負けたという体験のせいですよ――」そう吉本は言った。

「――ヒロシマやナガサキのようにね、戦争の被害者としての立場であれば、辛《つら》さを乗り越えて、自らの体験を語ることもできる。でも、加害者となると話は別ですよ。それがあるから、自分の子どもにまともにルーツを語って聞かせるということを、僕らの父母や祖父母の世代で、日本人の多くはやめてしまったのだと思う。戦争という名の下で人殺しをして帰ってきた連中が、僕の親父が子どものころにはそのへんにゴロゴロいたんだし、自分の身内にだっていたかもしれない。子どもに対して、我が家のルーツは、などと話しはじめたら、目の前にいるおまえの親父、あるいは祖父さんは、どこそこの戦場に行って敵を何人殺して、などという話に触れざるを得なくなる。たぶん、戦前は、そういう話も武勇伝としてあたりまえにされてたんじゃないのかな。ところが、敗戦を迎えた結果、こりゃあうかつに喋ってはまずいぞ、口を閉ざしてしまったほうがいい、ということになった。そういうことですよ、きっと。話が大きくなってしまいましたが、この問題って決して単純なものではないということを言いたかったんです。事実や真実を知らないでいるほうが楽に生きられるっていう面が、人間にはあるでしょう？」

憎らしいくらいに説得力のある話ではあった。けれど……。

「その話、いちいち頷けます。それはいいんですが、吉本さんって、客観的すぎるというか、個々の問題を今みたいに一般論にすりかえる場面が多すぎます。今回の昭典さんのこともそうです。訊《き》かれたので、私のほうからルーツがどうのって話をしちゃいましたが、もとはと言えば、昭典さんの友人として力になってあげる気持ちは吉本さんにはないの、という質問だったんですよ。肝心なところになると、いつも、はぐらかされているような気がしてならないんですけど」

いつも、という部分に力を込めて、美佐子は言った。

「そんなつもりはないんだけどなあ。だとしたら、カメラマンという人種の悪い癖かもしれないですね」

そう答えながらも、吉本の声には「そんなことは別にいいでしょう」というニュアンスが色濃く滲《にじ》んでいる。

ジンリッキーの残りを飲みほし、お代わりをバーテンダーに注文したあとで、美佐子は思い切って尋ねてみた。

「吉本さんは、どうして、今も小山田先生のマンションにいらっしゃるんですか？　それって、すごく不自然な状態だと思います」

美佐子の問いに、吉本は、テレビや映画で目にするように、口に含んだウィスキーで激しくむせた。

咳《せ》き込みが治まり、口髭《くちひげ》の部分を指で拭《ぬぐ》ってから、訳がわからないという顔をする。

「なんですか、突然。びっくりするじゃないですか」

あなたにとってはそうかもしれないが、こっちにとっては突然でもなんでもないんだと、美佐子はまともに言ってやりたくなった。なぜなら私は……。

だが、直接口にすることは、今はできない。

「去年、札幌にお邪魔したとき、先生から、吉本さんとの関係をお聞きしたんです」

かわりに言うと、吉本は黙ったまま、わずかに目を細くした。

「さっき、吉本さんがおっしゃったように、それもまた男と女の関係ですから他人がとやかく口を挿《はさ》むことではないですけど、客観的に見れば、どうしたって自然ではないと思います」

「ですかね」

「そうですよ。お二人が、ふつうに同棲《どうせい》しているというのならまだいいですけど、そうでないのなら、周りの人間が混乱するだけです。それって、特に、女性にとっては決していいことじゃない。ジェンダーフリーだの機会均等だのと言ってますが、現実問題として、今の世のなかはまだまだ男社会なんです。たとえば、玲子さんと吉本さんの、わからないといえばよくわからない関係によって、損をするのは、絶対に玲子さんのほうです」

相変わらず吉本は無言である。

バーテンダーから差し出されたグラスの中身をひと口啜《すす》る。ジンとソーダ、さらにライムの刺激が、美佐子の口を開かせた。

「はっきり言いましょうか。男である吉本さんに対しては、なんだかよくわからんがあんな美人とうまいことやってるな、くらいですまされてしまう。でも、玲子さんの場合は違う。結局は男から離れられないんだろうとか、よっぽどあれが、あれってセックスのことですよ、あれが好きなんだろうとか、必ず性的な対象として見られてしまう。実際はどうかなんて関係ないんです。だから、お二人が今も愛し合っていらっしゃるんだったら、結婚するしないは別として、それなりの暮らし方をするべきだし、そうじゃないというのなら、吉本さんは玲子さんのマンションをすぐにも出るべきです」

美佐子の言葉にじっと耳を傾けていた吉本は、ショットグラスに残っていたバーボンをひと息に流し込んだ。

――怒っちゃったのかしら。

それならそれでいいとガードを固め、吉本の言葉を待つ。

「美佐子さんって、案外、古風というか、純粋なんですね」

吉本が茶化した口調で言った。とはいえ、声の響きに悪意は感じられない。

善《よ》きにつけ悪《あ》しきにつけ、これが吉本なんだと思い、若干の拍子抜けとともに苦笑を誘われる。

「純粋でなんかないですよ。でも、古風というのは、最近の私には当たっているかも。マタギ集落の取材をはじめてから、彼らに感化されちゃった面は、確かにありますね」

「でしょう？　最初に会ったときと比べると、いろんな意味で変わってきたと、最近は思っていましたから」

「それって、いい意味で？」

「そう」

肯定の頷きをどうとったらよいものか……。

そこで、思いだしたように吉本が言った。

「ところで、最初の話に戻りますが、どうしてもと言うのなら、昭典さんの奥さん、翔子さんの実家の住所と連絡先を、彼のおふくろさんにでも訊いておきましょうか」

しばらく考えてから、美佐子は首を振った。

「いいえ、やっぱりやめておきます」

「いいんですか？」

「ええ。確かに吉本さんが言ったように、夫婦間の問題にしゃしゃり出ていくのはお節介が過ぎますものね。ルーツが繋がっていたという事実を発見して、私自身、少し興奮しちゃってたんだと思います。冷静に考えてみれば、私が翔子さんを訪ねたとして、いったいなにを話せばいいのかさっぱり浮かんでこないです。それ以上に、翔子さんの立場になってみれば、突然見ず知らずの女が乗り込んできて、実は遠い親戚《しんせき》なんだとか、元の鞘《さや》に収まったほうがいいとか、いきなりそんなことを言われたら混乱するだけよね。私だったら、よけいなお世話だって追い返しちゃうと思う。あるいは、怪しげな新興宗教の勧誘だとびびっちゃうとか――だから、やっぱりお節介はやめておきます」

そのほうがいいと思う、と頷いたあとで、吉本がよけいなことを口にした。

「危うくお節介おばさんになるところでしたね」

「吉本さん」

「なんです？」

「おっしゃってることはいいんですが、女性を目の前にして、安易におばさんという言葉は使わないほうがいいですよ。そういう男は女性から嫌われます」

「今さらもてても――」

「しょうがないって言うのは、おじさんの言い訳」

まいったなあという顔をして、吉本が苦笑した。

「そうですか、気をつけましょう――どれ、そろそろホテルに戻りますか」

「ええ」と頷いて美佐子は席を立った。

バーから出て、吉本と一緒に昇ってくるエレベーターを待っていた美佐子は、扉が開いた瞬間、あっ、と声を漏らしそうになった。

エレベーターの箱から出てきたのが、高城康祐だったのだ。彼の隣には、かなり高価そうな真っ白いコートを身につけているものの、どうしたって女子大生くらいにしか見えない若い女性が、ぴったり寄り添って腕を絡ませている。

迂闊《うかつ》といえば迂闊に過ぎた。

東北最大の都市とはいえ、夜がメインの飲食店や風俗店が、国分町界隈《かいわい》の狭い範囲に集中している街である。スナックやキャバレーでプロの女の子を相手に飲むよりも、つきあっている、あるいは、気に入っている女性と、落ち着いたショットバーで飲むほうを好む高城――裏返せば、少々悔しいが、つきあう女性には事欠かない男だということでもある――と、偶然鉢合わせになる可能性はいくらでもあった。

頭の隅にそれがあったので、高城と頻繁にデートしたバーは避けたのだが、美佐子とて、仙台で暮らしていたころの、お気に入りの店は限られている。高城とは、一度か二度、訪れただけのバーだったので、ここを選んで吉本と入った。でも、よく考えてみれば、以前のバーに行ったほうが、かえって鉢合わせにならずにすんだのかもしれない。

ともかく、こうなってしまった以上、知らんぷりをしているわけにもいかない。

そう思って、エレベーターに乗り込もうとしている吉本の腕を引き「お久しぶりです」と高城に言ってから、双方を紹介した。

突然の遭遇に狼狽《ろうばい》したのは、むしろ高城のほうらしい。

慌ててコートの内側に手を突っ込み、名刺を取り出して吉本に渡しただけで、連れの女性の紹介を忘れてしまっている。

忘れているのか、紹介したくないのか。

高城の様子を見ているうちに、余裕を取り戻すことができた。

「そちらのお嬢さんは？」と尋ねると、「仕事の打ち合わせで、ちょっと」という答え。

嘘《うそ》が見え見えだ。

「ふーん、新しいライターさん？」

「まあ、そんなとこです――」

にこりと微笑《ほほえ》んで、もうひとつ尋ねてやる。

「その後、ヨッちゃんとはうまくいってるの？」

ヨッちゃんって誰？　という顔で連れの女性が高城を睨《にら》んだ。

親しげだった二人の間に、たちまちにしてぎくしゃくした空気が流れる。

逃げるようにしてビルから出た美佐子は、チェックインしてあるホテルに向け、吉本と肩を並べて、晩翠通りを歩きはじめた。

賑々《にぎにぎ》しいネオンが降り注いでいるわけでなく、街灯だけで白っぽく浮かびあがっている歩道を歩いていると、すぐ隣の国分町に酔っ払いが溢《あふ》れているとは、とうてい思えないほどの静けさだ。

――私って、ぜんぜん純粋なんかじゃないんだよ。

街灯の根元に寄せられている薄汚れた雪の塊を避けて歩きながら、美佐子は心のなかで呟《つぶや》いた。

——それが、あなたにはわかってるの？

声に出さずに隣の吉本に問いかけた美佐子は、わかっちゃいないだろうなあ、と自分で答えた。

いましがた、高城と鉢合わせしてしまった瞬間には、さすがにうろたえた。だが、こちらよりも向こうが慌てているのを目にして、もう少し困らせてやろうという意地悪な気分になってしまった。それが「その後、ヨッちゃんとは——」という問いになった。

今ごろ高城は、連れの女性から「ヨッちゃんていったい誰なのよ」と問いただされているに違いない。ついでに「さっきの女の人とはどういう関係なの」とも。そう訊かざるを得なくなるような目で、二人を見てやった。

我ながら、女って怖いと思う。とうに気にかけなくなっていた昔の恋人のはずなのに、会った瞬間にあれだけの復讐《ふくしゅう》をさりげなくしてしまうのだから、自分で自分が怖くなる。

どことなく落ちてしまった沈黙を、吉本のほうが破った。

「さっきの高城さんでしたっけ、美佐子さんが仙台でタウン誌を作っていたときの発行人の方ですよね」

「そうです」

「おつきあいは長いんですか」

「長いといえば、そうですね。知り合ったのは学生のときでしたから」

「仙台の方？」

「そう、老舗《しにせ》の呉服屋の息子だったんですけど、店を畳んでタウン誌を始めた際に声をかけていただいて」

「仕事だけのおつきあいだったんですか」

驚いて吉本の顔を見あげる。

立ち入ったことを吉本から訊いてくるなんて珍しい。なぜそんなことを訊くのかと出そうになった問いを、美佐子は呑《の》みこんだ。

吉本には問い返さずに、自分から喋った。

「去年、私たち、別れたばかりなんです」

そう言ったあとで、いえ、と付け加える。

「――というより、私のほうが捨てられた、と言ったほうが正確かな」

「ありゃりゃりゃ」

ありゃりゃって、もっと別な反応はできないのと、心のうちで顔をしかめる。

「さっき、ヨッちゃんがどうのって、あの人に訊いたでしょ？　ヨッちゃんというのは私が育てた編集者。その彼女に恋人を寝取られたってわけ」

「そうだったんですか」

「だからさっき、少しだけ、いじめてやったの」

「なるほど」

「でも、そのおかげで、今こうしていられるんだから、もう恨んでなんかいないですけど」

この言葉を、吉本はどう取っただろう。

確かめるべく横顔を盗み見たが、表情だけではわからない。

高城とあんなやりとりをしてしまったせいか、もうひとつの自分の本音と向き合うことになった。

バーで触れた、吉本と玲子の関係のことである。玲子の立場を気づかって、というのは嘘ではない。が、その裏側には、二人が別々に暮らすように仕向けたい、という目算があるのは否《いな》めなかった。

そんなふうに、私ってどうしようもないほどいやらしい部分がある女なの。吉本さん、それをあなたは見抜いているのかしら？　見抜いているけど、とぼけているだけなの？

立てつづけに無言の問いを発しながら歩いていると、広瀬通りに折れてホテルが見えてきたところで、吉本が呟いた。

「そうかもしれないなあ」

びっくりして、思わず立ち止まってしまう。

歩をとめて振り返った吉本が頷いた。

「さっき、美佐子さんに言われたことです。そろそろ、あのマンションから引っ越したほうがいいかもしれない」

そのことかとほっとした。ただし、そのほうが絶対にいいですとは声に出して言えなかった。ましてや、もう彼女を愛していないのですかと確かめることも。

切なくはあったが、少しだけ心を弾《はず》ませてホテルに戻った美佐子は、時間をかけてシャワーを浴び、それからベッドに潜り込んだ。

むろん、深夜になって、自分の部屋のドアが外側からノックされることはなかった。

41

有害駆除の許可が下りたので、今度の土曜と日曜でクマ狩りをする。

美佐子のもとに、そう滝沢から連絡が入ったのは、四月の二週目に入って三日が経《た》ったときだった。

通常、熊田の山で冬ごもりを終えたクマが越冬穴から出はじめるのは、四月も三週目あたりからなのだが、例年より雪が少なかったこともあり、山北町では、四月に入った直後から、あちこちで目撃情報が寄せられているということだった。

「なんだか今年はへんでよ、穴に入らなかったクマもいるみてえなんだ。んだから、いつもの年より早いが、今週の土日でやることになった。それでも来られるかい？」

電話で尋ねる滝沢に、美佐子は「もちろんです」と二つ返事で頷《うなず》いた。

三月中に取材の準備は整っていた。といっても、テレビクルーとして乗り込むわけではないのだから、吉本の撮影機材以外には、特にこれといってかさばるものはない。そのかわり、美佐子が最も悩んだのは、どんな服装で、なにを履いて山に登ったらよいかということだった。

四月の熊田の山には残雪があり、道がついていない部分も歩くし、沢を越えることもあるという。去年、滝沢に案内されて夏山をハイキングしたようにはいかないだろうし、そもそも美佐子には、中学や高校での野外活動以外に、まともな登山経験がなかった。

どういう装備がいいのかという疑問には、吉本が的確にアドバイスしてくれた。

その結果そろえたのは、吸湿性と速乾性に優れた化繊のインナーシャツに長袖《ながそで》のシャツ、それと同様のトレッキングパンツ。吸い込んだ汗が乾かない木綿のTシャツやジーンズだけはやめるようにと言われたからだ。防寒用のフリースと、雨天時に着るゴアテックス製のヤッケは、水筒や携行食と一緒にデイパックに入れておく。忘れてならないのは手袋。軍手でかまわないという話だったが、もう少しお洒落《しやれ》な山用の薄手のものにした。

肝心な履物は、迷ったすえ、ゴアテックスブーティの登山靴に簡易アイゼンを装着し、その上を登山用のスパッツで覆うことにした。

滝沢たちマタギの面々はスパイク付きのゴム長靴ひとつでどこでも歩いてしまうらしいのだが、経験がない美佐子の場合は、足首がしっかり固定される登山靴のほうが無難だろうという、吉本のアドバイスに素直に従った。

装備品については、ある程度自信が持てた。現場をよく知っている吉本が、美佐子が素人であることを勘案してアドバイスしてくれたものだから、間違いないだろう。

問題は体力。これが不安でならなかった。登山経験が皆無なだけでなく、学生時代を通して、一度も運動部には所属したことがない。

運動神経や基礎体力は、人並みにあるとは思う。だが、先輩後輩の上下関係というものがまったく肌に合わない性格だったので、最初から避けて通ってきた。

昨年の暮れに『フィールドアウト』の編集室で「年が明けたら、取材に備えてスポーツジムにでも通おうかなあ」と漏らした美佐子に、聞いていた加賀美が「だめだめ」と手を振った。

「エアロバイクとかウエイトで鍛えたって、やらないよりはましって程度で、実際の効果はたかが知れてる。山登りってさ、使う筋肉が違うから、そんなのは時間と金を浪費するだけだって」と言う。

「でも、このままなにもしないでいたら、ついて行けそうにないもの。ジムがだめなら、なにをすればいいわけ」

そう美佐子が口を尖《とが》らすと、加賀美は当然しごくという顔で答えた。

「まずは、明日から踵《かかと》の高い靴は下駄箱《げたばこ》にしまいこんで、スニーカーにでも履き替える。で、エレベーターやエスカレーターをいっさいやめて階段を駆け上がる。それがいちばん」

「って、加賀美さんもそうしてるんですか」

そう訊いたのは、今回のクマ狩りに「俺《おれ》も編集長として同行する」と、しばらく前に加賀美が宣言していたからである。

「当然でしょ。ひと月も前からそうしてるのを、美佐ちん、気づいていなかった？　おかげさまで、胴回りが学生時代に戻りつつある」

というわけで、翌日から美佐子は靴を替えた。ハンドバッグもデイパックに替え、ビルだけでなく、駅の構内でも道路でも、階段が目につけば、遠回りしてでも使うようにした。

自分でも驚いた。半月ほどしただけで、最初は息切れをしていた階段が苦にならなくなってきた。ばかりでなく、お風呂《ふろ》に入ってしげしげと眺めてみると、太腿《ふともも》からふくらはぎにかけての贅肉《ぜいにく》がとれ、脚の線が今までにないくらい綺麗《きれい》になっている。そんな嬉しいおまけがついて、いよいよクマ狩りの取材に臨むことになったのである。

42

吉本のパジェロで、美佐子たち三人は、金曜日の夕方に熊田入りをした。

あいにく、冬の間閉鎖されていた熊田の簡易宿泊施設は、まだ使えないことが、前日になってわかった。使えるようになるのは、保健所による衛生検査が終わったあと、ゴールデンウィークからだという。

府屋の街にでも宿をとらなければと思い、旅館の電話番号を尋ねた美佐子に、滝沢が電話口で笑った。

「なんも、俺家《おらえ》さ泊まればいいべの、雑魚寝《ざこね》で悪いけどよ」

ありがたくはあったが、少しだけ、いや、かなり不安を覚えた。雑魚寝はぜんぜんかまわないのだが、前のときのように、へべれけになるまで飲まされたらどうしようと心配になったのだ。なにせ、二日酔いには山歩きがいちばんなどと、当たりまえのように言う連中である。滝沢の自宅にやっかいになるのでは、「もうこのへんで」と適当に座を外すことができなくなる。

とりあえず、「三人も押しかけてはご迷惑でしょうから」と暗に辞退を申し出たのだが、「そんな遠慮なんか要らねえでの、用意しとくから待っとるで」と返ってくるや、電話が切れてしまった。

どうしましょう？　と眉根を寄せた美佐子に、「それならそれで便利がいいから、府屋に泊まるよりはいいでしょう」と吉本。加賀美に至っては「そりゃあいい。手土産だけですむから経費が浮くし、マタギの頭領の家に泊めてもらえるなんて、めったにあることじゃないからなあ、俺たちってラッキー」と、手を叩《たた》いてはしゃぎはじめる始末だった。

仕方ないとあきらめ、滝沢の自宅にやっかいになることにした美佐子だったが、案じていた状況にはならずにすんだ。

例によって、夕方七時をすぎたあたりから、熊田の若い衆、悟と貢が訪ねてきて、さらに爺やが加わって酒盛りが始まったのだが、さすがに翌日のクマ狩りを控えているせいか、彼らにしてはおとなしい飲み方だったのである。相変わらず楽しい席であることに変わりはない。しかし、前に美佐子がつぶれるまで飲んだときとは違って、どこか緊張感が漂うなかで酒宴は進み、十時に差しかかったあたりで、お開きとなった。

彼らにとっても、一年間じっと待ち続けた最大のイベントが、ついに明日やってくるのだと、美佐子はあらためて実感した。

翌朝、六時半をすぎたころから、滝沢の家の納屋の前に、ぽつぽつと猟師たちが集まりはじめた。

天候は薄曇り。巻き狩りにはちょうどいい日和《ひより》だという。

昨夜、美佐子は、布団に入ってからも、なかなか寝つけなかった。遠足や修学旅行を翌日に控えた子どもと一緒で、興奮で目がさえてしまい、幾度も寝返りをうった。

なんとか眠りにつけたかと思うと、今度は夢を見て目を覚ました。いよいよこれから出猟だという場面が、繰り返し、夢に現れた。しかも、必ず何かの失敗をしでかし――間違ってパンプスを履いてきたとか、雨が降っているのに雨具を忘れてしまったとか、あるいは寝坊して起きたときには誰もいなくなっていたとか――ぎくりとして、暗闇《くらやみ》のなかで目を見開いてしまうのである。

それでもいくらかは眠ることができた。睡眠不足は山登りの大敵だと、加賀美から借りた本に書いてあったものの、すぎてしまったことは仕方がない。とにかく足手まといにならないように頑張るしかないと、まだ肌寒さを感じさせる山里の空気を胸いっぱいに吸い込んで、頭と体を覚醒《かくせい》させようと懸命だった。

「眠れましたか」

　カメラにフィルムを装塡《そうてん》しながら吉本が尋ねてきた。

「興奮しちゃって——でも、大丈夫です」

「無理はしないでください。どうしてもついて行けなくなったら、指示された場所から動かずに待っているように。勝手に動くのだけはだめですよ」

「わかってます」

「そんなにきついとこなのか」と、隣で屈伸運動をしていた加賀美が、吉本に尋ねた。

「さっき訊《き》いたら、今日の猟場《クラ》は村から比較的近い場所らしい。彼らにとっては裏庭に散歩に行くようなもんだが、ちょっとは覚悟してたほうがいいかもな。おまえ、最近、登ってないだろ」

「もっぱら階段だけ。でもまあ、昔とったなんとやらで、どうにかなるだろ。それより、美佐ちんが心配だ」

「おまえがエスコートすればいい」

「俺がか？　おまえでなく」

「こっちは撮影があるから」

　そんなやりとりを二人がしているうちにも、集合時刻の午前七時が迫ってきた。

　集まった猟師の数は、総勢で二十名。うち、七割の男たちが猟銃を背にしていた。

　熊田の鉄砲撃ちは全部で八名なので、残りの参加者は、他の集落からの応援部隊である。

　そういえば、爺やが言っていた。

「私ら熊田の者は、来る者は拒まずだからの。行きたいって人がいればどうぞどうぞと、皆で仲良くクマ狩りするんよ」

巻き狩りのためには、熊田では鳴り子と呼んでいる勢子《せこ》を含めて、ある程度の人数が必要だ。現実問題として、熊田の猟師だけでは数が足りなくなりつつあるらしい。

自分の考えを確認すべく、小声で吉本に訊いてみると、「確かにそれはあるんです」と言ったあとで付け加えた。

「でも、昔よりも銃の性能がよくなったのとトランシーバーのおかげで、ここまでの人数が揃《そろ》わなくとも、巻き狩りは可能なんです。実際に、七、八名くらいでやっている集落もありますからね」

「じゃあなぜ？」

首をかしげた美佐子に、吉本はにこりと笑ってウィンクした。

「人恋しいんでしょう、彼ら」

それって冗談？　そう訊こうとしたときには、美佐子の傍を離れた吉本は、滝沢を中心にして輪を作りはじめた男たちに向け、シャッターを切っていた。

案外、吉本が言う通りなのかも。そう思いながら、輪の中央に立っている滝沢に目を向けた美佐子は、思わず息を吞《の》んだ。

人のよさそうな田舎の青年。それで描写のすべてが事足りると思っていた滝沢が、まったく違った人間に豹変《ひょうへん》していたのである。

猟師たちに早口でまくし立てながら、矢継ぎ早に指示を繰り出す滝沢は、今まで美佐子が知っていた滝沢昭典ではなかった。凜《りん》とした立ち姿はまさしくマタギの頭領だった。見ているだけでぞくぞくしてくる。

彼を囲む猟師たちの顔も然り。爺やも同様で、酔ってへべれけになり、相好を崩している時とは似ても似つかぬ厳しい顔つきになっている。

ちょっと聞いただけでは喧嘩《けんか》をしているのではないかと思わせる強い訛《なま》りで言葉が飛び交い、あれよあれよという間に、段取りはついたらしい。ほんの数分後には「さあ、姉ちゃんも乗れや」と言われて、軽トラックの荷台によじ登っていた。

43

秋にヌシを奥山放獣しようとして失敗した林道に、二台の軽トラックと一台のワゴン車が、人を満載にして乗り入れた。

舗装が途切れ、荷台が上下にバウンドしはじめるくらいに道が荒れてくると、日陰の部分に残る雪が目につきはじめた。

今年の冬は例年より雪が少なかったとのことだが、四月も半ばだというのに、ちょっと山に入っただけでこれなのだから、とても私には住めないだろうなというのが、正直な感想だ。

荷台から振り落とされまいと、中腰になってあおりの部分にしがみついていた美佐子に、年配の猟師が訊いてきた。

「姉ちゃん、はじめてかい」

「そうです。クマ狩りは、はじめてです」

「うんにゃ、こいつさ乗んのは、はじめてかい」

「あ、はい」

「は、は、は」と猟師が笑う。

どうやら美佐子のへっぴり腰が可笑《おか》しくて訊いてきたらしい。

「ほれ、姉ちゃん、ここにすがれ。こっちのほうが塩梅《あんべえ》いいべ」

言われるままに場所を入れ換え、運転席の後ろにある格子に摑《つか》まると、ぐっと体が安定した。

「ありがとうございます！」

軽トラックのエンジンがあげる悲鳴に負けじと、大声で礼を言った。

「なんも」と笑う猟師の顔が、涙が込みあげてくるほどかっこよく見えてしまう。

途中、先頭を走っていた軽トラックが停《と》まり、滝沢を含めて数名の猟師が、沢へと下りていった。

「あの人たちは？」

美佐子が尋ねると、場所を譲ってくれた猟師が「鳴り子だ」と答えた。

「昭典さんも？」

「親方だからの、鳴り子を配置に着かせたら、待場《マチバ》まで登ってくるだろ」

「待場って、銃を持ってクマを待つ位置のことですよね」

「んだ」

「私はどこにいればいいんですか」

「あとで鉄男さんが教えてくれるべよ」

それを聞いてほっとした。いきなりの出発だったので、誰についてどこに行けばいいか、なんの確認もできないままにトラックに乗り込んでいたからだ。

やがて、三台の車は、工事中の砂防ダムの少し手前、切り返せば車両がUターンできるくらいの待避所が設けられた場所に横付けされた。

美佐子が荷台から跳び降り、さてどこを登っていくのだろうとあちこち眺めていると、爺やが近寄ってきて「上でまた指示してやるから、とりあえずついてきなさい」と声をかけるや、それ以上の説明をせずに、先頭に立って沢へと下りはじめた。

心の準備ができないままに、慌ててあとを追う。足下はすでにザラメ状の残雪だ。

簡易アイゼンを装着しているにもかかわらず、ずるずる滑ってしまうほどに急な下りだった。下りというより崖《がけ》である。バランスを崩しながらもかろうじて持ちこたえ、どうにか転ばずに下りきったところが、雪解け水が音を立てて流れている沢だった。

なんのためらいもなく、爺やはじゃぶじゃぶと沢を横切っていく。どこに足場を求めようかと考えている暇はなかった。自分が立ち止まると、あとがつかえてしまうのだ。

ええいままよと、少しでも浅そうなところに見当をつけて、水のなかに踏み込んだ。脛《すね》まで確実に水に浸かった。が、スパッツの上端より上に水がくることはなく、美佐子は無事に渡りきった。靴のなかに水が滲《し》みてくることもない。さすがゴアテックスブーティだと感心し、アドバイスしてくれた吉本に感謝する。はじまったばかりで靴下まで濡《ぬ》らしてしまったら、泣きたくなっていたところだ。

ささやかな勝利感を味わったのもつかの間、美佐子は、爺やが登りはじめた白い斜面を見あげて絶句した。

どこからどう見ても、スキー場の上級者コースにあるような急斜面だったのである。左右を雑木に挟まれた、夏にはおそらく笹藪《ささやぶ》に覆われているだけだろう、獣道さえないただの斜面に、爺やの長靴が跡をつけていく。

「爺やの足跡を辿《たど》ると楽ださあ」

後ろについていた貢が教えてくれ、自身は、ひょいひょいと直登をしはじめた。まるでカモシカみたいな足取りだ。

見とれている暇もなく、爺やが残してくれた踏み跡を辿って、忠実に足を運んでいく。ちらりと背後を振り返ると、自分の後ろに猟師たちの長い隊列ができ、一番下では、まだ沢を越えていない吉本が、山に分け入ろうとしている男たちにカメラを向けている。

最初の十五分はよかった。ところが、足腰の筋肉が悲鳴をあげるより先に、体がオーバーヒートして息があがりはじめた。急な雪の斜面をジグザグに登っていく爺やの背中に張り付くようにして、一心不乱に歩を進めた。いよいよ息が苦しくなりだしたところで、小休止があった。

山に入ったとたん、極端に無口になったマタギたちは、思い思いの場所で体を休めながら、沢を挟んだ反対側の斜面にクマの姿は見えないかと目を向けている。

美佐子も、ぺたんと尻《しり》をついて休憩をとり、デイパックから取り出したペットボトルのキャップを開けて、スポーツドリンクをふた口だけ飲んだ。

これならなんとかついていけるかも。そう安心したせいか、自分の体の状態に対する認識を誤った。五分ほど休憩をとったあとで出発したとき、着込んでいたフリースとヤッケは脱いでおくべきだった。

今朝、目覚めて表へ出てみると、残雪の山の裾野《すその》に満ちている空気は、かなりの肌寒さを感じさせた。寒いのがなにより苦手な美佐子は、インナーシャツと長袖のシャツの間に、防寒用のフリースを一枚着込み、さらにヤッケを羽織った。それでちょうどよかった。が、動いていないときにちょうどよいということは、厚着のしすぎである。

最初の小休止がある寸前に、体が熱くなりはじめているのがわかったので、休憩のときにヤッケだけは脱いだ。朝の冷たい空気が気持ちよかった。そう感じたのもつかの間、斜面全体が北側にあり、日陰になっていることもあって、汗ばんでいた肌がたちまち冷えた。

慌てて脱いでいたヤッケを羽織った。それが間違いだった、というより、ヤッケだけでなく、内側に着ていたフリースも、そこで脱いでおくのが正解だったのだ。すべきこととは逆のことをしてしまったことに、五分もたたないうちに気づかされた。

稜線《りようせん》に向けて直登していく足場がいっそう急になった。気をつけてアイゼンの歯を立てないと、簡単に足が滑った。事実、一度は滑落しそうになって、後ろにいた猟師に助けられた。そうして悪戦苦闘しているうちに、ヤッケの内側が蒸《む》し風呂《ぶろ》状態になった。それに伴って心臓がバクバクしはじめ、息が切れてきた。吸っている空気に、酸素が含まれていないような錯覚を覚えて、いっそう胸が苦しくなる。気がつくと、前を行く爺やとの間隔が十メートル近く開いていた。

——このままじゃだめだ、もうすぐへばっちゃう。

情けない思いをしながら懸命に歩を進めようとするのだが、思うように体を運ぶことができない。それもこれも、サウナ状態を招いている厚着のせいに違いなかった。

爺やの後ろ姿を一度見あげてから、美佐子は踏み跡から逸《そ》れて立ち止まった。止まってすぐ、喉元《のどもと》まであげてあったヤッケのファスナーを引きおろした。歩いている間は、足場の確保に精一杯で、ファスナーに手を伸ばす余裕すらなかった。すぐ後ろに続いていた猟師が訝《いぶか》しげに美佐子を見た。

「すいません——お先に——どうぞ——ヤッケを脱ぎますので——」

途切れとぎれに説明すると、初老の猟師はわかったと頷いた。そのままなにも喋らずに雪面を登っていく。彼だけでなく、他の猟師たちも同様だった。ちらりと視線を送ってくるだけで、特別な表情は見せずに、黙々と美佐子を追い越していった。

ヤッケとあわせて内側のフリースも脱ぎ、インナー一枚になったところで、中ほどで登っていた加賀美が、列から外れて美佐子の傍らに立った。

「美佐ちん、大丈夫か」

尋ねる加賀美の息も苦しげだ。

「厚着しすぎちゃったみたいで――でも、大丈夫です。気にしないで行ってください、これ――」と、汗でぐっしょりと濡れたフリースを指さし「――デイパックにしまったら、すぐに追いかけますから」

「わかった、なにかあったら大声出して」

そう頷いて、加賀美は猟師たちの列に戻った。どうやら、彼自身もかなりバテ気味らしく、自分のことで手一杯のようだ。

余分だった衣服をデイパックに収めた美佐子は、化繊の長袖だけをインナーシャツの上に着て、列の最後尾から再び登攀《とうはん》を開始した。

少しは楽になったような気がした。少なくとも、オーバーヒートで動けなくなることだけは避けられそうだ。しかし、前を行く男たちとの足の進み具合の差は歴然としていた。見失うほど離されてしまうことはなさそうだが、一歩ごとに確実に距離が開いていく。あれだけ階段を上り下りしたのに、しょせんは付け焼刃だったということか……。

そうだ吉本は？　と、美佐子は背後を振り返った。眼下には、足跡の窪《くぼ》みが残った雪の急斜面があるだけだった。確か、いちばん最後尾で写真を撮っていたはずなのだが、どこを見ても姿がなかった。

吉本はどこへ行ってしまったのだろうと、下のほうから斜面の中腹、さらに稜線に続く上方へと目を向けたとき、隊列の先頭近くでカメラを構えている姿を認めた。

吉本が、いつどうやって自分を追い越していったのか、まったく記憶がなかった。それにしても、呆《あき》れるほどの足の強さだ。カメラ二台と三脚、さらに交換用のレンズやこまごました装備品を抱えて最後尾から登りはじめ、いつの間にか、トップの位置までこの急斜面を駆け上っているなんて、とても人間業《わざ》とは思えない。これでは、マタギたちと遜色《そんしょく》がないではないか……。

吉本が構えている望遠レンズが、隊列を舐《な》めるように、すうっと動いた。レンズが、木の幹に手をあてがい、肩で息をしながら上を見あげている美佐子を捉《とら》えた。

被写体に固定されていたカメラが、少しして美佐子から離れた。

レンズの交換作業をしながら、吉本が笑いかけてくる。

励ましの笑みに思われた。会って間もないころなら、冷やかし、あるいは、嘲《あざけ》りだと解釈しているかもしれない。そんな曖昧《あいまい》な笑みなのだが、遠目からでも、そうではないと今の美佐子にはわかった。

力が湧《わ》いてきた。

頑張れ美佐子！　と自分を励まして再び登りだす。

登攀を再開した美佐子を見た吉本が、雪面に突き立てていた三脚を引き抜き、次の撮影ポイントを目指して移動しはじめた。

　延々と続くかに思われる行く手を見上げていると、たちまち気力が萎《な》えそうになる。汗まみれの顔をタオルで拭い、足下に視線を固定した。猟師たちがつけた足跡を頼りに、ザクッザクッというアイゼンが雪を捉える音だけを聞き、機械的に歩を進めていく。

　またしても息が切れてきた。しゃがみ込みたくなる誘惑を振り払う。歩幅を狭くして、足を止めないことだけを考える。

　追っている足跡が、直登をやめて斜面をトラバースしはじめた。そこではじめて、視線を上げてみた。

　見える範囲から人影が消えていた。ひとりぼっちで取り残される不安がちらりと掠《かす》める。

　斜面を横にトラバースしはじめてしばらく歩いたところに、先端部分が二股《ふたまた》になった木の枝が一本、立てられていた。遅れている美佐子を気づかい、マタギの誰かが立ててくれた道しるべだとわかった。

　美佐子は、道しるべになっていた枝を杖《つえ》代わりにし、ともすれば弱気になりそうな自分を叱《しか》りつけて足を動かしつづけた。

　一歩山に入るや、いかにも無愛想で厳《いか》めしい面構えになってしまったマタギたちだが、こうしてそれとなく自分を気づかってくれていることがわかり、胸の内側がじんと熱くなった。

それだけに、山のなかでは、自分の面倒は自分で見なければならないのだと、痛いほどにわかった。途中で誰かが待っていてくれはしまいかと、微《かす》かに甘えていた自分が恥ずかしくなる。

周囲の景色を見渡す余裕がないままに、それでも休まず歩いていると、トラバースしていた足跡が再び直登しだし、足下から残雪が消えた。

笹藪と雑木の隙間《すきま》を縫うようにして、獣道めいた足場がうねる。斜面がいっそう急になった。杖を捨て、手袋を嵌《は》めた手で、手近な枝を手掛かりにしてよじ登っていく。

立ち塞《ふさ》がるブッシュを掻き分けていき、目前に出てきた松の枝に手をかけて体を引き上げると、ふいに周囲の圧迫が消えた。

気づくと美佐子は、峰から峰を伝う、狭い稜線に立っていた。

火照《ほて》っていた頬と首筋を、心地よいそよ風が撫《な》でた。

十メートルほど左手、稜線の少し広くなった位置に、隊列を組んで登っていた猟師たちの半数ほどが固まっていた。そのなかに、吉本と加賀美もいた。

ほっとしながら彼らのいる場所まで歩き、「遅れてすいません」と小声で謝る。

目だけで頷いた爺やが、トランシーバーで誰かと交信をはじめた。

「他の人たちは？」

声を潜め、そっと吉本と加賀美に尋ねてみる。

「南側、ヒトド沢の待場《マチバ》へ向かったみたいですね」と吉本が答え、さらにつづけた。

「まだクマの姿が確認できていないので、これから爺やが二、三人連れて、北側のモクラという、このあたりでいちばん高い峰に登るようです。僕は、北と南、どっちの斜面にクマが出ても撮影できるポイントが、少し南側に下った場所にあるそうなので、これからすぐにそこへ向かいます」

「私は、どこにいればいいのかしら」

そう尋ねたとき、交信を終えた爺やが、美佐子と加賀美に向かって手招きした。

「美佐子さん、あんた、だいぶきつそうだの」

爺やに言われ、美佐子は小さくなった。

「ご迷惑をおかけして申し訳ありません、どうしても足手まといのようでしたら、車に戻って待っていてもいいんですが」

「いや、この場にとりあえず三人ばかり残るからの、クマが見つかるまで、ここで一緒に休んでいればいいさ」

「見つけたらどうすれば」

「義夫《よしお》が上立《カミダチ》の位置につくからの、そこからなら猟場《クラ》が見渡せるべ」

爺やが義夫と言ったのは、今年で七十になるという熊田のベテラン猟師だ。そして、猟場になる斜面全体を横から見渡せる位置が上立。向棚《ムコダナ》と呼ばれる猟場の真向かいの峰と同様、逃げるクマの姿を捉えやすい位置にあり、経験を積んだベテラン猟師が配置について全体への指示を出す。吉本がカメラの三脚を据えるのもその付近だ。

「いいんですか、そこまで行っても」

「せっかく来たんだから、クマの姿くらいは見たいべよ。上立までは峰伝いに歩くだけだから、あんたでも大丈夫だ」

「ありがとうございます」

「んでもな、絶対に無理はだめだでな。もし途中で車まで戻るようなら、そのときは、必ず誰かに言ってからにしてくれよ」

「はい、そうします」

よし、と頷いた爺やが、今度は加賀美に向き直った。

「こっちの兄ちゃんは、まだ大丈夫だなあ。モクラまで登れるべよ」

一瞬ぎょっとした表情を浮かべた加賀美が、「大丈夫です、お供します」と虚勢を張る。にやりと笑った爺やが「んだら、行くべ」と言って加賀美の肩をひとつ叩き、すたすたと稜線伝いに登りだした。中継《なかつぎ》集落出身の若い猟師がそのあとにつづく。慌てて追いかけはじめた加賀美が、一度、美佐子を振り返り、半分困ったような顔をして肩をすくめてみせた。

彼らの行く手に目を向けてみた美佐子は、心のなかでうひゃっと声をあげた。右に巻きながら登っていく稜線のかなり先に、たぶんそれがモクラの頂きに違いない峰が尖《とが》っている。

これからしばらく休憩をとれるのは嬉しかったが、クマを発見したら、この稜線を行ったり来たりすることになるのだろうか。そう思うと、ため息が漏れそうになった。

すこぶる平和な三十分が過ぎた。

ベテラン猟師、滝沢義夫のほか、貢、そして、麓《ふもと》の府屋から応援に来たという、猟友会のオレンジ色の帽子を後ろ前に被った若い猟師ら三人と一緒に、美佐子は草むらに腰をおろして山々を眺めていた。

つい最前まではギブアップ寸前まで疲れはて、周囲の景色に目を向けることなど及びもつかなかったのだが、まとまった休憩をとったことで、連なる山々の風景を楽しむ余裕が出てきた。

貢からもらった飴玉《あめだま》を舌の上で転がしつつ、美佐子は、朝日連峰につづく熊田の奥山を心から楽しんでいた。

残雪の白と新緑の淡い緑、そして、マツやスギなどの針葉樹がもたらす濃い緑、それらの色彩がまだら模様を織り成す光景は、前に滝沢が言っていたとおり、実際に目《ま》の当たりにしてみると、想像していた以上に美しかった。ともすれば、クマ狩りに同行していることさえ忘れ、頭がからっぽになって見入ってしまう。

そういえば、あとひと月もしないうちにやってくるゴールデンウィークには、『残雪のブナ林を歩く会』が、滝沢たちによって開催されるはずだ。清々《すがすが》しい自然に触れることを目的に訪れる都会の人々。彼らを迎えるまったく同じ山で、やはり滝沢たち同じ面々が、今は、野生のクマを追い詰めようとしている。考えるほどに、不思議な構図である。

同じ山が持つ、表の顔と裏の顔。

どちらが表でどちらが裏かは、立場によって違ってこよう。少なくとも、ふつうの人間にとり、クマ狩りの山は、秘密のベールに包まれた裏の顔であることは確かだ。それを覗《のぞ》き見ることが許されたということは、自分のような物書きにとっては、めったにない幸運である。このチャンスを無駄にしてはならない。そのためにも、絶対に弱音を吐いてはいけないと、美佐子はあらためて誓った。

そんなことを思いながら静かに待ちつづけていると、ふいに義夫がトランシーバーに向かって喋《しゃべ》りはじめた。イヤホンを装着しているので、どんな連絡があったのかは不明だが、彼の表情の変化から、新たな動きがあったことだけはわかる。

交信を終えた義夫がトランシーバーを胸ポケットに戻した。

「親方からだ。向こうっ方の猟場《クラ》に——」と南側の稜線《りょうせん》に顎《あご》をしゃくったあとで「クマがふたつ遊んでる。さあ、行くべ」そう言うや、軽い身ごなしで立ちあがった。

滝沢たち地元の猟師が頻繁に歩くからか、峰と峰を結ぶ稜線は、ある程度の踏み分け道となっていて、比較的歩きやすかった。

だが、それも最初のうちだけで、たちまち足場が狭くなり、行く手を阻むブッシュをかいくぐっての移動となった。遅れてはならじと必死になっているため、さほど恐怖は感じないものの、間違って踏み外せば十メートルや二十メートルは簡単に滑落してしまうような崖が、足下で、おいでおいでをしている場所もある。

しかも、先を急ぐ三人の足の速さといったらなかった。稜線を伝っていけば、美佐子でも迷うことはないと判断したのだろう。はじめは前方にちらちらと見え隠れしていた貢の背中も、五分と経たないうちに、影も形も見えなくなってしまった。

「この先なら、迷うことはないからゆっくりおいでよ、危ないから」そう貢に言われていたので迷子になる心配はしていなかった。かわりに、突然クマと遭遇した場面を思い描いて、不測の事態に対する心の準備をする。

美佐子の腰のベルトには、革製のホルダーに収められた、クマ用の撃退スプレーが吊《つ》るされていた。相馬たちが奥山放獣の際に使っているものと同じで、「ほぼ百パーセント、使うことにはならないでしょうが、いちおう念のため」と言って、吉本が持たせてくれたものだ。万一クマと遭遇し、相手が襲ってきたら、安全ピンを抜き、できるだけ引きつけてから引き金を引くようにと説明書きにあった。

加賀美の事務所で吉本からスプレーを手渡されたとき、実際にそんな場面に遭遇したら、慌てちゃって無理なのではと、苦笑しながら受け取った。すると吉本は、だから練習しておくんです、と大真面目《おおまじめ》に答えた。クマに襲われた瞬間を想定して、何度もシミュレーションを繰り返しておくのだと。

なるほど、と思った美佐子は、西部劇の早撃ちガンマンよろしく、一連の動作を繰り返し練習してみた。やってみて納得した。はじめはかなり手こずっていた動作が、やがて一秒以内で滑らかにできるようになった。もちろん、現実の場面でも、同様にうまくいくとは思っていない。しかし、いざというときの心構えができ、少しは自信がついた。そのおかげか、クマと遭《あ》ったらどうしようという不安を、以前のように、必要以上に抱くことはなくなっていた。様々な防災訓練と同じで、これもまた、ひとつの危機管理である。

美佐子の前を行く三人は、稜線が二股に分岐する地点で待っていてくれた。

美佐子が追い着くと、貢が手短に説明した。

「ここを右に行った稜線が、射手《いて》が配置につく待場《マチバ》で、その真ん中が本待《ホンマチ》さ。で、左の尾根を少し行ったところに視界が開ける場所がある。そこが上立《カミダチ》だから、あんたは義夫さんとそこで見てればいい」

「わかりました」

「そんじゃ、またあとで」

言い残して、貢は府屋の猟師と一緒に、待場へと向かった。

ちょうどそこへ、モクラの頂きに登っていた爺やたちが追い着いてきた。

クマについての新しい情報はないか、爺やは忙《せわ》しげな口調で義夫とやりとりしてから、一緒にモクラに登っていた猟師を伴い、やはり待場へ向かうべく急ぎ足で立ち去った。

同行していたはずの加賀美はどうしたのだろうと首を傾《かし》げたところで、背後の藪《やぶ》が割れ、本人が姿を現した。ズボンの尻だけでなく、シャツの背中まで泥だらけだ。

美佐子が尋ねる前に加賀美がぼやいた。

「いやあ、ひどい目に遭った。ようやくモクラの頂上に着いたと思ったら、別のところでクマが見つかったって、五分もしないうちに連絡が入るんだもんな」

それはご愁傷さま、といつもの調子で茶化せないほど加賀美の汚れ具合は気の毒だった。

「そしたら、爺やが俺を見て、ちょっとばかり急ぐぞ、とニヤッとしてさ。なんだか嫌な予感がしたとたん、あの二人、ダダダダッと峰から駆けおりはじめちまった。いったい、どこがちょっとだっての。登りは、手まで使ってやっとっていう急坂だったんだ。うっかり踏み外したら、一気に谷底へ転落しちまうようなところでさ、うわーっ、どうしようって、マジで頭をかかえたよ」

「で、どうしたの」

「置いていかれるのもいやだろ。迷子になったらかなわんもんな。覚悟を決めて、最初から尻をついてさ、泥まじりの雪の上をダーッと滑ったってわけ。それを見た爺やがなんて言ったと思う」

「さあ」

「おっ、兄ちゃん、初心者にしてはケツ橇《ぞり》が上手《うま》いな、ときた。まったくもう。前に山伏の山駆け修行の取材にもつきあったことがあるけどね、彼らの走り方ときたら、そんなもんじゃなかった」

ひどい目に遭ったとぼやくことしきりとはいえ、加賀美は、一般の人間よりも山歩きの経験は豊富なはずである。その加賀美が、感嘆を通り越して呆れてしまうくらいなのだから、熊田のマタギたちの足の速さは、実際に常識外れなのだろう。自分の歩みののろさに嫌気がさしていた美佐子だったが、彼らが速すぎるのだと思えば少しは救われる。

軍手を嵌めた手で、あちこちについた泥をこすり落としながら加賀美は言った。

「いくら登山の経験がありますっていっても、しょせんは道がついているところをトレースしてただけだもんな。ふつうの登山がいかに楽なものか、いやというほど思い知らされた。でもね、よく観察してみると、彼ら、そんななかでも最も楽なルートを、瞬時に選んで歩いているのがわかった」

「だから、あまり疲れない？」

「そうそう、それと、足の運び方も違うんだと思う。同じところを同じ時間歩いても、極端な話、俺たちの半分しか体力を消耗しないんだろうね」

「今の彼らは、昔と違って、いつも山歩きしているわけじゃないでしょうに」

「そこがなんというか、マタギ集落としての歴史の重みなんじゃないの？　言葉だけで伝えようとしても不可能なことが、体で覚えることで、きちんと継承されているっていう意味で」

そうした会話を小声でしつつ、美佐子と加賀美は、踏み分けの両側に灌木《かんぼく》が疎《まば》らに繁《しげ》っている尾根を、上立《カミダチ》へと向かう義夫について下りはじめた。

緩い坂を下りはじめてすぐ、下からひとりで登ってきた滝沢と出会った。たぶん、鳴り子を所定の位置につかせてから、本待《ホンマチ》を目指して登ってきたのだろう。

「ふたっつか」

「ふたっつだ」

「ひとつだってのは」

「間違いだ」

「親子か」

「たぶん、だども、はっきりは」

「ほが」

「んだら」

短い会話が滝沢と義夫の間で交わされた。

二人のやりとりは、ほんの数秒で終わった。

再び本待を目指して歩きだした滝沢は、美佐子とすれ違う間際、「あとであんたも鳴ってみれ」と笑いかけてきた。

滝沢を見送ってすぐ、二股の分岐から、わずか数十メートル下ったところで「ここだ」と言って義夫が歩を止めた。

義夫が顔を向けた先に、クマ猟の谷、巻き狩りの猟場《クラ》が広がっていた。

猟場を、文字通り一望の下に見おろすことができる位置に、上立《カミダチ》はあった。

歩を休め、腰に手を当てて、猟場の全景を美佐子が眺めているうちに、薄曇りだった空に陽《ひ》が射《さ》してきた。

比較的緩やかな斜面が南向きに面しているためだろう、ところどころ、落ちこんだ部分に残雪があるが、ごくわずかだ。そのかわり、新芽を抱きはじめた芽吹く直前のブナの森が、薄い赤茶色と淡い黄緑色を溶け合わせ、谷一面を覆っている。ブナ林自体は伐採後の若い二次林のため、それほど鬱蒼《うっそう》とはしておらず、柔らかな絨毯《じゅうたん》を敷きつめているようだ。

幾筋かの低い尾根伝いに、周囲より緑の濃い筋が、下から上へと走っていた。人の手で植林されたスギやマツの木らしい。いずれにしても、さきほど休憩をとった付近の山の様相と比べると、いかにも優しげな顔の谷間《たにあい》だった。ただし、谷底へ向かって下方へと視線を移していくと、地すべりの跡だろうか、かなり広い範囲で赤茶けた土肌が露出しており、そこだけ妙に不気味に見える。遠目からなのでさして険しく感じないが、実際に谷底まで下りてみたら、かなり手強《てごわ》い崖になっているに違いない。

そんな山肌の中腹に、まるでわざわざそこに植えましたとでもいうように、淡いピンク色の花弁を満開にさせたヤマザクラが一本、春の陽光を満喫しながら可憐《かれん》に佇《たたず》んでいた。

こうして見晴らしのよい稜線にいると、空に青みが増し、柔らかな陽射しが降り注いできたこともあって、これから狩りがはじまろうとしている場所だとは、とうてい思えないほどに、長閑《のどか》な光景である。

双眼鏡でクマの姿を捜している義夫に尋ねてみる。

「いますか」

「うんにゃ」という答え。

「あんたも手伝ってけろ。足は遅くとも、若いんだから、俺のような年寄りよりも目はいいべ」

「あ、はい」

頷いて美佐子は、デイパックから自分の双眼鏡をとりだして目に当てた。

いち早くクマを発見すれば、歩きでかけてしまった迷惑を少しは挽回《ばんかい》できるかも。

そう意気込んで、美佐子は双眼鏡を覗きつづけたが、いっこうにそれらしき姿を捉《とら》えることができない。根を詰めて見つめているせいか、目がちかちかしてきて、しまいには手ぶれのせいで酔ってきた。

目から双眼鏡を外して、ふうと深呼吸をする。

下り方向の灌木の向こうに姿を消していた加賀美が、美佐子の傍らに戻ってきて教えてくれた。

「すぐそこからはじまる雪渓に、憲司が望遠を据えている。でね、さっき一度、クマをファインダーで捉えたってさ」

「ほんと？　どこに」

「あそこに――」と言って加賀美が指をさす。

「ヤマザクラが一本あって、その向こうの尾根に、マツの木かな、濃い緑の筋があるだろ」

「うん」

「もうひとつ向こうに、今度はスギが長い筋になっている尾根があるよね。そのふたつの間の浅い谷にいたってさ」

「一頭だけ？」

「憲司が見たのは、今のところ一頭だけみたいだ」

頷いた加賀美は、自分の双眼鏡でクマの姿を捜しはじめた。それに倣《なら》って、吉本がクマの姿を捕捉したというあたりを重点的に眺めてみる。

黒い塊が、今にも双眼鏡の視野に飛び込んでくるのではないか。そう期待するのだが、さっぱりだ。

「やっこさん、隠れてるんだべ」

低く呟いた義夫が、接眼レンズから目を外した美佐子に説明する。

「たぶん、人間に囲まれたことには感づいているでの、藪のなかで、じっと身を潜めてるはずだ。そのまま二時間も三時間も動かなくなるクマも、たまにいるからの」

「これから、どうするんですか」

「だいたい配置に着き終わったみたいだからの、親方の指示でそろそろ鳴り込みがはじまるべ。そうすりゃたいがいのクマっこは、隠れてるところから飛び出してくるもんそ」

そう言ったあとで、ひと言ふた言、無線の交信をした義夫は、トランシーバーに接続していたイヤホンのジャックを外した。

雑音に交じって、ワアワアという、たぶん爺やの早口がスピーカーから聞こえだした。

電波になって飛んでくる爺やの声は、いかにも忙しげだった。早口に加え、マイクの部分に口を近づけすぎているせいか、音が割れて聞き取りにくく、美佐子には、内容がよくわからない。

一方、ときおり短く入ってくる「よーし」とか「そうすべ」あるいは「了解」という、わりとのんびりした声は滝沢だ。

「鉄男はよ――」と、爺やの名前を口にして、義夫が苦笑した。

「親方を昭典に譲ったまではいいんだが、現場に入ると気が気でなくなるんぞ。あんでは、口うるさい舅《しゅうと》と一緒だべの」

言われてみると、滝沢と爺やのやりとりが、そんなふうに聞こえてきて微笑ましい。

「ここでは、音を立てても大丈夫なんですか」

義夫が無線をオープンにしてくれたため、現場の雰囲気がダイレクトに感じられて嬉《うれ》しかったが、美佐子は遠慮気味に尋ねてみた。

「ここにはクマを寄せないからの」

「そういえば、さっき昭典さんに、チャンスがあったら、鳴ってみろって言われました」

「今、カメラの人がいる少し下に、ひとり鳴り子がついているからの。そこで鳴りだしたら、あんたも鳴ってみれ」

「鳴り子は全部で何人なんですか」

「この猟場《クラ》の場合は四人だな」

「若い方ばかりですか」

「若え《わけ》のはひとりだけだべ。あとは、俺方《おらほ》のベテランだ。鳴り子がいちばんきついからの。動かねえクマは鳴りながら追い上げねばなんねえし、そうすりゃ、ときにはクマが反撃してくる場合もあるべょ。経験の浅い者には、めったにやらせられるもんでねえ」

「若手が鳴り子をするのだと思ってました」

「昔はそうして鳴り子をみっちりやって、全部の沢を覚えたもんだがの、今の時代は、そうも言ってられねえ。鉄砲を持ってても鳴り子ばかりじゃあ、今の若い者はいやになるべ。応援の人方《ひとかた》もそうだ。今はよぉ、辛抱して我慢するつうのが、美徳でもなんでもねえ世のなかになってしまってるものなぁ」

義夫の言葉は、最後のほうでは呟きのようになった。

どれ、と立ちあがった義夫が、トランシーバーの送話ボタンを押す。

「えー、本待《ホンマチ》へ。こちら上立《カミダチ》、そろそろ鳴るべか」

「こちら、本待、了解」

すぐに滝沢の答えが返ってきた。

山に踏み入ってからおよそ三時間後、午前十一時にさしかかったところで、すべての人員が最終的な配置についたことが無線で確認された。

その直後、滝沢の指令で、鳴り子たちによる鳴り込みが、ついにはじまった。

「よーほうっ」

「いやぁーほうっ」

「ほぉーいっ」

谷間に響く鳴り声を耳にした瞬間、美佐子の背筋が、強烈に震えた。

前腕の肌が粟立《あわだ》ち、毛穴が縮んで総毛立つ感触が、さらに二の腕から首筋へと駆けあがり、背筋の震えと重なった。

ぞくぞくする震えが止まらないほどに、初めて聞く鳴り込みの声は美しかった。

途切れず聞こえてくる鳴り子の声は、なぜだか、田んぼや畑、あるいは漁船の上や海岸で、昔はふつうに聞かれただろう、労働歌を連想させた。

しかも、美しいだけではなかった。自分がクマになったと置き換えてみると、止《と》め処《ど》ない恐怖を覚える響きが、鳴り声にはあった。

あの声が少しずつ近づいてきたら、たとえ無謀だとわかっていても、藪《やぶ》から飛び出し、声のしない方角へと逃げだしてしまうに違いない。自分がクマだったら、必ずそうするだろう。美しさと怖さが同居する鳴り子の声にすっかり魅了され、半ば陶然と聞き惚《ほ》れていた美佐子の頭上で、「いたっ、クマがいた！」と加賀美が鋭い声をあげた。

「どこっ」

慌てて訊き返しながら、首から吊《つ》ってあった双眼鏡を手にする。

「あのサクラの木の少し下側に——ちょっと待って——あっ、走った、走った！　マツのある尾根に向かって逃げていく！」

肉眼と双眼鏡を交互に使い、クマの姿を捉《とら》えようと必死になる。

双眼鏡の動きに伴い、右から左へと流れていく拡大された視野に、瞬間、黒いものがよぎった。

息を詰め、ゆっくりと双眼鏡を戻していく。

目印になるヤマザクラが視野の右端に入った。同時に、一度行き過ぎた黒い塊が、視野の中央にぴたりと収まった。

美佐子の目は、生まれてはじめて、野生のツキノワグマが自由に山を歩き回る姿を捉えていた。

レンズを通しても豆粒のようにしか見えない距離であるから、肉眼に戻ると、ほんとうにけし粒くらいの大きさになってしまう。

それほど小さくしか見えないツキノワグマではあるが、飼われたり、捕らえられたりしたものではなく、野生の状態で生きているものを、生《なま》で見ている高ぶりは大きかった。

彼か彼女かはわからないが、あのクマは、つい昨日まではなにも知らずに、のんびりと、この谷を歩いていた。冬ごもり明けの昼寝を楽しみながら、去年落ちたドングリでも拾い集めていたのかもしれない。

だが、人間の鳴り声が聞こえはじめた瞬間に、クマの運命は大きく変わった。

そしてそれは、義夫が言ったとおり、クマ自身も理解しているに違いないと、双眼鏡を覗《のぞ》いているうちに美佐子は確信した。

ヤマザクラの近くに駆けあがってきたクマは、一度、手前の尾根の陰に隠れて、姿が見えなくなった。それでもしばらくすると、鳴り込みがつづくなか、マツの木が連なる隣の尾根へと、ゆっくり登りはじめた。まん丸の黒い塊に見えるクマは、途中、尾根の上に出る手前で立ちどまった。

いったいどっちに逃げたらよいのだろう。

明らかにそう迷っている姿だった。人間に追われ、困惑を覚えつつ、逃走経路を考えあぐねている姿だった。体を半分覆う藪から頭を出し、心もち鼻先を持ちあげてきょろきょろと周囲を窺うクマには、距離があることもあって、恐ろしさはみじんも感じられず、むしろ、可愛《かわい》らしくさえあった。

だが、不思議なことに、これから狩られようとしているクマに対して、同情の気持ちや憐《あわ》れみの感情は、ひとつも湧《わ》いてこない。

巻き狩りの現場を直接目にして、この包囲網にかかれば、逃げおおせることはほとんど不可能だと、素人目にもわかった。だから、これからのクマの運命を思うと、切なくはある。切なくはあるけれど、それとはまったく違う部分から、あのクマを逃がしてはなるものかという狩猟本能のようなものが、体の芯《しん》で疼《うず》くのである。女の自分でさえそうなのだから、男たちの内側では、いまや、ふつふつと狩猟者の血が滾《たぎ》っているだろうことは、容易に想像がついた。これこそが、玲子が言っていた狩猟に伴う快楽かもしれず、ヒトという動物が持つ、払拭《ふっしょく》できない本質のひとつであることを、美佐子は知った。

同じ場所に、五分近くも留まっていただろうか。美佐子の双眼鏡が捉えつづけているツキノワグマは、しばらくの間は低い尾根の上でじっとしていたのだが、一度目を離した隙に姿が消えた。

身を低くして藪に紛れ込み、尾根の向こうへ移動するのを見たと加賀美が教えてくれた。そちらに双眼鏡を向けてみた。山肌を舐めるように捜してみるが、視野のなかには戻ってこない。無線の交信が激しく錯綜《さくそう》しはじめた。

——こちら向棚《ムコダナ》、本待《ホンマチ》どうぞ——こちら本待、どうぞ——そっちから見えるか——あー、だめだ——クマっこ、動いてるか——動かなくなったみてえだ——えー、鳴り子はどうする——そのまま鳴ってろ——了解——上立《カミダチ》からは見えねえか——こっちからは見えねえ——あー、こちら悟——どうした——クマを確認、マツの緑を東側に越えた——上立側へか——そうだ、登らねえで横に巻いてる——了解——。

了解、と無線に答えた義夫が、突然、大声で叫んだ。

「こっちさ来させるな！　鳴れっ！」

それを合図に、今まで聞こえていた三つの鳴り声に、もうひとつ、はっとするほど近くで「やーほうっ」という声が加わった。届いてくるのは、美佐子たちがいる上立のすぐ下、吉本がカメラを据えている雪渓からだ。配置についてすぐ、この下にも鳴り子をひとりつけているから、そこで鳴ったらあんたも鳴ってみろと言われていたことを思いだした。

マツのある尾根の向こう側へ移動したと思っていたクマが、監視の目をかいくぐって、こちら側へ逃げてくるということらしい。そのクマを寄せつけないために、四人目の鳴り子が声を出しはじめたのだった。

自分も声を出してみても大丈夫なのだろうと解釈し、息を大きく吸い込んで口を開こうとした矢先、隣の加賀美に先を越された。両手でメガホンを作り、首筋に血管を浮かせて「わーっ、やーほうっ」と、少々ぎこちない鳴り声を振り絞っている。

負けじと美佐子も声を張りあげた。

「よーほうっ」という甲高い美佐子の声は、この国の山中で行われてきた狩りの現場において、女性によってはじめて発せられた鳴り声かもしれなかった。

「もう鳴るのをやめていいべ」

そう義夫から言われるまで、およそ十分間あまり、美佐子は加賀美と一緒に、我を忘れて鳴り声をあげつづけた。

ふたりして軽く咳き込む。

これだけでも喉《のど》が嗄《か》れてしまうくらいだから、始まってからずっと鳴りつづけ、今も声を張りあげている鳴り子たちの苦労は、並大抵のものではない。

「クマは？」

美佐子が義夫に尋ねると「あのサクラの向こう側の谷に戻ったみてえだ」と答え、そのあとで表情を曇らせた。

「どうも動きが悪いクマだ。戻ったはいいがまた止まってしまった」

「臆病《おくびょう》なやつなんですかね」

そう漏らした加賀美に義夫が頷《うなず》く。

「ひと口にクマっつうても、一頭ごとに性格が違うからの。臆病だということは、知恵が回るということでもある」

「これからどうするんですか」

「待場《マチバ》さ追い上げることにした。わかんねえか？　鳴り声が動きはじめてるべ」

言われて注意してみると、確かにその通りだった。

谷底に展開していた三つの鳴り声のうちのひとつ、たぶん、真ん中にいると思われる鳴り子の声が、最初のときより、心もち近くなっている。鳴りながら、少しずつ谷を登っているに違いない。

時おり双眼鏡を覗きながら、谷間にこだまする鳴り声に耳を傾けていた美佐子は、ふいに襲ってきた肌寒さに身震いした。

仰ぎ見ると、一度は晴れ間が見えていた空が再び翳《かげ》り、風も少し出てきた。

さほどの標高ではないといっても、山の天気は変わりやすい。体が冷えてしまわないように、脱いでいたヤッケを取り出して袖を通した。

ヤッケの袖をマジックテープで留める前に腕時計へ目を落とす。

文字盤を見て驚いた。いつの間にか正午をすぎている。鳴り声が聞こえだしたのは十一時ごろだったから、すでに一時間以上も鳴り込みがつづいていることになる。ただし、これがふつうなのかどうか、すべてが初めての美佐子には判断のしようがない。

もしかしたら、このまま獲れずに逃がしてしまうことになるのだろうか。そんな思いが、ちらちらと脳裏に浮かびはじめた。

出猟したからといって獲物が獲れるとは限らない。考えてみれば、ごくあたりまえのことである。逃がすほうが多いかもしれないと、滝沢自身が前に言っていたことを思いだし、美佐子は自分で自分を戒めた。

猟に同行したからにはクマを仕留める場面を見ることができるものと、半ば無意識に考えていた。だからだろう、今日は獲れないのではないかと頭に浮かんだ瞬間、それは困ると思ってしまった。そこが、バーチャルな世界に慣らされた現代人の愚かな部分である。テレビが映す映像に、すっかり飼い慣らされていると言ってしまってよいかもしれない。

愚にもつかないようなものは論外として、一見、良心的に見えるドキュメンタリー番組でもそうだ。制作する側には、こういうふうに、という意図が最初からある。どういった結末になるにせよ、見る側、つまり、視聴者を何らかの形で満足させるように作ってある。したがって、途中でどんな紆余曲折《うよきよくせつ》があろうと、テレビを通して見ている視聴者は、自分は安全なままに美味《おい》しい部分だけをつまみ食いして、密《ひそ》かに期待していたカタルシスに浸ることができる仕組みになっている。

確かに、映像技術がこれだけ発達したからこそ、以前ならば容易には目にすることができなかった異国や未知の世界を、茶の間に居ながらにして垣間見《かいまみ》ることができるようになった。なかには、テレビカメラが捉えることによって、はじめて暴かれる真実が存在するのも事実だろう。

しかし、映像には必ず嘘があることを、ともすれば忘れがちになってはいまいか。加えて、テレビだけでなくゲームやパソコンによる仮想現実の世界が、生の現実と重なり合い、どちらがどちらなのか区別がつきにくく、さらには、分かちがたくなっている今、人間自身が血肉を持った生身の存在なのだという単純な事実ですら、リアリティが薄れている。

つまるところ、今の我々は、欲望が満たされることに慣れすぎているのである。そんなところから、これだけ苦労したからにはクマが獲れてもらわないと困る、という内心の呟《つぶや》きが漏れたに違いなかった。

本待《ホンマチ》で猟銃を手にし、クマをじっと待っている滝沢の姿を想像する。

山は半分殺《の》してちょうどいい。

山を半分殺すかわりに己も半分殺す、すなわち己の欲も半分殺す。その言葉が、はじめて実感を伴って聞こえた気がした。

45

唐突だった。

自分の内にある欲望を消し、ただじっと待ちつづけようと美佐子が思い直してすぐ、それがなにかの符牒《ふちょう》だったかのように、続けて二度、澄んだ銃声が猟場《クラ》の空を駆け抜けた。

襞《ひだ》になった山肌で複雑に跳ね返り、やまびこを伴って長く尾を引く銃声は、美佐子が想像していたものとはまったく違っていた。テレビや映画の、いかにもというような作り物っぽい音ではなかった。かといって、素っ気ないと感じさせる無機質な響きでもなかった。

美佐子には、山間に轟《とどろ》いた二発の銃声が、マタギの歌に聞こえた。命を奪う銃弾の音が、命が産み落とされる産声《うぶごえ》に聞こえた。哀歌と讃歌《さんか》の二重奏に聞こえた。

銃声の余韻が消えないうちに、無線の交信が慌ただしくなった。

美佐子が耳にできる断片からでも、仕留めたのか、逃がしたのか、情報が錯綜《さくそう》していることがわかる。

そのとき、さらにもう一発、銃声がした。

厳しい表情のまま、トランシーバーでやりとりをしていた義夫の顔が、しばらくしてほころんだ。

美佐子と加賀美に笑顔を向けてきた。

「仕留めたど。最後の三発目は、やっぱり仕留めた合図だった」

「やった！」と加賀美が拳《こぶし》を握りしめた。

美佐子も同様だった。なにも役に立っていないにもかかわらず、自然に込みあげてくるのは、よし！　という達成感や成就感ばかりである。撃たれたクマが可哀相だという憐憫《れんびん》は湧いてこない。

ふいに肩の周囲でパラパラという音がした。

雨粒が、着ていたヤッケの布地を叩く音だった。

視線を上げた。

にわかに空がかき曇り、西側の稜線が霧に煙っていた。

加賀美と二人で顔を見合わせる。

「なんてタイミングだよ――」

加賀美が呻《うめ》いた。

計ったように落ちてきた冷たい雨粒だった。

「これじゃあ、まるで山の神さまが怒っているっていうか、泣いてるっていうか――」

加賀美の呟きに背筋が寒くなる。

「そんなことあるわきゃねえべ。山の天気なんてこんなもんさ。さあ、現場に駆けつけるぞ、あんたがた、遅れなさんなよ」

聞いていた義夫が、そう言って薄く笑った。

「すいません、ちょっと待ってください」

クマを仕留めた現場へ歩きだそうとする義夫を美佐子は呼び止めた。

「なんね」

「吉本さんにクマが獲れたことを教えてあげなくては」

「あの人なら、ほっといても大丈夫だべ」

「でも――」

美佐子が口ごもると「俺が教えてくる」と言って、加賀美が雪渓へと下りはじめた。が、加賀美の背中がブッシュへ消える前に、その藪《やぶ》が割れた。

奥から、撮影機材を携えて吉本が現れた。

「クマが獲れた。これから現場に向かうんで教えにいくところだった」

そう加賀美に言われた吉本は、にこりともせずに頷いた。

「最後の銃声でわかった」

「さすが」

「悪いけど、三脚を持ってくれないか。解体が始まる前に現場に着きたいんで、少し走るから」

そう言うや、有無を言わせず加賀美に三脚を押し付けた吉本は、通りすがりに美佐子の肩をひとつ叩いたあとで、義夫と話しはじめた。仕留めた現場の位置を確認しているらしい。早口でやりとりする二人を見て、美佐子は軽い溜め息をついた。

山に入ってからの吉本は、明らかに変わった。彫りの深い顔がいっそう厳しくなり、加賀美と違って、必要以上のことは喋らない。滝沢に案内され、去年の夏に熊田の周辺を散策したときのことを思いだすと、別人を見ているようだった。これでは、滝沢たちマタギの面々と、まるで一緒である。

義夫との会話を終えた吉本は、美佐子と加賀美に視線を送ってよこし、「先に行ってる」とだけ言い残して、稜線伝いに移動しはじめた。ほとんど駆けるような速さで、急速に後ろ姿が小さくなっていく。

「さあ、俺らも行くぞ」

義夫が促した。

加賀美、美佐子の順であとに続く。

義夫の足も速かった。稜線伝いを行く間はよかったが、途中から逸《そ》れて藪こぎが始まると、加賀美と美佐子はとたんに遅れだした。

途中、ところどころで義夫が待っていてくれた。それがなければ、二人して迷ってしまいそうな道程が延々とつづいた。

簡易アイゼンを装着しているにもかかわらず、美佐子の足は幾度となく滑った。雪のせいではなかった。藪こぎをしはじめてから、足下からは、ほとんど雪が消えていた。

かわりに、トラバースしていく斜面の傾斜が増した。まともな足場がなかった。手袋を嵌めた両手をフルに使い、手近な枝を頼りに体を運ばなければ一歩も先に進めない。あれほど苦労した残雪を歩くほうが、はるかにましだった。足が滑るたびに、手掛かりにしていた枝にしがみつき、渾身《こんしん》の力を込めて体を引き上げなければならなかった。徐々に握力が失《う》せ、それさえもままならない状態になった。しまいには、歩いているのだか転んでいるのだか、区別がつかなくなった。幾度かは、腹這《はらば》いになったまま、ずるずる藪のなかを滑り落ちた。顔中に引っかき傷ができているに違いなかったが、そんなことにかまっている暇などなかった。

前を行く加賀美も同様だった。時おり「大丈夫か、美佐ちん」と声をかけてくれはするのだが、美佐子が滑落しても助けに戻るだけの余力がないらしい。

休ませてと義夫に訴えれば、しばらく休憩をとってくれるだろう。だが、これ以上、甘えるわけにはいかないと思った。絶対に弱音を吐かないと誓ったばかりで、簡単にひよってしまうわけにはいかなかった。

それにしても、クマが獲れたあとでこんな困難が待っているとは、予想もしていなかった。義夫たちマタギにとってはどうということはないのだろうが、こちらはずぶの素人である。クマはもう逃げないのだから、なにもそんなに急ぐ必要などないではないかと、だんだん腹が立ってきた。腹が立つことで、かろうじて足が止まらずにすんでいるとも言えた。

気持ちとは裏腹に、体が本格的に悲鳴をあげはじめた。膝《ひざ》が上がらなくなり、手掛かりを求める手が枝を握れなくなった。

もうだめかもしれないと朦朧《もうろう》となりかけたとき、靴底を通して伝わる感触が変化した。ひどかった傾斜が弛《ゆる》んだ。締まった土の上に立つ足応《あしごた》えがあった。

いつの間にか美佐子は、道とは呼べないような獣道程度の踏み分けに立っていた。それでも雑木林を縫っていく小径《こみち》には、手を使わなくとも立っていられるだけの幅があった。

震える膝をなだめながら視線を先に向けた。

そこには、峰を越え、沢を渡り、谷を跨《また》いで集まってきた男たちの姿があった。

46

男たちは、雑木林の斜面に腰をおろし、あるいは木の幹に寄りかかって、思い思いの姿勢でくつろいでいた。相変わらず無駄口は皆無だが、出猟直前にあった緊張は解け、幾人かは握り飯や飲み物を口に運んでいる。

だが、どこにも獲れたはずのクマの姿がない。それに、数えてみると、猟師たちの人数が足りなかった。休んでいるのは、年配の者がほとんどで、滝沢もいないし、先に到着しているはずの吉本の姿も見えない。

座ってくつろいでいる男たちのなかに、爺やを見つけた。

美佐子は、爺やの隣まで歩いて行き、腰を屈《かが》めて小声で尋ねてみた。

「全員、集まったんですか」

ペットボトルからスポーツドリンクを飲んでいた爺やは、美佐子に気づいて「おう」と頷き、すぐ先で落ち込んでいる谷を指さした。

「撃ったクマっこ、そこを転がり落ちてしまったもんでな。若い衆がこれからロープをかけて、引っ張り上げるところだ」

美佐子は、崖のように急になっている谷の縁の部分まで進み出て、上から見おろしてみた。

爺やが言ったように、十メートルほど下りたあたりに、七、八人の男たちがいた。クマは見えないが、ロープを手にして指示を出している滝沢の姿があった。少し離れた位置に吉本もいて、カメラのシャッターを切っていた。レンズが向けられている先に、撃たれたクマが横たわっているに違いなかった。

爺やのそばに戻り、もう一度尋ねた。

「どれくらいのクマですか」

「九十キロ近くはあるべ。雌にしては上等なクマだ」

「どなたが」

「撃ったってか」

「ええ」

にやりと爺やが頬を弛めた。

「爺やが？」

そうだとも違うとも言わないが、目が笑っている。

仕留めたのは爺やだと、美佐子は了解した。

「子連れかも知れないと聞いたんですけど、子グマはいたんですか」

「いなかったの。ふたっつ、というのは見間違いだったのかもしれんな」

「そうですか――」

なんとなくほっとする。

そのとき、背後から「せーのっ」というかけ声が届いてきた。

クマの死体を見るのは、これで三度目になる。だが、去年の場合はあくまでも罠《わな》で捕獲した上でのものだった。自分も加わった猟で殺したクマをこれから見るとなると、まったく違った興奮がある。

美佐子は、根元が湾曲している若いブナの幹に体を寄せてしゃがみ込み、その幹を椅子《いす》代わりにして、若い猟師たちによって谷底から引き上げられようとしているクマを、畏《おそ》れと期待を同居させて待ち構えた。

滝沢のかけ声とともに、男たちの一団が、少しずつ急な斜面を登ってきた。

彼らの陰に、黒い塊がちらちらと見えるようになってきた。

ロープを手に先頭で登ってきた滝沢が「そーれっ」と声をあげながら、美佐子の目の前を通りすぎた。

つづいて、他の猟師たちの長靴が、堆積《たいせき》している落葉を踏んだ。

最後に、ナイロン製のロープを首にかけられ、横臥《おうが》した姿勢で引きずられていくツキノワグマが、美佐子の鼻先を掠めていく。

頭上を覆う梢《こずえ》を縫って落ちてくる雨粒に濡れ、黒い毛並みがつやつやと光っていた。

わずかに開けられた顎の隙間から、血に染まった舌が、だらりと垂れ下がっていた。

特別な臭《にお》いはしなかった。

気持ちが悪いとは感じなかった。

殺されたクマを見て、思ったほどには、衝撃を受けなかった。

ただ、この日はじめて、クマに対して憐れみを覚えた。

息絶えて、人間の手によって無造作に引きずられていくクマを見て、さざ波のような静かな切なさが、胸のなかに広がった。

気づくと隣に吉本が立っていた。

「どうです？　実際に見て」

吉本が訊いてきた。

少し首を傾げ、それから答える。

「少し、可哀相な気がします」

吉本が頷いた。

「それでいいんだと思う。彼らだって、たぶん同じでしょうから」

見ると、少し広くなったところまで運び上げられ、仰向けに横たえられたクマの周りに、猟師たちが佇んでいた。

どの顔も、穏やかではあるが、どこか切なげに、美佐子には見えた。

「どの現場でも同じなんです」と吉本は言った。

「クマを仕留めた直後のマタギたちの表情には、獲れてよかったという安堵《あんど》はあっても、小躍りして喜んでいるのを見たことは一度もない」

「生き物を殺したことへの罪悪感があるからかしら」

「それもあると思う。けど、そう単純なものでもないでしょう。たぶん、ほんとうのところは、彼ら自身にもわからないのかもしれない。でも、僕はこの瞬間に見せる彼らの表情が好きだ」

そう言って吉本は、そっと猟師たちの輪に近づき、カメラを向けはじめた。カシャリとおりるシャッターの音も、心なしか遠慮がちに聞こえる。

少しして、男たちに動きがあった。

なにかを協議しているようだ。

見ていると、貢が輪から離れ、右手の斜面を登りだした。一度姿が見えなくなったと思うと、すぐに斜面をおりてきた。

待っていた滝沢たちと再び相談をはじめる。

離れて見守っていた美佐子と加賀美のもとへ、吉本が戻ってきて説明した。

「クマを曳《ひ》いて帰ることになった」

「曳いてって、村までか？」

問い直した加賀美に吉本が頷く。

「ふだんは現場で解体して持ち帰るんだが、それにはきれいな雪の上でないと。このあたり、南側に面しているから適当な場所が近くにないらしい。で、ここは村の裏山みたいなものだから、曳いて帰ったほうが楽だろうということになった」

裏山？　と美佐子は首を傾げた。周囲を見回してみても、鬱蒼とした森があるだけで、とてもそうは思えない。そもそも、クマを仕留めたということがわかってから、必死になって義夫のあとを追うのに精一杯で、どこをどう歩いたのかなど、雲を摑むような話だった。だが、地元のマタギたちがそう言うのだから、確かに集落が近い裏山なのだろう。同時に、助かったと安堵した。この先、あとどれくらい歩くことになるのだろうと、かなり心配だったのである。またさっきのような行軍が続くのだとしたら、とてもついていけそうになかった。それほど疲弊しきっていた。だが、村まであとちょっとの道のりで、しかもロープでクマを曳いていくのだとしたら、自分にもなんとかついていけそうだった。

47

雑木林から杉林へ、再び雑木林へと、首と四肢にロープをかけられたツキノワグマが、男たちのかけ声とともに曳かれて行く。

吉本の話では、現場で解体して持ち帰るところもあれば、村まで曳いて帰るのがふつうなところもあり、各地のマタギ集落によってまちまちだという。

どちらが楽かというと、山中で解体をすませてしまったほうが、ばらした部位を分担して運ぶことができるから、曳いて帰るよりずっと楽なのは明らかだ。それでもマタギ集落によっては、どんなに深い山中からでも、延々と柴橇《しばぞり》に乗せて帰るところがあるという。

なぜという美佐子の問いに、たぶん、と断ってから吉本は答えた。

「クマの胆《い》をどう扱ってきたかということが、一番の問題なんだと思う。昔からクマの胆の換金が重要な目的になってきた集落には、曳いて帰るのが多い傾向があるようです。おそらく、村で解体するときに、クマの胆を買い付ける商人なんかが立ち会ってたんじゃないかな。つまり、これは本物だぞということを、目の前で取り出して証明する必要があった。昔は偽物のクマの胆がけっこう出回っていたみたいだから」

「ということは、熊田の集落ではそうじゃなかった？」

「前に昭典さんたちが言ってましたよね、俺らの村では、各家庭の常備薬として、今でも皆で分けているって。たぶん、ずっとそうだったんでしょうね。現金収入の手段としてのクマよりも、自家消費のためのクマという色合いが濃かった集落なんでしょう。裏返せば、それだけ周囲との隔絶の度合いが強い集落だったとも言える」

なるほど、と納得するとともに、列の先頭に立ち、「ほーれっ、そーれっ」と元気に号令をかけている滝沢の姿を見て、美佐子の胸が痛んだ。

連綿とつづいてきたマタギ集落の若き頭領として、村の将来を双肩に担っている滝沢ではあるが、彼のもとに、妻と子どもたちは未《いま》だに帰っていない。

今回の同行取材のために熊田入りをしたとき、笑顔で美佐子たちを迎えた滝沢を見て、もしかしたら、という期待を抱いた。だが、玄関を跨《また》いだ瞬間、それが淡い期待にすぎなかったことを知った。「その後、奥さんは？」とはとても訊けるものではなく、そのまま出猟の朝を迎えたのだった。

ともかく今は、クマが獲れたとはいえ、狩りのすべてが終わったわけではない。

今日の巻き狩りが成功したことで、明日、熊田の集落で行われることになるだろう『クマ祭り』の一切が終了するまで、滝沢には他のことを考えている余裕などないはずだ。彼と話をするにしてもそのあとだと自分に言い聞かせ、美佐子は、列の最後尾で慎重に歩を進めつづけた。

道らしき踏み分けがあるといっても、それほど足場がしっかりしているわけではない。登りはまだよいのだが、下りが出てくると、膝頭が意志に反してぷるぷると震えた。膝が笑うという状態である。

クマを曳いていくゆっくりとしたペースなので遅れてしまうことはなかったが、ふくらはぎや太腿の筋肉が痙攣を起こして攣《つ》ってしまう前に、少しでも早く村に着いてほしい。そう願いながら歩いているうちに、周囲の木々が疎《まば》らになり、行く手に崖が現れて隊列が止まった。

美佐子には、数十メートルほど落ち込んでいる残雪に覆われた斜面が、崖そのものに見えた。切り立った斜面の終わりでは、薄暗い杉林が待っている。

滝沢たちが道を間違えたのだろうか。

そう訝《いぶか》った直後、それっ、というかけ声とともに、クマと一緒に滝沢が跳んだ。クマを崖から落とし、一緒になって駆け下りはじめたのである。なんのためらいも見せずに猟師たちがあとを追う。

駆けるというより、二本の足でバランスを保ちながら、転びもせずに男たちの一団が急斜面を滑り降りていく。

たとえスキーを履いていても、自分ならば迂回《うかい》ルートを選ぶような場所だった。呆気《あっけ》にとられて見ている美佐子に吉本が尋ねた。

「下りられそうですか」

「たぶん――」

唾《つば》を呑んで頷くしかなかった。

「村はもうすぐだから無理はしないで。立てなければ、お尻で滑れば大丈夫だ」

「はい」

「じゃあ、僕は山から下りてくる彼らの写真を前方から撮りたいんでお先に」

そう言ったと思うと、マタギたちとまったく同じ要領で崖に身を躍らせた。

「なんだよ、またケツ橇かよ」

いやそうな顔をして、美佐子を見ながら加賀美がぼやいた。

48

杉林となっている村の裏山から下りたところで、仕留めたクマと一緒に、滝沢は全員の下山を待っていた。

心地よい満足感があった。

山中で解体をせず苦労して曳いて帰ることになったのは予定外だったが、暗くならないうちに余裕を持って村に戻ることができたのだから、判断としては間違いではなかったとしてよい。すっかり日が落ちて、真《ま》っ暗闇《くらやみ》のなかを帰ってくる場合があることを思えば、今日の猟は上々だった。

親方を引き継いで二年目、去年と同様、初日にクマが獲れたことで、自分の務めを首尾よく果たせたという安堵は大きかった。

本待《ホンマチ》で待ち構えていたにもかかわらず、二つ隣の待場《マチバ》で配置についていた爺やに手柄を立てられてしまったが、誰のところにクマが登ってくるかは、そのときの状況しだいである。悔しいという気持ちにはならない。そもそも巻き狩りというのはチームワークの仕事だ。誰が仕留めようと、皆で喜びを分かち合えるところがいい。

これで一段落だが、さて次はと、滝沢はこれから先の段取りをあれこれ考えはじめた。

皆が揃ったところでとりあえず労をねぎらい、クマそのものは今日のうちに解体をすることになる。肉の分配のための解体場は、いつものように義夫の家の庭先を使えばよい。となると、このまま砂利道を引きずっていくわけにはいかないので、軽トラックを持ってきてそこまでクマを運ぶ一方、林道に残してきた車を回収しなければならなかった。さらに、明日の『クマ祭り』に招待する来賓への連絡を今夜中にしておく必要があった。

時代とともに少しずつ変わってきてはいるが、熊田の集落では、春グマ猟の成功を祝う『クマ祭り』を今でも行っている。

村の御神木であるトチノキにお神酒《みき》をあげ、『ナヤ汁』というクマ鍋《なべ》を作って皆で会食するのである。他にこれといった祭りらしい祭りがない熊田の集落では、一年を通して最大のお祭りともいえる。最近では、来る来ないは別として、関係諸機関へ案内を出し、来賓として招いて、熊田のクマ狩りへの理解を求める場にもなっていた。

滝沢が、そういった細々とした段取りを考えていると、なにかを言い争っているような剣《けん》呑《のん》な声が、杉林の縁のほうから聞こえてきた。

目を向けて驚く。

言い争っているのは、吉本と加賀美だった。

「吉本さん、どうした」

言いながら、滝沢は二人に近づいた。

吉本が怒った顔つきで加賀美に詰め寄っている。吉本にしては珍しいこともあるものだと首を傾げる。

一方、雑誌の編集長だという加賀美という男は、困り果てたという様子で顔を歪《ゆが》めている。どうも、単純な諍《いさか》いをしているわけでもなさそうだ。

険しい表情のまま、吉本が言った。

「美佐子さんがはぐれてしまった」

最初、言葉が出なかった。

「はぐれたって、どこで」

ようやく尋ねると加賀美が答えた。

「クマを最初に転がした雪の斜面がありましたよね。あそこを下りたところまではついて来てた。で、次に出てきた二つ目の斜面でケツ橇をしたあと、ちゃんとついてきてるかなと思って後ろを見たら、いなくなってた」

「なんで捜さなかった」と吉本。

「捜したさ。けど、俺まで迷ってしまいそうだったから、皆のあとを追いかけて助けを呼んだほうがいいと思った」

「だいたい、おまえが最後尾でいなくちゃだめだろうが」

「そう言われても、俺だって必死だったんだからよ」

再び険悪になる。

まずいことになったと、滝沢は眉間に皺《しわ》を寄せた。

「俺が悪いんだ」と、そばにいた貢が申し訳なさそうに言う。

「あそこまで下りたら村はすぐだべよ。まさか迷うなんて思っていなかったから、そのまま下りちまった。すまん、吉本さん」

貢も貢だ。彼女がはぐれてしまわないように気をつけて見てやれと、あれほど言い含めていたというのに……。

「とにかく、責任のなすりあいをしてる場合じゃねえ。すぐに捜しに行くべ」

滝沢は、少し考えてから指示を出しはじめた。

「悟っ」

「おう」

「おめえ、悪いけど、爺やと一緒に無線持って、もう一度、近道でモクラに登れ。俺と貢、吉本さんで来た道を戻りながら捜して行くからよ、無線の中継基地になってけろ」

「わかった」

「俺は？」と、加賀美がためらいがちに尋ねる。

「あんたの足ではかえって足手まといだ」

「しかし――」

気持ちはわかるが、これから暗くなろうとしている山中に素人を連れてはいけない。

「んだったらよ」と、しおれきっている加賀美に言う。

「あんたにも無線をひとつ預けるから、爺やたちと一緒に登り口まで行って、そこで待機してでけろ。あのあたりで迷ったとなると、一人でそこに下りてくることもあり得るからの」

「わかりました」

少しだけほっとした表情を浮かべ、加賀美は頷いた。

「義夫さん」

今度は義夫に声をかける。

「下は任せるからの、予定通り段取りを進めててもらえねえか」

「それはいいがの、猟場《クラ》の側にも二、三人出したほうがよくねえか」

「んだの、ほな、人選任せるでな」

「わがった」

「よしっ、さっそく行くべ」

吉本と貢を伴い、下りてきたばかりの杉林に踏み入っていく。日没まではしばらくあるが、相変わらずわずかの間に、林のなかの薄暗さは増していた。

小雨が降りつづいている空模様である。

「美佐子さん、明かりと火は持ってるかの」

歩きながら吉本に尋ねてみる。

「小型のマグライトは持っているはずです。ただ、火はどうだか――彼女、煙草《タバコ》は吸わないし、ライターやマッチを持っているとはちょっと――畜生、そこまで確認しなかった俺が迂《う》闊《かつ》だった」

自分を責めている口調の吉本を見て、またも軽い驚きを覚える。少々のことには動じない男だと思っていたのだが、この動揺のしかたは普通でなかった。

「ご迷惑をおかけしてすいません」

歩きながら滝沢に向かって頭を下げた吉本の肩を、滝沢は励ましの意味で軽く叩いた。

「なあに、大丈夫だって。いくら迷ったと言ったかて、美佐子さんの足ではそう遠くまで離れることはねえさ。歩ける場所も限られているからの、すぐに見つかるって」

「だといいんだが――」

心底、美佐子を心配している顔で、吉本は呟いた。

最初、美佐子は、自分が迷子になったことに気づいていなかった。

覚悟を決めて、あのひとつ目の急斜面を滑りきったところでは、一緒に下りた加賀美のすぐあとにいた。

その後、杉林のなかを縫ってから出てきた、二つ目の急斜面がまずかったのだと思う。

ひとつ目のときのように、最初から諦めてお尻《しり》で滑ればよかった。若干傾斜が緩かったのと、加賀美の言うケツ橇に慣れたというか、お尻をつかないでもマタギたちみたいにかっこよく滑り降りられるかもしれないと、身の程知らずの色気を出してしまった。

立ったまま斜面に右足を踏み出してみると、エスカレーターに乗っているように、雪に沈みながらも、すうっと体が運ばれた。速度が落ちたところで左足に踏み替えた。今度もうまくいった。なかなか快適ですらある。

気をよくして、再び右足に体重を乗せ替えた直後だった。

いきなりふくらはぎが引き攣った。

あまりの痛みに声も出なかった。

泥まじりの雪の上に顔面から転倒し、涙目になって身悶《みもだ》えした。手で触れると、ふくらはぎ全体の筋肉が、石のように硬直していた。登山靴を履いている状態では、爪先に指をかけ、収縮しつづける筋肉を伸ばしてやることもできない。それどころか、ますます爪先が伸びていく。

なりふりかまわず大声で痛みを訴えれば、加賀美は気づいてくれたかもしれない。けれども我慢してしまった。

必死になって痙攣を起こしている筋肉をマッサージし、なんとか立ち上がれるまでに引き攣りが治まったときには、視界から加賀美の姿が消えていた。

心配はしなかった。村が近いことはわかっていたし、無数につけられた足跡を辿っていけば、問題なく山から下りられる。

そのはずだった。

どこでどう間違えたのか、麓に近づき、疎《まば》らになってくるはずの杉林が、いっこうにそうはならなかった。ばかりか、いつの間にか、コナラやカエデの雑木林に変わり、しまいには、立派なブナまでが目の前に現れだした。

歩きやすい踏み分けを選んで歩を進めているうちに、下っているつもりが、逆に標高を上げてしまったのかもしれなかった。

その時点でもまだ、美佐子は自分が迷ったとは考えていなかった。人がつけた踏み分け道を、忠実に辿ってきたと思っていたからである。それに、途中で一度だけ、どっちに行こうかと、ちょっとだけ思案した分岐があったことを覚えていた。

たぶん、あそこで間違ったのだ。

道を間違えたと気づいたら、すぐに引き返すのが鉄則。加賀美から借りた本に書いてあった。

——危ない危ない、もう少しで迷子になるところだった……。

その前に、それと気づいた自分を誉《ほ》めてやり、美佐子は来た道を引き返しはじめた。

だいぶたってから、なんだかおかしいと思った。見覚えのある分岐が、ぜんぜん出てこないのである。

やがて、歩いているうちに、巨大な倒木で行く手が遮《さえぎ》られた。

ぎょっとした。こんな倒木を越えた記憶はなかった。

ここではじめて、自分が迷子になったらしいと悟った。

朽ちかけた倒木の前で立ち止まり、周囲を見渡してみる。薄暗くなった森が、どこまでも延々とつづいているだけだ。自分がどこにいるのか、わかろうはずがなかった。

下腹部に微かな尿意を覚えた。

「やっほー」

こわごわ、声を出してみた。

声は、深い森に吸い込まれてすぐに立ち消えた。

もう一度、今度はもう少し声を大きくして呼んでみる。

木霊《こだま》ひとつ返ってこない「やっほー」という自分の声が、ひどく間抜けに聞こえた。

なぜか可笑《おか》しくなって、ふふ、と笑いが漏れた。

笑っている場合ではなかった。

「加賀美さーん！」

人の名前を口にしたことで、右も左もわからない森に、たったひとりぼっちで取り残された恐怖が、はじめて実感を伴って襲ってきた。

——こんなことって、迷子になったなんて、嘘でしょう？

現実を否定する声が、自分のなかで虚《むな》しく響く。疼いていた尿意が急に強まり、膝頭が震えだして止まらなくなった。

とにかく、暗くなる前に少しでも麓を目指さなければ……。

膨れあがってくる不安と焦燥を抑えつけ、美佐子は下へ下へと、踏み分けを無視して下りはじめた。

下生えに隠れた木の根に足をとられつつ、藪をかき分けて歩きつづけた先で、予告もなしに谷が消えた。

村に直接出ないにしても、どこかの林道にぶつかるのではないかと見当をつけて歩いていた山肌が、目の前で登りの急斜面に変わっていた。

泣きたくなるのをこらえ、這うようにしてよじ登った。登りきったところから、低いはずのほうへ向かって再び下る。

またしても、さっきより大きな山肌が、壁となって出現した。しかも、消えていたはずの雪までもが出現して林床を覆っている。どうしてこうなるのか、まったく理解できなかった。

戻る気にはなれなかった。というより、自分が辿ってきたルートを逆戻りするのは、もはや不可能だった。どこもかしこも、美佐子には同じ森に見えた。さらに、雲の向こうで太陽が沈んでしまったのか、こうしているうちにも、周囲はどんどん暗くなってくる。

疲れきった体に鞭打《むちう》ち、足を滑らせながら目前の山塊を登りはじめた。登っている途中で、こむら返りを起こした足がまたも引き攣った。

右足を引きずりながら歩いているうちに、反対側、左の足の裏が攣り、靴のなかで指先が丸まった。歯を食いしばったまま靴を脱ぎ、縮んだ指を伸ばそうとして手に力を込めていると、前腕の筋《すじ》が痙攣を起こして、人差し指が手の甲側に反《そ》り返った。

体中の筋肉が反乱を起こしはじめている。

体内のイオンバランスが崩れると引き攣りが起こりやすくなると、なにかに書いてあったのを思いだした。

指から腕にかけての筋肉を揉《も》みほぐしてから、デイパックを開け、スポーツドリンクを貪《むさぼ》り飲む。

途中ではっとして、ボトルの口から唇を離した。自分が遭難しかけているのは明らかだった。貴重な水を無駄にはできない。

薄明かりにペットボトルをかざしてみた。残量は四分の一しかなかった。我慢してキャップを閉め、こむら返りが襲ってこないように、脱いでいた靴を、時間をかけて履いた。

半分まで登った斜面を、意識してペースを落として登って行く。真っ暗にならないうちに頂上に立てば、どこに向かったらよいか見通せるに違いないと信じることにした。

登り切ったところは、山頂でもなんでもなかった。

義夫たちについて猟場《クラ》まで歩いたときと同様、稜線上を踏み分け道が通っていることを期待していたのだが、葉を落としたブナ林が亡霊のように佇んでいるだけで、どっちの方角が頂かも定かではない。

不気味なほど、森は静まり返っていた。ハアハアという自分の息づかいが煩《うるさ》い。

声を振り絞り、「助けて！」と叫んだ。

加賀美と滝沢の、そして、吉本の名を、声が嗄《か》れるほど叫んだ。

応答はない。

叫ぶ声がかすれ、激しく咳き込む。

絶望に駆られ、木立の間にしゃがみ込んだ。

うずくまったまま、少しだけ嗚咽《おえつ》を漏らした。

鼻を啜《すす》り、手の甲で目尻を拭って立ちあがった。

森が薄闇《うすやみ》に溶け込もうとしていた。

木々の梢《こずえ》に透かして空を見あげた。

雲に覆われた空は、地上と比べればまだ十分に明るく見えた。雨も止《や》んでいる。

再び美佐子は、谷間へと向かって歩きだした。

歩いているうちに、靴底から伝わる感触が変わった。残雪が消えたのにつづき、しばらく踏んでいた腐葉土の柔らかさも消え、アイゼンの歯が、ごつごつとした石ころや岩を嚙んでいる。

デイパックのポケットを探り、マグライトを取り出して足下を照らしてみる。

雨を集めて、小さな沢ができつつある。

崩れようとする膝をなだめすかし、わずかな水の流れを頼りに足を速めた。

ゴアテックスの登山靴が、水流に浸りはじめた。

消えかけていた希望が戻ってきた。この沢を辿っていけば、必ず麓に下りられる。

マグライトの細い明かりを頼りにさらに急いだ。

足首まで水に浸かりだしたところで、美佐子の足が止まった。沢を照らしていたはずの光線が暗闇に吸い込まれている。

首を傾げながら慎重に歩を進める。

前にも増した絶望が美佐子を打ちのめした。

一筋の希望に見えていた沢が目の前で消失し、垂直に切り立った崖となって落ち込んでいた。

マグライトでいくら照らしても、手がかりや足がかりとなりそうな突起や枝はどこにもなかった。

50

「たぶん、ここから逸《そ》れたんだと思う」

雪渓の上に屈み込んでいた滝沢は、懐中電灯のスイッチを切ってから立ちあがり、吉本に言った。

「この先は？」

薄暗がりのなかで杉林の奥に視線を向けながら吉本が訊く。

「しばらく行くとどん詰まり、というか、獣道になって自然に消えてしまうはずだの」

そう答えたあとで、滝沢は「ほーいっ」と声をあげ、美佐子の名前を呼んでみた。

耳を澄まして返事を待つが、応《こた》える声はどこからも届いてこない。

まずいな、と小声で呟いてから吉本に尋ねる。

「美佐子さん、携帯は持ってるだろうか」

「たぶん」

「迷った場所から動かねえでいてくれるのがいちばんなんだが、ここで呼んで返事がないということは、動いちまってるんだと思う。どうせ動くならできるだけ高いとこに登ってくれれば、このあたりでもアンテナが立つ峰があるんだがの」

「彼女、登山の経験がほとんどないんだ」

「つうことは、谷に下りちまう可能性が大きいか――」

少し考えてから貢を呼んだ。

「俺と吉本さんで下から詰めてくからよ、おめえ、上から下りながら捜してくれねえか」

「どこで落ち合う？」

「明神沢《みょうじんざわ》が涸《か》れるあたりにでけえミズナラがあるべ」

「去年、マイタケが山ほど採れた木か」

「そう、そこで合流だ」

「よしきた」

「無線は開けっぱなしにしとけよ」

「わかってるって」

言い残して、貢が雪渓を直登しはじめた。

貢の後ろ姿を見送りながら、トランシーバーで爺やを呼び出す。

ちょうどモクラの山頂に着いたところだという爺やに、村の義夫に連絡をとり、繋がらなくとも美佐子の携帯電話をコールしつづけるように指示してくれと頼む。

ヒトド沢の猟場《クラ》からの捜索も始まったことを確認したあとでトランシーバーを胸ポケットに戻し、猟銃を担ぎ直す。

「そんじゃ、俺たちも行こう」

暗い森に視線を投げつけ、眉根を寄せて押し黙っている吉本を促した。

足下から獣道が失《う》せたところで、滝沢は一度歩を止めた。

吉本と一緒に美佐子を呼んでみるが、やはり返事はない。

ここまでは、美佐子が歩いた跡をトレースしてきたという自信がある。途中で幾度か、アイゼンを装着した登山靴がつけたと思われる足跡も確認している。

問題はここから先だった。すでに陽は落ち、懐中電灯が必要な暗さになってきており、下生えが密生しはじめていることもあって、足跡を追うのは、いかに滝沢でも無理だった。

この地点から美佐子が麓に向かったのであれば、すでに見つけているはずだった。ということは、迷ったことに気づいた彼女が後戻りしようとして、かえって山奥へと向かった可能性が強い。

呼んでも返事がないのは、なにかが原因で意識を失っているからとも考えられるが、その場合、明るくなってから本格的に山狩りをしなければ、発見は不可能だろう。

あれだけ気丈な女性である。なんとかして里に戻ろうと、今も必死になってもがいているほうに賭《か》けることにした。はじめて会ったとき、クマにでも食われてしまえと顔をしかめた彼女だが、同じ本人をこうして捜索している自分がいることに、不思議な因縁めいたものを感じてしまう。

再び歩きだした滝沢は、振り返らずに後ろの吉本に声をかけてみた。

「ところでよ、吉本さん」

「なんですか」

「妙なことを訊くようだけど、あんた、美佐子さんをどう思ってる」

「あれだけ体当たりで取材ができる女性ライターって、そうはいるもんじゃないですからね。すごい人だと思う」

「いや、仕事仲間としてどうかじゃなくて、女としてどう思うかって訊いたんだ」

「美人ですね」

「違う違う。ほれ、好きとか嫌いとか」

返事がない。

「なんで黙ってるんね」

尋ねると、少し間を置いてから「なぜ、そんなことを訊くんです」と返ってきた。

「あんたってよ、自分の心の内をあんまり表に出さないタイプだろ。そのあんたが、美佐子さんがはぐれたと知って、血相変えてうろたえるんだものな。加賀美さんだっけか、あの人をぶん殴っちまうかと思ったくらいだ。好きな女じゃなきゃ、ああはならねえべ」

「好きなのかとまともに訊かれると、なんと答えていいんだか――」

困ったように吉本が言う。

「じゃあよ、訊き方を変えるが、仮にだぜ、あんたが写真をやめれば彼女が助かる、やめなければ助からないとしたら、どっちを選ぶ」

「めちゃくちゃな質問だ」

「だよな、確かにめちゃくちゃだと俺も思うさ。でな、なんでこんなことをあんたに訊いたかというと、俺よ、実は、まだ誰にも喋っちゃいないが、この猟が終わったら鉄砲を置こうと思っているんだ」

微かに息を呑む気配が背中でした。

「鉄砲を置くって、猟師をやめるということですか」

吉本に訊かれた滝沢は、足をとめることなく「んだ」と頷いて先をつづけた。

「ちょっとばかり恰好をつけさせてもらうと、猟師であることは俺の生き様だった。この村でクマを撃って暮らすことが、唯一の楽しみであり、生きがいでもあった。けどよ、それじゃあたぶん、翔子は俺のところに戻ってはくれねえ。家族と猟のどっちが大事だなんて、そもそも比較できねえものだと思う。けどよ、どちらかを選べと山の神さまが言うんだとしたらしょうがねえやな。俺は女房と子どもを選ぶことにした。だから今回の『クマ祭り』が終わったら、俺はこの村を出るつもりだ」

「仕事はどうするんです」

「なあに長距離トラックでも転がすさ。選《え》り好みさえしなきゃあ、都会のほうにはなんぼでも仕事があるでの」

「だとしても、それで翔子さんがよりを戻してくれるとは限らないでしょう」

「わかってる。だがよ、それくらいまでして、俺の覚悟をあいつに見せる必要があるんだ。それでだめなら仕方ねえ」

会話が途切れた。

二人の男の重苦しい息づかいだけが、夜の帳《とばり》が落ちはじめた森を揺らす。

「ということでよ——」

しばらくしてから、滝沢は言った。

「さっきの質問に戻るが、カメラをやめれば美佐子さんが助かるとしたら、あんたどうするね」

「カメラを置く——かもしれない」

「それが女を愛することだと言ったら、へんか？」

「へんじゃない、と思う」

数秒の間のあとで、そう吉本は答えた。

51

命を繋ぐかに思えた沢に裏切られた。

しばらく呆然《ぼうぜん》として佇んでいた美佐子は、小さな滝となって水が落ちていく崖を離れ、もう一度道を探そうとして引き返しはじめた。

たいして歩かないうちに、力が尽きた。

足が攣って歩けなくなるのならまだいい。痙攣《けいれん》の痛みが、逆に気力を奮《ふる》い立たせてくれるからだ。

今度は違っていた。

突然ガス欠になった感じで、体からエネルギーが枯渇した。

気力が萎え、足が進まなくなった。

糸が切れた操り人形のように、ぺたんと草むらの上に横座りになった。

立ちあがろうとしてはみるのだが、体が言うことをきいてくれない。繰り返しているうちに、立とうという気も失《う》せた。

座って体を起こしているだけでも辛い。上半身を支える両腕が震えている。腹這いに倒れ伏したら、二度と起きあがれないと思った。

マグライトに浮かびあがったブナの老木までにじりより、背負っていたデイパックをおろして、幹に背中をあずけた。

少し楽になった気がした。けれど、じっとりとした空気が重くて息苦しい。

呼吸に伴い、胸が膨らんだり萎《しぼ》んだりしているものの、十分な酸素が肺に入っていかないように思えてならない。

静かに呼吸を繰り返しているうちに、息苦しさはいくぶん和《やわ》らいだ。

ぼんやりとした頭で、マグライトの電池を節約しなくてはと考えた。

レンズの部分を回し、スイッチを切った。

なにも見えなくなった。

慌てて明かりを点け直す。

しばらく手のなかでマグライトを弄《もてあそ》んでから、もう一度明かりを消し、空を見あげてみた。

真っ黒に塗りつぶされたなかに、小さな瞬《またた》きが幾つか見えた。いつの間にか雲が切れ、空が晴れてきたのだとわかった。

しかし、頼りなく瞬いている星以外に明かりはない。

月はどうしたのだろう、せめて月が出ていれば少しはましなのに……。

まだ月が昇る時刻になっていないのか、それとも今夜は新月なのか。

考えても仕方がないと諦め、明かりは点けないままに膝を抱える。

漆黒の闇が押し寄せてきた。

それとともに、森から温《ぬく》もりが消えた。

夜を迎えた熊田の奥山は、上空を覆っていた雲が散ったことも相まって、徐々に気温を下げはじめた。

体がどんどん冷えていく。

速乾性のシャツとゴアテックスのヤッケでも処理しきれないほど噴き出ていた汗が、自分の体温を急速に奪っているのだと、体が震えだしたところで、ようやく気づいた。

美佐子は、傍らに置いていたデイパックから、手探りでフリースを取り出した。

雨で濡れるのを防ぐためにビニール袋に入れていたフリースは、日中に吸った汗のせいで、じっとりと濡れていた。

私ってなんて馬鹿なんだと泣きたくなる。これでは防寒具としての意味をなさないではないか。

それでも着ないよりはましだった。湿ったフリースを着た上からもう一度ヤッケを羽織り、膝を引き寄せて身を丸める。

抱えた膝に頭を載せているうちに、眠くなってきた。

吉本や滝沢が、自分を捜しに山の中を歩き回っている夢を見た。

夢の中で彼らの呼びかけに応《こた》えようとするのだが、どうしても声を出せない。

声が出ないのは当然だった。

いつの間にか、美佐子はクマになっていた。自分がクマだったことを思いだした美佐子は、慌てて藪に身を潜めた。

息を殺して人間たちの声が遠ざかるのを待ちつづける。

やがて人間の気配が消えた。

もう大丈夫だと安堵する。

隠れていた藪から這い出た。

そこでぎょっとして固まった。

猟銃を携えた滝沢が待ち構えていた。

猟銃が美佐子の鼻先に突きつけられた。

暗く穿《うが》たれた銃口をまじまじと見つめる。

滝沢がにやりと笑った。

一歩も動けないでいるうちに、目の前が赤く炸裂《さくれつ》した。

びくんと体が跳ねあがり、美佐子は夢から現実へと引き戻された。

心臓が狂ったように早鐘を打っている。

明かりを求めて右手をまさぐった。手にしていたはずのマグライトが消えていた。パニックに駆られ、闇雲に手を這わせる。

諦めかけたとき、草むらに落ちていたマグライトに指先が触れた。拾いあげたマグライトで、美佐子は、自分の手を、舐めるように照らしてみた。

ゆっくりと息を吐き出す。

手の甲が剛毛に覆われていたり、指先に鉤爪《かぎづめ》が生えていたりということはなかった。

明かりを周囲に向けてみる。

頼りない光線に浮かびあがる森は底知れぬほどに深く、光が届かない闇の先から異形《いぎよう》のものが躍り出てきそうだ。

一度そう思うと、怖くてたまらなくなってきた。

マグライトを消した。

とたんに闇が戻る。

中途半端に見えるよりは、まったくものが見えないほうが、まだましだった。

今見たばかりの夢を思いだしたところで、はっとした。

夢に出てきたように、吉本や滝沢は、行方不明になった自分を、今この瞬間も捜している に違いなかった。

美佐子は、滝沢に対して申し訳ないという気持ちでいっぱいになった。このまま自分が発見されずに終わってしまったら、世間からの非難が集中し、熊田の巻き狩りそのものが危うくなってしまうかもしれない。それに、話しておかなければならないことが残っていた。自分と滝沢との過去に遡《さかのぼ》った因縁を、彼にはまだ教えていなかった。

それにも増して、吉本に対する想いが溢れ出して止まらなくなった。あれだけ時間があったにもかかわらず、なぜ私は、思いの丈を直接ぶつけることをしなかったのだろうと、身が捩《よじ》れるほどの後悔が襲ってきた。

彼に抱かれたいと、切実に思った。すべてを忘れて獣のように交わりたいという欲望が体の芯で疼き、下腹部が熱くなった。

こんな場面で、そのような妄想が頭をもたげてくるのはなぜか、わからなかった。わからなかったが、子宮で疼く肉欲が、なんとしても生き延びなくてはという意志に転じた。

吉本に一度も抱かれないまま死ぬのはいやだった。自分の想いを伝えられずに、このまま死ぬわけにいかなかった。

美佐子はマグライトをヤッケのポケットに収めてから、デイパックを探った。

今朝、滝沢の家を出るときに持たされた、お握りの包みを取り出した。三つとも手つかずで残っていた。あまりの疲弊で食欲がなかったのだ。今も空腹は感じていないが、無理にでも飲み込まなければいけないと思った。

口にしてみると、自分でも驚くほどすんなりと、食べ物が胃に入った。

ひとつ目の焼きお握りを、あっという間に平らげた美佐子は、憑《つ》かれたように二つ目にかぶりついた。今度は、海苔《のり》で巻かれたご飯にたっぷりと塩ジャケが入っている。

真っ暗闇での食事だが、気にならなかった。どれほど自分が餓《う》えていたかを思い知らされる。

二つ目のお握りを半分ほど食べたところで、喉に詰まってむせかえった。

お握りを左手に持ち替え、デイパックからペットボトルを取り出して、残り少ないスポーツドリンクで流し込む。

再びお握りを口に運ぼうとした美佐子の手が、途中で止まった。

キーキーという妙な音が、間近で聞こえたような気がしたのだ。

固まったまま耳を澄ます。

空耳だったのか……。

そう思った直後、今度は、カサリというなにかが擦れるような音がした。

落ち着いていた心臓の鼓動が、いっぺんに跳ねあがった。

激しい心臓の拍動で、体までが揺れてしまいそうな錯覚を覚える。

身じろぎひとつせず、神経を逆立たせる。

いくら待っても、なにも起こらない。

おそるおそる、お握りを持った手を動かそうとしたときだった。

投げ出していた右足、向こう脛《ずね》のあたりに、突然、柔らかいものが触れた。

「きゃっ」

思わず声をあげて、持っていたお握りとペットボトルを取り落とした。

なにかが脛から膝のほうへと這いあがってくる。

暗闇のなかでは動くに動けなかった。

食いしばっていた歯が意志に反して鳴りだした。

脛から膝へと上がってきた生き物は、美佐子の太腿に達したところで、地面の上にずり落ちた。続いてペチャペチャと舐める音。

叫びだしたくなる衝動をこらえ、ヤッケのポケットに手を差し入れて、マグライトを取り出した。

震える指でライトの頭をひねり、明かりを点けた。

光芒《こうぼう》に浮かびあがったものを見て、美佐子は止めていた息を深々と吐き出した。

美佐子の右膝のそばで、猫ほどの大きさの真っ黒い生き物が、転がったペットボトルの口の部分を一心不乱に吸っていた。

張りつめていた緊張が一気に解け、危うく失禁してしまうところだった。

暗闇では得体の知れなかった生き物は、どこからどう見ても、ツキノワグマの子どもだった。

子グマは、美佐子が向ける明かりを浴びてもいっこうに逃げようとせず、ひたすらペットボトルにむしゃぶりついている。

丸っこい姿のあまりの可愛さに、美佐子はマグライトを口に銜《くわ》えてからそっと両手を差し伸べ、子グマを持ちあげてみた。

そのまま胸に抱き寄せる。

キーという声を出して、最初少しだけ抗《あらが》った子グマは、すぐに美佐子の親指を舐め回しはじめた。さっきまで食べていたシャケの匂《にお》いが指についているのかもしれないと思った。

それにしても、子グマから伝わる温もりは、うっとりするほど心地よかった。

マグライトを傍らに置き、自分の指を子グマの口に含ませながら話しかけてみる。

「そんなに甘えてどうしたの？　私、あなたのお母さんじゃないのよ」

そこでぎくりとした。

なぜ、こんな小さな子グマが一匹だけでここにいたのか。

子グマを抱いたまま、あたりの気配を窺う。

母グマが近くにいたら大変なことになると、ようやく気づいたのである。

だが、いくら待っても、たとえ子グマがむずかる声をあげても、美佐子の身にはなにも起こらなかった。

母グマからはぐれてしまったのだと考えるしかなさそうだった。

いったいどうしてと考えた美佐子は、その理由に思い当たってはっとした。

昼間、爺やが撃ったクマは雌グマだった。その前、射手《いて》が猟場《クラ》で配置に着く際に、クマは二頭で、子連れかもしれないという情報が飛び交っていた。

ということは、もしかしたらこの子グマは、あの雌グマの子どもなのでは……。

考えれば考えるほど、それが正解のように思えてきた。

子グマの顔を覗き込む。

「あなたのお母さんを、私たちが殺しちゃったの？　ねえ、そうなの？」

むろん、答えが返ってくるはずはなかった。

美佐子の問いに答えはしなかったものの、子グマは、なにかを訴えるように、か細い声で鳴きはじめた。

お腹《なか》が空いているに違いない。

倒れているペットボトルに手を伸ばし、残っていた中身で指を濡らして子グマの口に持っていく。

母グマの乳首に吸い付いているつもりなのだろうか。さっきと同じように、子グマは夢中になって、美佐子の指を吸いはじめた。

大きさからすると、この冬、越冬穴で生まれたばかりの赤ん坊グマに違いなかった。実際、子グマの口には、まだしっかりと歯が生え揃っていないようで、指を咬《か》まれてもほとんど痛くない。

これでは、自分で採食して生き延びるのは無理だと思った。

この先、この子グマを待っている運命を思うと、涙が零《こぼ》れてきた。

もし、私と一緒に助け出されて村に連れ帰ったとしても、犬や猫とは違う。滝沢たちによって、母グマと一緒にクマ鍋にされてしまうのが落ちだろう。それはさすがにためらわれる。かといって、この子を逃がしてやっても、ひもじい餓えのあとにやってくる無残な死が待っているだけだ。この世に生まれたばかりだというのに、干からびて朽ち果てていくのを待つしかないのでは、それが自然の摂理なのかもしれないけれど、あまりにも酷《むご》い。乏しい明かりのなかで、子グマを見つめているうちに、それならいっそ、という思いがよぎってぞっとした。

今、私は一瞬、なにを思った？

自分の声に耳を傾け直した美佐子は、通りすぎ、消えようとしていた考えを、苦労して呼び戻した。

どうあがいても酷い最期が待っているのだとしたら、私の手でこの子を殺してあげたほうが、よほどよいのではないか。この子のことを思うなら、そうするのが最善の方法なのではないのか。もしかしたら、それがために、山の神さまが、この子を私に引き合わせたのではないのか……。

左右の指で輪を作り、子グマの首に回してみた。最初からあつらえてあったかのように、美佐子の手の大きさは、子グマの首のサイズにぴたりと合った。

目を瞑《つむ》り、唇を嚙《か》みながら、美佐子は自分の指に力を込めはじめた。

52

合流地点として決めたミズナラの老木へは、貢のほうが先に到着していた。

「そっちもだめだったか」

滝沢が尋ねると、貢は顔に向けられた懐中電灯の明かりに眩しそうに目を細め、左右に首を振った。

「だめだ、ジグザグに巻きながら下りてみたんだが、どこにもいねえ」

頷いてトランシーバーを手にし、モクラの爺やと交信する。

ヒトド沢の斜面を下から登っている連中も、そろそろ稜線に出るところなのだが、まだ見つけていないとのことだった。美佐子は、加賀美の待つ林道に下りてきてもいないし、当然、ひとりで村に帰り着いてもいない。

いったいどこに行ってしまったんだろうと、焦燥に駆られながら思案する。

彼女がいくら闇雲に歩いたとしても、動ける範囲は限られている。どう考えても、もし無事でいるのなら、どこかで誰かの呼びかけに応えているはずだった。

同じことを吉本も考えていたようだ。

「彼女、意識を失っているのかもしれない。まずいな――」

誰に向けるでもない呟きが、吉本の口から漏れた。

滝沢は、最悪の場合は、という補足は口に出せなかった。自分たちにとっては裏庭みたいな山なのだが、うっかり転落すれば死に至るような場所はけっこうある。

だが、美佐子がそう簡単に死んでしまうとは思えなかった。山で生き残れるかどうかの最後の分かれ目は、体力ではなく精神力だ。山の神さまは、諦めの早い奴にはあっさり死をもたらすが、決して諦めない者には、最後には微笑んでくれる。

ただし、現実問題として、これからどうするかを決めなければならなかった。

このままの人数で捜索を続行するか、さらに応援を増やすか、あるいは、いったん中断して、明日の早朝から警察や消防団と一緒に捜索を再開するか……。

いずれにしても、俺たちが捜しているから安心しろと、彼女に伝えられるなら伝えておいたほうがいい。そう考えた滝沢は、肩にかけていたケースから銃を取り出した。

「ほんとうは日没後に撃っちゃいけねえんだが――」

吉本に言いつつ、薬室に三発の弾丸を装塡した。

猟銃の筒先を暗い上空に向ける。

――どこかで、ちゃんと聞いててくれよ。

そう祈りながら、滝沢は引き金を絞った。

53

闇を裂く、三発の銃声で、美佐子は我に返った。

指に込めていた力を抜く。

輪を作った手のなかで、子グマは、ぷるぷると震えながら、子犬のようなか細い鳴き声をあげた。

それなのに、胸に抱きすくめると、さっきにも増して強く鼻面を押し付けて、美佐子の口の周りを舐めてきた。

止められない嗚咽が、美佐子の喉から漏れだした。

たとえ自分を殺そうとした相手であっても、身近にいる大きな生き物に頼るしか、生き延びる術《すべ》がないと、子グマは本能的に察知しているように思えた。

袖口で涙を拭い、ブナの木に寄り添って立ちあがる。

子グマをしっかりと抱いたまま、美佐子は、声を限りに吉本の名を呼びはじめた。

54

「声が聞こえないか」

滝沢が猟銃をケースに戻していると、吉本が鋭く囁いた。

「美佐子さんのか」

手を止めて尋ねた滝沢に、吉本が「間違いない――彼女が俺を呼んでいる」と答える。

全神経を耳に集中させて息を詰めた。

森を縫う微風が、滝沢の頬を撫でた。と同時に、美佐子の声が滝沢の耳にも、微《かす》かに届いた。

「どこからだ」

「さっき越えた涸《か》れ沢のあたり。違うか？」

たぶん、と滝沢が応じる前に、美佐子の名を叫んで吉本が身を翻した。ハンドライトの明かりだけを頼りに、ほとんど駆けるような勢いで藪に飛び込んでいく。

「吉本さん、足下に気をつけろっ」

注意を促しつつ、貢と一緒に追いはじめる。

進むごとに、美佐子の声は明瞭《めいりよう》になってきた。助けを求める彼女に三人で叫び返しながら、小さな峰をひとつ越えた。

ふだんは涸れ沢となっている沢から数十メートル離れたあたりで、黄色っぽい明かりがちらちらと見え隠れしていた。それに向け、滝沢は腹の底から声を絞り出した。

「美佐子さーん、そっちを見つけたぞーっ、もう大丈夫だから、そこから動かねえで待っててくれ！」

滝沢の呼びかけに応える光線が、闇のなかで右に左にと弧を描いた。

マグライトの明かりを確認してから十分とかからずに、滝沢たちは、美佐子が待つ場所に辿り着いた。

滝沢が向けた光芒《こうぼう》のなかで、美佐子は自分を抱くようにして、ブナの老木に寄りかかっていた。疲弊しきっているのは一目でわかったが、それでも彼女は自分の足で立っていた。

「怪我《けが》はないかっ」

訊きながら近づくと、美佐子は堰《せき》を切ったように泣きじゃくりはじめた。

「どうした、どこか怪我してるんか」

濡れそぼった髪を頰にはりつかせ、美佐子は激しくかぶりを振った。

嗚咽の合間から、途切れとぎれに言う。

「この子を――この子を私、殺そうとしてたんです――でも、殺せなかった――」

「なんのことね」

尋ねた滝沢は、彼女の腕に抱かれて動いているものに気づいた。

「子グマじゃねえか、いったいなんで――」

鼻を啜りながら美佐子が答える。

「昼間仕留めたのは、この子の母親だと思うんです――これから先、山のなかでこの子は生きていけないし、里に連れ帰ることもできない――だったらいっそのこと――そう思ったんだけど、やっぱり私には殺せなかった」

「なに、馬鹿なことを言ってんね」

「馬鹿な――ことって？」

「いくら俺らかて、こんな子っこに酷いことはしねえでの」

そう言って滝沢は、美佐子の腕から子グマを取りあげた。むずかる子グマに頬ずりして「なあ、吉本さん――」と隣の吉本に尋ねる。

「あんたのつてで、こいつを保護してくれるところくらい、見つけられるだろ」

「もちろん」

それを聞いた美佐子が、再び嗚咽を漏らしはじめた。よほど安堵したのか、寄りかかっていた幹に背をもたせかけたまま、ずるずるとしゃがみ込む。

「あんた、さっきから、なにぼさっとしてるんね」

わざと半分怒った口調で、吉本の背中をどやしつけてやる。

吉本は、美佐子の傍らで膝を折り、ためらいがちに手を差し伸べた。

吉本の手が美佐子の頭をそっと撫で、次いで彼女の肩を強く抱き寄せた。

美佐子の嗚咽がいっそう激しくなった。しかし、それが慟哭《どうこく》の涙ではないことは、滝沢にもわかっていた。

55

からりと晴れあがった青空の下、滝沢はお神酒として捧《ささ》げる一升瓶を手に、幾人かの仲間とともに、熊田の集落の御神木を前にしていた。

密集した杉林の斜面の中腹に佇んで、この村を護《まも》り、猟を見守りつづけてきた御神木は、樹齢二百年は優に越えている堂々としたトチノキの老木だった。

この木は、俺たちがこの村で生きてきたさまをずっと見てきた。これから先も、自らが朽ち果てて土に還《かえ》るまで、今までと同様に村の人々を見守りつづけてくれるだろう。

そのなかに、自分の姿がないだろうということだけが寂しいものの、それも仕方がないという静かな諦めがあった。わずか二年の間だけだったが、熊田の狩猟組の親方として、まあまあ満足のいく仕事ができたと思う。あとは、残る者にすべてを託して去っていくしかない。

意識を御神木に戻した滝沢は、一升瓶を傾けて、無言で佇むトチノキの幹に丹念にお神酒を注いだ。

一升瓶を足下に置き、柏手《かしわで》を打ってから祈りを捧げる。

「さて、んだら、そろそろ」

顔をあげ、周りにいる爺やたち猟師仲間に告げた。

息を大きく吸い込み、「せーのっ」とかけ声をかける。

「ほーいっ！」

猟場《クラ》でクマを追う鳴り声が、熊田の空を駆けた。

一拍置いて、既にナヤ汁ができあがり、『クマ祭り』の準備が整った義夫の家の方角から「ほーっ！」という鳴り声が返ってきた。

数十メートルの距離を隔てて、猟師たちによる鳴り声の掛け合いが、三度、繰り返された。

いつから始まったのかは定かではないが、熊田の『クマ祭り』に先立って行われる、最も大事な儀式が、これで終了した。

俺はこの声を二度と聞くことはないかもしれない。そう思うと、滝沢の胸には、自分ではどうすることもできない寂しさが押し寄せてきた。

56

「ああしている昭典さんを見てると、なんだか辛くなっちゃう」

吉本と肩を並べて縁側に座り、『クマ祭り』がはじまった座敷に目を向けて、美佐子は溜め息を漏らした。酒宴の席では、マタギの頭領としての最後の務めを果たすべく、滝沢が一升瓶を手にして、来賓たちに酒を注いで回っている。

「確かにね。けれど、またこの村に戻ってくるような気がするな。翔子さんと子どもたちを連れて」

「そうかしら」

「彼の体に流れているマタギの血は、そう簡単に消せるものじゃないからね。それは翔子さんにしても、十分にわかっていると思う」

「だといいんだけど――」

そう頷き、いよいよ盛りあがりはじめた宴席を眺めやった美佐子は、心からの願いを込めて口にした。

「この光景、いつまでもつづくといいなあ」

隣で吉本が目を細める。

「俺もそうあってほしいと思う。けど、どうなんだろう、十年後、二十年後、果たして今と同じ光景がここで見られるかどうか。彼らの――」と上機嫌で杯を傾けている猟師たちに顔を向け「――ほんとうの葛藤や相剋は、これからが本番を迎えることになると思う。今までと同じようにひっそりと暮らしていくことは、もはや不可能な時代になっているし、それ以上に、あとを継ごうという若い猟師が少なくなっていくだろうしね。かなり前途多難だな」

「それと、彼らのことを、猟をしない人たちがどれだけ理解できるか、よね」

「そう、ほんとうにそうだ」

どことなく落ちてしまった沈黙を、台所から盆をかかげてやってきた加賀美が破った。

「お待ちどおさま、ナヤ汁もらってきたぜ」

そう言いながら、縁側に胡坐《あぐら》をかき、どんぶりと割り箸を三人分並べる。

「さっき味見させてもらったけどさ、内臓も骨もいっしょくたにして煮込んであるから、なんというか、めちゃくちゃ濃厚なんだが、癖になりそうな味だぜ」

そう言うや、加賀美は勢いよく汁を啜りはじめた。さらに大ぶりの肉切れを口に放り入れ、咀嚼《そしやく》しながら恍惚《こうこつ》とした表情を浮かべる。

「うーん、決して上品じゃないけど、美味《うま》いよやっぱり。これじゃあ、彼らがクマを食うのをやめられないのもわかる。ほら美佐ちん、あんたも食いな。美佐ちんのおかげで、こうして美味いクマ汁にありつけるんだからさ」

昼間から飲みはじめたせいか、やけに饒舌《じょうぜつ》になっている加賀美に笑いかけ、美佐子は割り箸を手にして、最初の肉片をひとつ、口にした。

クマ肉を嚙んだ瞬間、美佐子は、言葉にならない声を胸中で漏らした。

味がどうこうの問題ではなかった。嚙むとほのかに木の実の香りがするクマ肉が、昨日の猟の記憶を鮮明に蘇らせたのである。

肉片を嚙む度に、昨日のクマの姿が脳裏をよぎった。

猟場《クラ》の斜面を駆けるクマの姿。

進退窮まって右往左往しているクマの姿。

そして、首にロープをかけられ、谷底から引きずり上げられていくクマの姿。

あのクマを、今こうして自分が食べているのだという事実が、強烈なリアリティを伴って美佐子の意識を揺さぶった。

理屈を越えたところで、生き物を殺して食うという行為はこういうことなのかと、実感した。

それは、決しておぞましい感覚ではなかった。クマ汁となってしまったクマに憐れみを覚えるというのではなく、噓偽《うそいつわ》りなく、神妙で厳《おごそ》かな気分が、自分の心と体を、完膚《かんぷ》なきまでに支配していた。

あのクマに私は命をもらい、この先も生きつづけようとしている。そうした感謝の念のようなものが、細胞の隅々にまで行き渡っていく感覚があった。食べ物を口にして、これほど強烈な感情に打たれたのは、生まれてはじめてだった。

美佐子は、去年の『マタギの集い』のとき、阿仁の里で、吉本や滝沢とはじめて会った日のことを思いだした。

あのとき、私は、この時代にクマを食べる必要があるのだろうかと、滝沢たちマタギの面々を厳しく糾弾した。

クマを食べなくても、人間が生きることに支障はない。それは、いまなお事実だと思う。けれど、あえてクマを追い、クマを獲って食べることでしかわからないものが確かにあるのだと、今の私は身をもって知った。

これをどうやって文字に表し、読者にわかってもらおうかと考えると、絶望的な気分になる。けれど、いまの私には、一年前には出会うことなど予想もしていなかった、少々頑固ではあるけれど、とびきり素敵な仲間たちがいる。そして……。

一心にクマ肉に齧《かじ》りついている吉本を見て、美佐子の口許《くちもと》が自然にほころんだ。

57

さすがに関東平野だと、滝沢は思った。

まだゴールデンウィーク前だというのに、松戸市の街並みには熊田よりもひと足早く初夏がやってきていた。重いリュックをしょって、照り返しの強いアスファルトの上を歩いているせいで、既に背中は汗でぐっしょりだ。

　ほんとうはもっと早く松戸に来るつもりでいた。ところが、仕事の引き継ぎと車の売却手続き、親父やおふくろ、それにも増して、仲間たちの説得に時間がかかり、気づいてみたらあっという間に二週間が過ぎていた。

　背中の荷物は重いが、いろんな意味でこれだけ身軽になったのは、生まれてはじめてかもしれない。しかし、それも一時のことで、またすぐ様々な荷物を背負う日々がやってくるだろうことは十分にわかっていた。この不景気のなか、もう何年かで四十に手が届こうとする中年男が、まったくのゼロから人生をやり直そうというのだから、当たり前である。

　だが、どんなに厳しい未来が待っていようと、妻と子どもたちさえいてくれれば、新たな人生を切り開けると、滝沢は信じていた。

　独りよがりの思いであることはわかっていた。身ひとつで訪ねてきた滝沢を見て、翔子がどういう反応をするかは、まったく予想できなかった。もしかしたら、敷居を跨《また》ぐなと追い返されることだってあるだろう。それならそれで、日雇い仕事でもなんでもして食いつなぎながら、翔子が自分を迎える気持ちになってくれるまで待てばいい。待つことだけは、長年のクマ狩り生活でいやというほど慣れている。

　あるいは、離婚届だけは送りつけられていないというかすかな希望にすがってではあるのだが、すべてを捨ててやってきた自分を見て、翔子が作ってしまった心の壁が崩れてくれるかもしれない。

いったいどうなるかは山の神さまの機嫌しだい——と考えたところで苦笑した。すべてを捨てたといっても、骨の髄まで染み付いたマタギの性《さが》は、そう簡単に消えてくれるものではなさそうだ。

そんなことを考えながら歩いているうちに、いつの間にか、あと二つ角を曲がれば翔子の実家に到着、というところまで来てしまっていた。

思わず足が止まる。

やっぱり怖いんだ、と滝沢は思った。そもそもタクシーにも乗らずに、こうして荷物を背負って歩きだしたのは、決定的な瞬間を先延ばしにしようとする無意識の現れに違いなかった。

意を決し、再び歩きだした滝沢は、ゆっくりとひとつめの角を曲がった。

路地を折れた先、左手に出てきた児童公園の前で、またしても足が止まった。

目にした瞬間に、翔子と真奈美だとわかった。

ベンチに腰掛け、砂遊びをしている娘を優しげな眼差しで見守っている妻がいた。彼女のかたわらには木漏れ日につつまれて小さなベビーカーが一台、停められていた。

息を呑んでその光景に目を奪われていると、ベンチから腰をあげた翔子が、膝を折ってベビーカーを覗き込んだ。赤ん坊をあやす翔子の顔に、なんの屈託もない笑顔が広がった。

見ているうちに、視界がぼやけてきた。

自分の目から涙が溢れていることに気づいて、滝沢はうろたえた。

シャツの袖口でごしごしと目を擦《こす》る。

拭い終わって公園に目を戻したとき、視線の先には、大きく両目を見開いて夫を見つめ、驚きの表情で立ち尽くしている妻の姿があった。

彼女の表情が、次の瞬間にどう変わるかはわからなかった。

わからなかったが、自分の足を一歩前に踏み出すことが、今の滝沢にできるすべてだった。

参考文献

『越後三面山人記――マタギの自然観に習う』田口洋美著　㈳農山漁村文化協会
『マタギ――森と狩人の記録』田口洋美著　慶友社
『マタギを追う旅――ブナ林の狩りと生活』田口洋美著　慶友社
『クマを追う』米田一彦著　どうぶつ社
『山でクマに会う方法――これだけは知っておきたいクマの常識』米田一彦著　山と溪谷社
『生かして防ぐクマの害』米田一彦著　㈳農山漁村文化協会
『熊と向き合う』栗栖浩司著　創森社
『ベア・アタックス　Ⅰ・Ⅱ　クマはなぜ人を襲うか』S・ヘレロ著　嶋田みどり・大山卓悠訳　北海道大学図書刊行会
『野生鳥獣保護管理ハンドブック――ワイルドライフ・マネージメントを目指して――』野生鳥獣保護管理研究会編　日本林業調査会
『近世以降における熊狩りの形態とその意義』村上一馬著　平成十二・十三年度　宮城県教育委員会　大学院研修派遣研修報告書

解説——野生的なるものは可能か

赤坂憲雄

熊谷達也さんはいわば、わたしにとって、同志のような存在である。東北学という知の運動をたちあげて以来、熊谷さんはいつも、かたわらにいて、ともに駈けつづけてきた。同志のような、ではなく、まさに同志なのである。わたしが主宰していた『別冊東北学』という雑誌には、小説の連載までしてもらっていた。直木賞受賞後第一作となった『荒蝦夷《あらえみし》』である。それにしても、運動やら同志やら、なんとも時代錯誤な言葉を気恥ずかしくも使っている。ほんとうは、もっと繊細な言葉がほしいが、見つからない。

この距離の近さゆえに、あらためて作家・熊谷達也について語るのは、とてもむずかしいことに感じられる。しかし、ここではあえて、熊谷達也論の試みに手を染めてみたくなった。相も変わらぬへそ曲がりであるが、いたしかたない。たぶん、それはわたしの性分である以上に、わたしに課せられた役割であろうから。あらかじめ先取りして書いておく。熊谷さんの小説世界を通底しているテーマが、あきらかに存在する。たとえばそれは、われわれ自身の身体の深みに沈められている、野生的なるもの、その復権の企て、といったところか。

そもそも野生とはなにか。むろん、まともに応答するわけにはいかない。

最近、ドイツのシュヴァルツヴァルトの黒い森を訪ねる短い旅をした。その見聞から始めることにしよう。わたしが予期していた黒い森は、そこには存在しなかった。それは白神山地のブナの原生林とは、まるで異なった森であった。丘や高原のそこかしこに黒い森が点在しているが、人跡未踏の原始林といったものはどこにも見当たらない。原生的な自然を抱え込んだ、いわば奥山が存在しないのである。聞くところによれば、ドイツではすでに原始林はまったく消滅し、すべての森が人為的に管理されている二次的な自然である、という。したがって、まれに国境を越えて紛れ込んでくるケースはあれ、奥山に人知れず野生の熊などが棲息しているといったこともない。

野生とはなにか、という問いそのものが、どうやらドイツと日本とでは根底的に異なっているらしい。そんな気配が濃厚に漂う。つまり、日本列島の自然はいまだに、そのもっとも奥深くに原生的な森をわずかではあれ抱え込み、野生の獣たちの棲息を許しているのである。すべてが人為的につくられたドイツの森を対比的に置くとき、その最深部に原始の森があり、野生の獣たちを棲まわせている日本の森の個性がきわだってくる。

さて、それがいったい、熊谷文学の理解にとって、いかなる意味があるのか。たとえば、『邂逅の森』という作品が、明治から大正あたりを時代背景としながら、なにゆえに硬質な神話的世界を構築することができたのか。小さな奇蹟のようにも感じられる。おそらく、その、無謀な、ありえない神話への試みを支え、そこに強いリアリティをあたえていたのが、かろうじて残された東北の野生的な森や獣たちだったのだ、といまにして思う。ドイツの森を舞台として『邂逅の森』を描くためには、たぶん鬱蒼とした黒い森に覆われた中世あたりにまで遡らねばならない。まさに、ウィリアム・テルかロビンフッドの伝説世界である。むしろ、それが近代を背景として成り立ってしまうことこそ、ある意味では異様なのかもしれない。

人間の内なる野生を描く。たとえばそれを、大都市の闇にうごめく暴力や犯罪や狂気といったテーマによってではなく、東北のブナの森の奥深くに分け入り、ツキノワグマに戦いを挑むマタギたちの姿を素材として探求する。ヴェクトルがまったく逆向きであることに、注意を促しておきたい。『荒蝦夷』に挿入されたカニバリズムの光景を想い起こすのもいい。現代の東京を舞台にして、人が人を喰らうドラマを成立させるためには、狂気や異常心理や生い立ちの歪みといった小道具を総動員しなければならない。しかし、古代東北の蝦夷の世界であれば、それはいかにもありえる出来事として、やすやすと描くことができる。むろん、作家自身に、それに耐えるだけの強靭なる精神がありさえすれば、という条件付きではあるが。

熊谷さんにとって、まさに東北は打出の小槌なのかもしれない。それはしかも、宮沢賢治のイーハトーヴ戦略とはまた、逆のヴェクトルを指している。熊谷さんはたぶん、賢治の『なめとこ山の熊』を強く意識していたと想像されるが、『邂逅の森』と比較してみればいい。『なめとこ山の熊』からはなにより、血の匂いのする描写がいっさい省かれている。熊撃ちの小十郎が熊を射殺し、それを解体する場面は、けっして描かれないのである。「それからあとの景色は僕は大きらひ」だと、描写それ自体が拒まれている。賢治は熊撃ちにまつわる血なまぐさい現場に立ち会ったことがあったか、あるいは、少なくともそのいくらかは知っていたはずだが、それを忌避したのである。

『邂逅の森』とはいわば、「それからあとの景色」にこだわることによって、『なめとこ山の熊』の陰画となり、むしろ、その喉元に突きつけられた鋭利な刃《やいば》となったのではないか。ふたつの作品はともに、ほぼ同じ時代を背景として、しかも神話的な気配を色濃く漂わせている。そして、そうでありながら、そこには大きく離反し逸れてゆく瞬間があり、場面がある。熊谷さんのマタギ小説には、裏返されたイーハトーヴ世界が沈められているのかもしれない。『邂逅の森』には、血にまみれながら、人が熊を喰らい／熊が人を喰らう、いのちの交換（わかちあい）にこそ根ざした、いのちの交歓（むつみあい）の光景が、大胆にも一篇の神話的な物語として描かれていたのではなかったか。

しかし、もはや、そうしたいのちの交換＝交歓が、そのままに容認されることはありえない。モラルとしての弱肉強食は、共生というあまやかな反自然的思考によって断罪され、抹殺されようとしている。それが、われわれの時代のグロテスクな現実、少なくともその一端である。だから、本作『相剋の森』が書かれねばならなかった。そこではツキノワグマの狩猟／保護という問題をひとつの焦点として、人間と自然との関係にまつわる将来的なイメージがさまざまに、小説のかたちで追求されている。現実には、ひとつの土俵のうえで対峙することのまれな、野生動物の保護派と、伝統的な熊狩りの擁護派とが、小説のなかでは対話ないし論争をくりかえすのである。そうして、微妙な折り合いが探られてゆく、その可能性を問うことが作品の核心をなしている。

『相剋の森』の舞台のひとつは、新潟県北部の伝統的な熊狩りをおこなってきた村である。おそらくこれは、マタギの村が秘境としてではなく、かぎりなく等身大に、現在進行形において描かれた小説作品として記憶されることになるはずだ。たとえば、戸川幸夫をはじめとする、これまでのいわゆる動物文学の系譜のなかでは、マタギの村はまさしく秘境として描かれてきた。熊狩りなどは、はるかな山奥の秘境でおこなわれてきた、奇怪にして勇壮なる秘めごとでなければならなかった。それが『相剋の森』では、いきなり秘境の非日常の物語から、山村の日常の物語へと転換させられたのである。そうして野生がフィクションから現実になった。

しかも、だからこそ、そこでは「山は半分殺してちょうどいい」というマタギの論理が生きてくる。山を半分だけ殺す（収奪する）ことは、人間がみずからの欲望を半分だけ殺す（抑制する）ことと背中合わせに、はじめて成立する。もっと端的に言うならば、熊を殺す（狩る）者は、熊によって殺される（喰われる）かもしれぬ運命を甘受しなければならない。人と自然との共生は、共死の思想によって支えられることなしには、たんなる薄っぺらなヒューマニズムの表出に留まる。「山は半分殺してちょうどいい」という血の匂いのする論理は、いのちの交換＝交歓を生きてあるマタギにして、はじめて可能となる生きられたモラルであることを忘れてはならない。現実にも、最後は熊に喰われて死ぬのがいい、と語るマタギが存在する。そんな話を聞いたことがある。

くりかえすが、熊谷さんにとって、東北は打出の小槌なのである。その東北とはしかし、稲作中心史観に覆われ、去勢された東北ではありえない。その裏側からあぶり出されてくる縄文的な、蝦夷的な、マタギ的なもうひとつの東北である。稲の東北にたいするアンチテーゼの気分が、たとえば『邂逅の森』や『相剋の森』には充満している。獣の匂いが垂れ込め、血や肉にまみれた東北こそが、振ればいくらでも黄金《こがね》があふれ出す打出の小槌であることを確認しておくべきだろうか。いずれであれ、熊谷さんはそれを、『邂逅の森』のようにも『相剋の森』のようにも、たやすく描き分けることができる。その筆使いはいかにも武骨であるが、そこに垣間見える振幅は、熊谷さんの作家としての器の大きさを暗示しているにちがいない。

さて、熊谷達也という作家のなかで、これから野生的なるものの復権の企てがどのように展開してゆくのか、わたしは深い関心をいだいている。やがて、東北という沃野を離れてゆくとしても、このテーマは熊谷さんに固有につきまとい続けるにちがいない。その、あくまで穏やかな野生の気配に触れながら、あらためて思う、この時代にいったい、野生的なるものは可能なのか、と。

（東北芸術工科大学教授）

〈編集部註〉

本作品の発表後、狩猟法（鳥獣の保護及び狩猟の適正化に関する法律）が改正され、作中の一部の内容が現状にそぐわなくなっている箇所がありますが、物語の設定上、発表時のままとしてあります。ご了承下さい。

この作品は二〇〇三年十月、集英社より刊行されました。

――――熊谷達也の本――――

漂泊の牙

東北の山奥で起きた主婦惨殺事件。現場には、日本では絶滅したはずのオオカミの足跡が……。愛妻を殺された動物学者・城島の必死の追跡が始まった。第19回新田次郎文学賞受賞の傑作。

熊谷達也の本

まほろばの疾風《かぜ》

時は８世紀末。東北地方には大和に従属しない人々がいた。彼ら蝦夷《えみし》たちは、自由のために侵略者・大和に敢然と立ち向かう。率いる英雄の名はアテルイ。誇り高き森の民の叙事詩。

集英社文庫

―――――― 熊谷達也の本 ――――――

山背郷

史上初の山本・直木賞両賞受賞作『邂逅の森』の原点がここにある。昭和の時代を、大自然と対峙し闘い抜いた男たちの「営み」と「誇り」。生きることを見つめた傑作短篇集。

集英社文庫

集英社文庫　目録（日本文学）

S 集英社文庫

相剋《そうこく》の森《もり》

2006年11月25日　第1刷
2020年1月15日　第7刷

定価はカバーに表示してあります。

著　者　熊谷達也《くまがいたつや》

発行者　徳永　真

発行所　株式会社 集英社
東京都千代田区一ツ橋2-5-10　〒101-8050
電話　【編集部】03-3230-6095
【読者係】03-3230-6080
【販売部】03-3230-6393(書店専用)

印　刷　凸版印刷株式会社

製　本　凸版印刷株式会社

フォーマットデザイン　アリヤマデザインストア　　マークデザイン　居山浩二

ISBN978-4-08-746096-4 C0193